아~름다운샘
A~ssam

최상위권 유형별
문제기본서 하이 하이

# Hi High

## 확률과 통계

수학의 최고 실력

역시! 믿고 보는 아샘 하이하이와 함께...

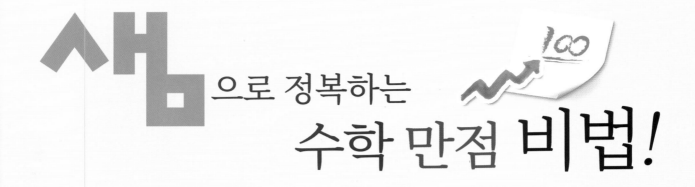

**샘으로 정복하는 수학 만점 비법!**

### 수학의 샘으로 기본기를 충실히!

수학 기본서 '수학의 샘'은 자세한 개념 설명으로 수학의
원리를 쉽게 이해할 수 있는 교재입니다. 최고의 기본서
수학의 샘으로 수학의 기본기를 충실히 다질 수 있습니다.

### Hi Math로 학교 시험에 대한 자신감을!

충분한 기본 문제, 학교 시험에 자주 출제되는
문제를 수록하여 구성한 교재입니다.
유형별 문제기본서 '아샘 Hi Math'로 학교 시험에
대한 자신감을 가질 수 있습니다.

### Hi High로 최고난도 문제에 대한 자신감을!

중간 난이도 수준의 문제부터 심화 문제까지
충분히 수록하여 구성한 교재입니다.
출제빈도가 높은 최상위권 유형을 충분히 연습하여
학교 시험 100점을 자신하게 됩니다.

※ **대표저자** : 이창주(前 한영고, EBS·강남구청 강사, 7차 개정 교과서 집필위원), 이명구(한영고, 수학의 샘, 수학의 뿌리-3점짜리 시리즈, 전국 모의고사 집필위원)
※ **편집 및 연구** : 박상원, 전신영, 신혜미, 장혜진, 정흥래, 권유림, 김지민
※ **일러스트 출처** : 1쪽_좌, 2쪽, 3쪽_상, 4쪽_상  designed by freepik.com

"대박! 수능과 정말 똑같아!!!"

# EBS 연계율 70% vs 짱 적중률 87%

수포자도
**4등급**은 기본,
**3등급**까지

**2등급**은 기본,
**1등급**까지

**만점**도전자의
**필수 교재**

기본+기출+예상의 수준별·유형별 수능 기출문제집!

## 짱 쉬운, 중요한, 어려운 유형

[수준별 5권] 수학Ⅰ, 수학Ⅱ, 확률과 통계, 미적분, 기하

짱시리즈의 완결판!

# 짱 Final
## 실전모의고사

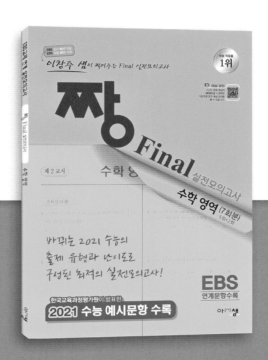

짱 시리즈는 연계가 아니라 적중입니다!!!

수능 문제지와
가장 유사한
난이도와 문제로 구성된
실전 모의고사 7회

EBS교재
연계 문항을 수록한
실전 모의고사 교재

# Hi High

# 확률과 통계

# "아름다운 샘 Hi High는?"

## Hi High의 특징

### 개념기본서 「수학의 샘」, 문제기본서 「Hi Math」와 연계된 교재

개념기본서 「수학의 샘」, 문제기본서 「Hi Math」에서 공부한 개념과 문제들로 쌓은 실력으로 보다 수준 높은 문제 연습을 할 수 있는 교재입니다. 단원의 구성과 순서가 동일하여 「수학의 샘」, 「Hi Math」와 연계하여 공부할 수 있습니다.

### 최고 수준의 수학 실력에 도달할 수 있는 문제기본서

난이도 있는 문제들을 풀면서 수학 실력을 향상시키기를 원하는 학생을 위한 교재입니다. 학교 시험에 잘 나오는 문제들을 시작으로 하여 깊이 있는 유형 문제 연습을 거쳐 최고 수준의 심화 문제 연습도 가능합니다.

### 변별력 있는 문제들을 충분히 연습할 수 있는 문제기본서

이 교재의 구성은 [샘이 꼭 내는 기본 문제] – [유형 문제] – [1등급 문제] – [최고난도 문제]입니다. 특히, [1등급 문제], [최고난도 문제] 코너에서는 높은 수학적 사고력을 요하는 문제들을 충분히 연습할 수 있습니다.

### 내신 1등급, 모의고사 1등급을 책임지는 문제기본서

학교 시험 및 모의고사 등에 출제되는 고난도 문제 유형들을 분석하고 분류하여 수록하였습니다. 상위권 변별력 문제를 충분히 실어 깊이 있는 내신 고득점 및 모의고사 문제까지 완벽하게 대비할 수 있도록 하였습니다.

수학적 사고력을 높여 수학 성적 1등급을 목표로 하는 상위권 학생들을 위하여
**응용 · 심화 문제들을 다양하게 연습할 수 있는 문제**
**내신 · 모의고사 1등급을 완벽 대비할 수 있는 문제**
들을 엄선하여 어떤 시험에서도 자신감을 가질 수 있도록 만든 문제기본서입니다.

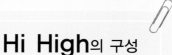

# Hi High의 구성

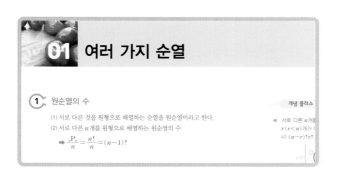

● **개념 정리**

각 단원의 중요 개념, 공식을 한눈에 볼 수 있도록 정리하였습니다. 알아두면 유용한 공식이나 개념, 문제 풀이에 직접적으로 도움이 될 만한 문제 해결 팁 등을 개념 플러스에서 추가하여 제시하였습니다.

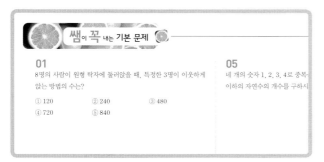

● **쌤이 꼭 내는 기본 문제**

각 단원에서 출제 빈도가 높아 꼭 풀고 가야 하는 기본 유형의 문제들을 선별하였습니다. 선생님이 강조하여 가르치는 대표 문제들을 풀고 갈 수 있습니다.

● **유형 문제**

수학적 사고력을 향상시킬 수 있도록 문제 유형을 통합적으로 제시하고 보다 깊이 있는 문제 연습을 할 수 있습니다. 꼭 풀어 보고 기억해 두어야 할 문제에는 '중요' 표시를 하였습니다.

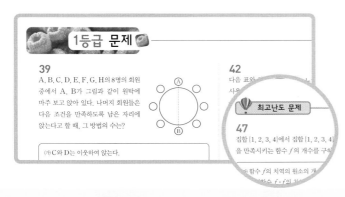

● **1등급 문제**

시험에서 1등급을 결정지을 수 있는 변별력 있는 문제들을 선별하여 수록하였습니다. 수학적 사고력과 응용력을 높일 수 있는 문제들을 다양하게 연습할 수 있도록 하였습니다. 특히, '최고난도 문제'도 풀어 볼 수 있도록 하였습니다.

# 차례

# 01 여러 가지 순열

# 01 여러 가지 순열

## ① 원순열의 수

(1) 서로 다른 것을 원형으로 배열하는 순열을 원순열이라고 한다.

(2) 서로 다른 $n$개를 원형으로 배열하는 원순열의 수

$$\Rightarrow \frac{_n\mathrm{P}_n}{n} = \frac{n!}{n} = (n-1)!$$

> **개념 플러스**

◀ 서로 다른 $n$개를 원형으로 배열할 때,
$r\,(r<n)$개가 이웃하는 방법의 수
$\Rightarrow (n-r)!\,r!$

$$((n-r+1)-1)!\,r! = (n-r)!\,r!$$

## ② 원순열의 응용 (다각형 순열)

다각형 모양의 탁자에 둘러앉는 방법의 수는 다음과 같이 구한다.

[방법1] (원순열의 수)×(회전시켰을 때, 겹쳐지지 않는 경우의 수)

[방법2] $\dfrac{(\text{순열의 수})}{(\text{같은 경우의 수})}$

참고 서로 다른 $n$개를 원형으로 배열할 때는 어느 자리를 기준으로 하더라도 모두 같은 경우이지만 다각형의 모양으로 배열할 때는 기준이 되는 것의 위치에 따라 서로 다른 경우가 될 수 있다.

◀ 다각형 모양의 탁자에 둘러앉는 방법의 수를 [방법1]을 이용하여 구하면 다음과 같다.

(1) 정사각형 모양의 탁자에 8명
$\Rightarrow (8-1)!\times 2$

(2) 직사각형 모양의 탁자에 8명
$\Rightarrow (8-1)!\times 4$

(3) 정삼각형 모양의 탁자에 6명
$\Rightarrow (6-1)!\times 2$

## ③ 중복순열의 수

(1) 서로 다른 $n$개에서 중복을 허용하여 $r$개를 택하는 순열을 중복순열이라 하고, 이 중복순열의 수를 기호로 $_n\Pi_r$와 같이 나타낸다.

(2) 서로 다른 $n$개에서 $r$개를 택하는 중복순열의 수 $\Rightarrow {}_n\Pi_r = n^r$

◀ (1) $_n\Pi_r$에서 중복이 가능한 것이 $n$이고 선택하는 횟수가 $r$이다.
(2) $_n\mathrm{P}_r$에서는 $0\le r\le n$이어야 하지만 $_n\Pi_r$에서는 $r>n$일 수도 있다.

◀ **중복순열을 이용한 자연수의 개수**
두 자연수 $m$, $n$에 대하여
(1) $1, 2, 3, \cdots, m$의 $m$개의 숫자에서 중복을 허용하여 만들 수 있는 $n$자리 자연수의 개수 $\Rightarrow {}_m\Pi_n = m^n$
(2) $0, 1, 2, \cdots, m$의 $(m+1)$개의 숫자에서 중복을 허용하여 만들 수 있는 $n$자리 자연수의 개수
$\Rightarrow m\times {}_{m+1}\Pi_{n-1} = m(m+1)^{n-1}$ (단, $n\ge 2$)

## ④ 같은 것이 있는 순열

$n$개 중에서 서로 같은 것이 각각 $p$개, $q$개, $\cdots$, $r$개 있을 때, $n$개를 모두 일렬로 배열하는 순열의 수

$$\Rightarrow \frac{n!}{p!\,q!\cdots r!} \text{ (단, } p+q+\cdots+r=n)$$

◀ **함수의 개수**
두 집합 $X=\{a_1, a_2, a_3, \cdots, a_m\}$, $Y=\{b_1, b_2, b_3, \cdots, b_n\}$에 대하여 $X$에서 $Y$로의 함수의 개수 $\Rightarrow {}_n\Pi_m = n^m$

## 쌤이 꼭 내는 기본 문제

### 01
8명의 사람이 원형 탁자에 둘러앉을 때, 특정한 3명이 이웃하게 앉는 방법의 수는?

① 120　　　　② 240　　　　③ 480
④ 720　　　　⑤ 840

### 02
그림과 같은 정사각형 모양의 A식탁에 4명의 학생을 앉히는 방법의 수를 $a$, 직사각형 모양의 B식탁에 6명의 학생을 앉히는 방법의 수를 $b$라 하자. $a+b$의 값을 구하시오.

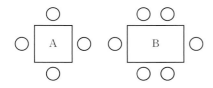

### 03
그림과 같이 회전할 수 있는 원판의 다섯 부분 A, B, C, D, E에 서로 다른 5가지의 색을 모두 사용하여 칠하는 방법의 수를 구하시오.

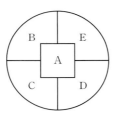

### 04
워드 프로세서 시험에 응시한 6명의 학생이 합격 또는 불합격 판정을 받는 방법의 수를 구하시오.

### 05
네 개의 숫자 1, 2, 3, 4로 중복을 허용하여 만들 수 있는 세 자리 이하의 자연수의 개수를 구하시오.

### 06
다섯 개의 숫자 2, 2, 3, 3, 5로 만들 수 있는 다섯 자리 자연수의 개수를 구하시오.

### 07
그림과 같은 도로망이 있다. A지점에서 출발하여 P지점을 경유하지 않고 B지점으로 가는 최단 경로의 수를 구하시오.

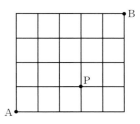

### 08
두 집합

$$A=\{x \mid x는\ 10\ 이하의\ 짝수\},$$
$$B=\{x \mid x는\ 10의\ 양의\ 약수\}$$

에 대하여 $A$에서 $B$로의 함수의 개수는?

① $2^5$　　　　② $3^4$　　　　③ $4^5$
④ $5^4$　　　　⑤ $6^6$

유형 **1**　원순열의 수

## 09

서로 다른 8개의 구슬을 탁자 위에 원형으로 배열할 때, 특정한 구슬 2개씩이 서로 이웃하도록 배열하는 방법의 수는?

① $3! \times 2^4$　　　② $3! \times 2^5$　　　③ $4! \times 2^4$

④ $4! \times 2^5$　　　⑤ $4! \times 2^6$

## 10

어느 결혼정보회사에서 4명의 남자 회원과 4명의 여자 회원의 만남을 주선하였다. 이 만남에서 남자 회원과 여자 회원이 교대로 원형 탁자에 둘러앉게 하는 방법의 수를 구하시오.

<sup>중요</sup>
## 11

초등학생 2명, 중학생 2명, 고등학생 3명이 원형 탁자에 둘러앉을 때, 초등학생 2명은 이웃하고, 중학생 2명은 이웃하지 않도록 앉는 방법의 수를 구하시오.

<sup>중요</sup>
## 12

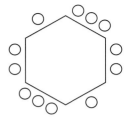

그림과 같은 정육각형 모양의 탁자에 12명의 사람을 앉히는 방법의 수를 $a \times 12!$이라 할 때, 상수 $a$의 값을 구하시오.

## 13

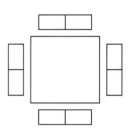

어느 대학교 수시모집에서 토론식 면접을 진행하기 위하여 남학생 4명과 여학생 4명을 그림과 같이 정사각형 모양의 탁자에 배열된 8개의 의자에 앉히려고 한다. 붙어 있는 의자에는 반드시 남녀가 1명씩 앉도록 할 때, 이들 8명이 앉을 수 있는 모든 방법의 수는?

① 1152　　　② 2304　　　③ 4608

④ 5760　　　⑤ 9216

## 14

어떤 고등학교 방송반, 신문반, 사진반, 미술반, 연극반, 합창반 반장들이 축제 준비를 위해 원탁에 둘러앉아서 회의를 하려고 한다. 이들 6명이 다음과 같은 조건을 만족하면서 원탁에 둘러앉는 방법의 수를 구하시오.

> (가) 방송반과 신문반, 사진반과 미술반, 연극반과 합창반 반장들은 서로 마주 보고 앉도록 한다.
> (나) 방송반과 합창반 반장은 이웃하여 앉도록 한다.

## 유형 2  도형에 색칠하는 방법의 수

### 15

그림과 같이 가로와 세로를 각각 3등분한 정사각형 모양의 판에 서로 다른 9가지의 색을 모두 사용하여 칠하는 방법의 수가 $a \times 6!$ 이다. 상수 $a$의 값을 구하시오.

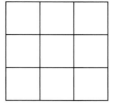

### 16

그림과 같은 정삼각기둥의 각 면을 서로 다른 5가지 색을 모두 사용하여 칠하는 방법의 수를 구하시오.

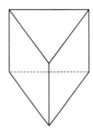

###  17

그림과 같이 큰 정사각형을 각 변의 중점끼리 이어 8개의 합동인 직각삼각형으로 나눈 도형이 있다. 서로 다른 8가지의 색을 모두 사용하여 8개의 직각삼각형을 칠하는 방법의 수는?

① 10080　　　② 10240　　　③ 10560

④ 10620　　　⑤ 10800

## 유형 3  중복순열

### 18

서로 다른 종류의 연필 5자루를 4명의 학생 A, B, C, D에게 남김없이 나누어 주는 방법의 수는?

(단, 연필을 받지 못하는 학생이 있을 수 있다.)

① 1024　　　② 1034　　　③ 1044

④ 1054　　　⑤ 1064

### 19

하루의 날씨를 기준으로 비가 오면 D, 비가 오지 않으면 G로 4일 동안 기록하여 4개의 문자를 갖는 영문자를 만든다. 예를 들어 4일 모두 비가 오면 DDDD이고, 모두 비가 오지 않으면 GGGG이다. 만들 수 있는 영문자의 개수를 구하시오.

### 20

시각 장애인을 위한 문자 체계의 하나인 브라유 점자는 그림과 같은 6개의 점으로 구성되어 있으며, 이 점들 중에서 볼록하게 튀어나온 점들의 개수와 위치로 한 문자를 결정한다. 적어도 하나의 점은 튀어나와야 한다고 할 때, 브라유 점자 체계에서 표현 가능한 문자의 개수를 구하시오.

## 21

서로 다른 과일 5개를 3개의 그릇 A, B, C에 남김없이 담으려고 할 때, 그릇 A에는 과일 2개만 담는 방법의 수를 구하시오.

(단, 과일을 하나도 담지 않은 그릇이 있을 수 있다.)

## 22

1, 2, 3, 4, 5의 숫자가 각각 하나씩 적힌 5개의 공을 3개의 상자 A, B, C에 넣으려고 한다. 어느 상자에도 넣어진 공에 적힌 수의 합이 13 이상이 되는 경우가 없도록 하는 방법의 수를 구하시오. (단, 빈 상자의 경우에는 넣어진 공에 적힌 수의 합을 0으로 한다.)

## 23

두 가지 부호 '·', '─'를 중복 사용하여 일렬로 나열한 신호를 만들 수 있다. 500가지의 서로 다른 신호를 만들 때, 두 부호를 합쳐서 최소한 몇 개를 사용해야 하는가?

① 4 　　　　② 6 　　　　③ 8
④ 10 　　　　⑤ 12

---

유형 4　중복순열을 이용한 자연수의 개수

## 24

다섯 개의 숫자 0, 1, 2, 3, 4로 중복을 허용하여 만들 수 있는 네 자리 자연수 중에서 홀수의 개수는?

① 120 　　　　② 140 　　　　③ 160
④ 180 　　　　⑤ 200

## 25

다섯 개의 숫자 1, 2, 3, 4, 5로 중복을 허용하여 만들 수 있는 모든 두 자리 자연수의 합을 구하시오.

## 26

여섯 개의 숫자 0, 1, 2, 3, 4, 5로 중복을 허용하여 네 자리 자연수를 만들어 크기가 작은 것부터 순서대로 나열할 때, 500번째에 나열되는 수는?

① 3005 　　　　② 3010 　　　　③ 3104
④ 3120 　　　　⑤ 3151

## 유형 5    같은 것이 있는 순열

### 27

0, 1, 1, 1, 2, 3, 3의 일곱 개의 숫자를 모두 사용하여 일곱 자리 자연수를 만들 때, 짝수의 개수는?

① 50        ② 60        ③ 80

④ 100       ⑤ 110

### 28

4개의 문자 NEED와 4개의 숫자 2, 2, 4, 4를 일렬로 배열할 때, 문자와 숫자가 교대로 오도록 배열하는 경우의 수를 구하시오.

### 29

7개의 문자 a, a, b, b, c, d, e를 일렬로 배열할 때, a끼리 이웃 하거나 b끼리 이웃하는 모든 경우의 수를 구하시오.

### 30

7개의 문자 STUDENT를 일렬로 배열할 때, 양 끝에 자음이 오도록 배열하는 경우의 수는?

① 480       ② 840       ③ 960

④ 1200      ⑤ 1440

### 31

5개의 문자 a, b, c, d, e를 일렬로 배열할 때, a는 b의 왼쪽에, c는 b의 오른쪽에, e는 d의 왼쪽에 놓이도록 배열하는 경우의 수를 구하시오.

### 32

좌표평면 위의 점 P가 다음과 같은 규칙으로 이동한다.

> (가) 점 P의 $x$좌표는 $y$좌표보다 크거나 같다.
> (나) 점 P는 $x$축의 방향으로 $+1$만큼 또는 $y$축의 방향으로 $+1$ 만큼 이동한다.

점 P가 점 O(0, 0)에서 출발하여 점 (5, 2)로 이동했을 때, 점 P가 이동할 수 있는 경로의 수를 구하시오.

## 유형 **6** 최단 경로의 수

### 33

그림과 같은 도로망이 있다. A지점에서 출발하여 C지점은 반드시 지나지만 D지점은 지나지 않고 B지점까지 최단 거리로 가는 방법의 수를 구하시오.

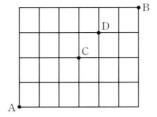

### 34

그림은 A지점에서 B지점으로 갈 수 있는 경로를 나타낸 것이다. A지점에서 B지점으로 가는 최단 경로의 수를 구하시오.

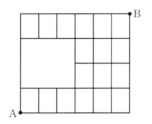

### 35

그림은 정육면체 3개를 붙여 놓은 것이다. 꼭짓점 A를 출발하여 정육면체의 모서리를 따라 꼭짓점 B로 가는 최단 경로의 수를 구하시오.

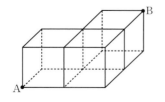

## 유형 **7** 함수의 개수

### 36

집합 $A=\{1, 2, 3, 4\}$에 대하여 $A$에서 $A$로의 함수 중에서 치역의 모든 원소의 곱이 짝수인 것의 개수를 구하시오.

### 37

두 집합

$X=\{x\,|\,x$는 10 이하의 소수$\}$,

$Y=\{x\,|\,x$는 10의 양의 약수$\}$

에 대하여 $X$에서 $Y$로의 함수 $f$ 중에서 $f(2)f(3)=10$을 만족시키는 것의 개수를 구하시오.

### 38

두 집합 $X=\{1, 2, 3, 4, 5\}$, $Y=\{x\,|\,x$는 18의 양의 약수$\}$일 때, $X$에서 $Y$로의 함수 $f$에 대하여 $f(1)+f(3)$의 값이 홀수인 함수 $f$의 개수는?

① 3426     ② 3600     ③ 3842

④ 3888     ⑤ 4000

## 1등급 문제

### 39

A, B, C, D, E, F, G, H의 8명의 회원 중에서 A, B가 그림과 같이 원탁에 마주 보고 앉아 있다. 나머지 회원들은 다음 조건을 만족하도록 남은 자리에 앉는다고 할 때, 그 방법의 수는?

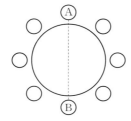

(개) C와 D는 이웃하여 앉는다.
(내) E와 F는 이웃하지 않는다.
(대) G와 H는 A, B를 이은 선분을 기준으로 서로 다른 쪽에 앉아 있다.

① 16        ② 32        ③ 64
④ 128       ⑤ 256

### 40

그림과 같이 가로의 길이, 세로의 길이, 높이가 서로 다른 직육면체가 있다. 서로 다른 6가지 색을 모두 사용하여 직육면체를 칠하는 방법의 수를 구하시오.

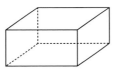

### 41

그림과 같이 6등분한 원의 각 부분에 서로 다른 5가지의 색을 모두 사용하여 칠하려고 한다. 인접한 곳에는 같은 색을 칠하지 않는다고 할 때, 칠하는 방법의 수를 구하시오.

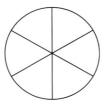

### 42

다음 표와 같이 두 문자 ㄱ, ㄴ을 중복을 허용하여 20번 이하로 사용할 때, 만들 수 있는 서로 다른 기호의 개수는?

| 1번 | 2번 | 3번 | ⋯ |
|---|---|---|---|
| ㄱ | ㄱㄱ | ㄱㄱㄱ | |
| ㄴ | ㄱㄴ | ㄱㄱㄴ | |
| | ㄴㄱ | ㄱㄴㄱ | ⋯ |
| | ㄴㄴ | ⋮ | |

① $2^{19}-1$        ② $2(2^{19}-1)$        ③ $2^{20}-1$
④ $2(2^{20}-1)$        ⑤ $2^{21}-1$

### 43

알파벳 대문자 A, B, C, D와 소문자 a, b, c, d가 있다. 8개의 알파벳 A, B, C, D, a, b, c, d를 한 번씩만 사용하여 일렬로 나열할 때, A는 a보다 앞에, B는 b보다 뒤에, C와 c는 양 끝, D와 d는 이웃하게 나열하는 경우의 수를 구하시오.

### 44

여섯 개의 숫자 0, 2, 2, 4, 6, 6을 일렬로 배열하여 여섯 자리 자연수를 만들 때, 260462, 426062와 같이 같은 숫자가 서로 이웃하지 않는 자연수의 개수를 구하시오.

## 45

그림과 같이 이웃한 두 교차로 사이의 거리가 모두 같은 도로망이 있다.

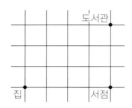

철수가 집에서 도로를 따라 최단 거리로 약속 장소인 도서관으로 가다가 어떤 교차로에서 약속 장소가 서점으로 바뀌었다는 연락을 받고 곧바로 도로를 따라 최단 거리로 서점으로 갔다. 집에서 서점까지 지나 온 길이 같은 경우 하나의 경로로 간주한다. 예를 들어 [그림1]과 [그림2]는 연락받은 위치는 다르나, 같은 경로이다.

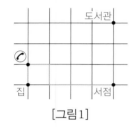
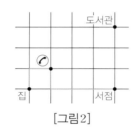

[그림1]                    [그림2]

철수가 집에서 서점까지 갈 수 있는 모든 경로의 수를 구하시오.
(단, 철수가 도서관에 도착한 후에 서점으로 가는 경우도 포함한다.)

## 46

두 집합 $A=\{a, b, c, d\}$, $B=\{1, 2, 3, 4\}$에 대하여 함수 $f: A \longrightarrow B$가 $f(a)+f(b)+f(c)+f(d)=8$을 만족시킬 때, 함수 $f$의 개수를 구하시오.

## 47

집합 $\{1, 2, 3, 4\}$에서 집합 $\{1, 2, 3, 4\}$로의 함수 중에서 다음 조건을 만족시키는 함수 $f$의 개수를 구하시오.

> (가) 함수 $f$의 치역의 원소의 개수는 2이다.
> (나) 합성함수 $f \circ f$의 치역의 원소의 개수는 1이다.

## 48

그림과 같이 이웃한 두 교차로 사이의 거리가 모두 1인 바둑판 모양의 도로망 위에 한 번 움직일 때마다 길을 따라 1만큼씩 이동하는 로봇이 있다. 로봇은 길을 따라 어느 방향으로도 이동할 수 있지만, 한 번 통과한 지점을 다시

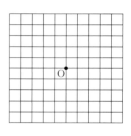

지나지는 않는다. 이 로봇이 O지점에서 출발하여 4번 이동할 때, 가능한 모든 경로의 수를 구하시오.

(단, 출발점과 도착점은 일치하지 않는다.)

# 02 중복조합과 이항정리

# 02 중복조합과 이항정리

## 1 중복조합

서로 다른 $n$개에서 중복을 허용하여 $r$개를 택하는 조합을

$n$개에서 $r$개를 택하는 중복조합

이라 하고, 이 중복조합의 수를 기호로 다음과 같이 나타낸다.

$$_n\mathrm{H}_r$$

### 개념 플러스

◀ 조합의 수 $_n\mathrm{C}_r$에서는 항상 $n \geq r$이어야 하지만 중복조합의 수 $_n\mathrm{H}_r$에서는 중복을 허용하므로 $n < r$이어도 된다.

## 2 중복조합의 수

서로 다른 $n$개에서 $r$개를 택하는 중복조합의 수는

$$_n\mathrm{H}_r = {}_{n+r-1}\mathrm{C}_r$$

◀ $_n\mathrm{P}_r$, $_n\Pi_r$, $_n\mathrm{C}_r$, $_n\mathrm{H}_r$의 비교
(1) $_n\mathrm{P}_r$ : 중복을 허용하지 않고 순서를 생각한다.
(2) $_n\Pi_r$ : 중복을 허용하고 순서를 생각한다.
(3) $_n\mathrm{C}_r$ : 중복을 허용하지 않고 순서를 생각하지 않는다.
(4) $_n\mathrm{H}_r$ : 중복을 허용하고 순서를 생각하지 않는다.

## 3 이항정리

자연수 $n$에 대하여

$$(a+b)^n = {}_n\mathrm{C}_0 a^n + {}_n\mathrm{C}_1 a^{n-1}b + \cdots + {}_n\mathrm{C}_r a^{n-r}b^r + \cdots + {}_n\mathrm{C}_{n-1} ab^{n-1} + {}_n\mathrm{C}_n b^n$$
$$= \sum_{r=0}^{n} {}_n\mathrm{C}_r a^{n-r}b^r$$

이와 같이 $(a+b)^n$을 전개하는 것을 이항정리라 하고, 전개식에서 각 항의 계수

$$_n\mathrm{C}_0, \ _n\mathrm{C}_1, \ \cdots, \ _n\mathrm{C}_r, \ \cdots, \ _n\mathrm{C}_{n-1}, \ _n\mathrm{C}_n$$

을 이항계수라고 한다.

한편, $_n\mathrm{C}_r a^{n-r}b^r$을 $(a+b)^n$의 전개식의 일반항이라고 한다.

참고 **이항계수의 성질**

① $_n\mathrm{C}_0 + {}_n\mathrm{C}_1 + {}_n\mathrm{C}_2 + \cdots + {}_n\mathrm{C}_n = 2^n$

② $_n\mathrm{C}_0 - {}_n\mathrm{C}_1 + {}_n\mathrm{C}_2 - {}_n\mathrm{C}_3 + \cdots + (-1)^n {}_n\mathrm{C}_n = 0$

③ $_n\mathrm{C}_0 + {}_n\mathrm{C}_2 + {}_n\mathrm{C}_4 + \cdots = {}_n\mathrm{C}_1 + {}_n\mathrm{C}_3 + {}_n\mathrm{C}_5 + \cdots = 2^{n-1}$

④ $_n\mathrm{C}_1 + 2{}_n\mathrm{C}_2 + 3{}_n\mathrm{C}_3 + \cdots + n{}_n\mathrm{C}_n = n2^{n-1}$

◀ 파스칼의 삼각형에서 $_{n-1}\mathrm{C}_{r-1} + {}_{n-1}\mathrm{C}_r = {}_n\mathrm{C}_r$임을 이용한다.
(1) $_n\mathrm{C}_n + {}_{n+1}\mathrm{C}_n + \cdots + {}_m\mathrm{C}_n = {}_{m+1}\mathrm{C}_{n+1}$
(2) $_n\mathrm{C}_0 + {}_{n+1}\mathrm{C}_1 + {}_{n+2}\mathrm{C}_2 + \cdots + {}_m\mathrm{C}_k = {}_{m+1}\mathrm{C}_k$

◀ $_n\mathrm{C}_1 + 2{}_n\mathrm{C}_2 + 3{}_n\mathrm{C}_3 + \cdots + n{}_n\mathrm{C}_n = n \times 2^{n-1}$을 증명하면 다음과 같다.
$$(1+x)^n = {}_n\mathrm{C}_0 + {}_n\mathrm{C}_1 x + {}_n\mathrm{C}_2 x^2 + {}_n\mathrm{C}_3 x^3 + \cdots + {}_n\mathrm{C}_n x^n$$
의 양변을 $x$에 대하여 미분하면
$$n(1+x)^{n-1} = {}_n\mathrm{C}_1 + 2{}_n\mathrm{C}_2 x + 3{}_n\mathrm{C}_3 x^2 + \cdots + n{}_n\mathrm{C}_n x^{n-1}$$
양변에 $x=1$을 대입하면
$$_n\mathrm{C}_1 + 2{}_n\mathrm{C}_2 + 3{}_n\mathrm{C}_3 + \cdots + n{}_n\mathrm{C}_n = n \times 2^{n-1}$$

## 쌤이 꼭 내는 기본 문제

### 01

같은 종류의 구슬 7개를 A, B, C의 3명에게 나누어 주는 방법의 수는? (단, 구슬을 받지 못하는 사람이 있을 수 있다.)

① 35 　　　　　② 36 　　　　　③ 72

④ 120 　　　　　⑤ 135

### 02

다항식 $(a+b+c)^5$의 전개식에서 두 개 이상의 문자가 있는 서로 다른 항의 개수를 구하시오.

### 03

두 집합 $A=\{1, 2, 3, 4\}$, $B=\{5, 6, 7\}$에 대하여

함수 $f : A \longrightarrow B$ 중에서 $f(1) \leq f(2) \leq f(3) \leq f(4)$를 만족시키는 함수 $f$의 개수를 $a$라 하고, 함수 $g : B \longrightarrow A$ 중에서 $g(5) < g(6) < g(7)$을 만족시키는 함수 $g$의 개수를 $b$라 할 때, $ab$의 값을 구하시오.

### 04

방정식 $a+b+c=6$을 만족시키는 $a$, $b$, $c$에 대하여 음이 아닌 정수해의 개수를 $x$, 양의 정수해의 개수를 $y$라 할 때, $x-y$의 값을 구하시오.

### 05

자연수 $n$에 대하여 방정식 $x+y+z=n$을 만족시키는 음이 아닌 정수해의 순서쌍 $(x, y, z)$의 개수를 $a_n$이라 할 때, $a_1+a_2+a_3$의 값은?

① 13 　　　　　② 15 　　　　　③ 17

④ 19 　　　　　⑤ 21

### 06

주사위를 5회 던져 $n$번째 나오는 눈을 $a_n(n=1, 2, 3, 4, 5)$이라 하자. $a_1 < a_2 < a_3 < a_4 < a_5$인 경우의 수를 $m$, $a_1 \leq a_2 \leq a_3 \leq a_4 \leq a_5$인 경우의 수를 $n$이라 할 때, $m+n$의 값을 구하시오.

### 07

$(x^2+2y)^5$의 전개식에서 $x^4y^3$의 계수를 구하시오.

### 08

$N={}_{18}C_0+{}_{18}C_1+{}_{18}C_2+\cdots+{}_{18}C_{18}$이라 할 때, $\log_2 \sqrt[3]{N}$ 의 값은?

① 4 　　　　　② 6 　　　　　③ 8

④ 10 　　　　　⑤ 12

## 09

등식 $_{11-r}H_r = {}_{13-r}H_{r-2}$를 만족시키는 $r$의 값은?

① 9      ② 8      ③ 6

④ 4      ⑤ 3

## 10

4명의 학생에게 동일한 초콜릿 7개를 나누어 주려고 한다. 한 학생에게 적어도 한 개의 초콜릿을 나누어 주는 방법의 수를 구하시오.

## 11

빨간 공, 파란 공, 노란 공이 각각 4개, 5개, 6개씩 들어 있는 주머니에서 5개의 공을 꺼내는 방법의 수를 구하시오.

(단, 색깔이 같은 공은 구분하지 않는다.)

## 12

숫자 1, 2, 3, 4에서 중복을 허락하여 6개를 택할 때, 숫자 3이 한 개 이하가 되는 경우의 수는?

① 55      ② 52      ③ 49

④ 46      ⑤ 43

## 13

같은 종류의 사탕 6개와 같은 종류의 초콜릿 5개를 서로 다른 2개의 상자에 넣어서 상품을 만들려고 할 때, 만들 수 있는 상품의 개수를 구하시오.

(단, 각 상자에 사탕과 초콜릿을 적어도 한 개씩은 넣는다.)

## 14

9 이하의 자연수 중에서 중복을 허락하여 6개의 수를 택할 때, 3의 배수를 3번 택하고 1은 적어도 1번 택하는 경우의 수를 구하시오. (단, 택한 수의 순서는 생각하지 않는다.)

유형 **2** 중복조합의 응용

## 15

$(a+b)^3(c+d+e)^2$의 전개식에서 서로 다른 항의 개수는?

① 12      ② 15      ③ 18

④ 21      ⑤ 24

## 16

두 집합 $X=\{1, 2, 3, 4\}$, $Y=\{5, 6, 7, 8, 9\}$에 대하여 다음 조건을 만족시키는 $X$에서 $Y$로의 함수 $f$의 개수를 구하시오.

> (개) $f(3)=7$
> (내) $X$의 임의의 두 원소 $x_1$, $x_2$에 대하여 $x_1<x_2$이면
>     $f(x_1)\leq f(x_2)$이다.

## 17

집합 $A=\{1, 2, 3, 4\}$에서 집합 $B=\{3, 4, 5, 6, 7, 8\}$으로의 함수 $f$ 중에서
$$f(1)\leq f(2)<f(3)\leq f(4)$$
를 만족시키는 함수 $f$의 개수를 구하시오.

유형 **3** 조건을 만족시키는 순서쌍의 개수

## 18

다음 조건을 만족시키는 네 자연수 $a, b, c, d$의 모든 순서쌍 $(a, b, c, d)$의 개수를 구하시오.

> (개) $a, b, c, d$는 소수이다.
> (내) $a\leq b=c\leq d<20$

## 19

다음 조건을 만족시키는 세 자연수 $x, y, z$의 모든 순서쌍 $(x, y, z)$의 개수를 구하시오.

> (개) $x+y+z=20$
> (내) $x, y, z$는 모두 2의 배수이다.

## 20

다음 조건을 만족시키는 네 자연수 $a, b, c, d$의 모든 순서쌍 $(a, b, c, d)$의 개수를 구하시오.

> (개) $a, b, c, d$ 중에서 홀수의 개수는 2이다.
> (내) $a+b+c+d=14$

**21**

다음 조건을 만족시키는 음이 아닌 다섯 개의 정수 $a$, $b$, $c$, $d$, $e$의 모든 순서쌍 $(a, b, c, d, e)$의 개수는?

> (가) $a+b+c+d+e=7$
> (나) $2^a \times 2^b = 8$

① 48      ② 52      ③ 54
④ 56      ⑤ 60

**22**

부등식 $a+b+c \le 9$를 만족시키는 세 자연수 $a$, $b$, $c$의 모든 순서쌍 $(a, b, c)$의 개수를 구하시오.

**23**

다음 조건을 만족시키는 음이 아닌 다섯 개의 정수 $a$, $b$, $c$, $d$, $e$의 모든 순서쌍 $(a, b, c, d, e)$의 개수를 구하시오.

> (가) $a+b+c=3(d+e)$
> (나) $0 < a+b+c+d+e \le 10$

**유형 4**    이항계수 구하기

**24**

$\left(2x^2 - \dfrac{1}{x}\right)^6$의 전개식에서 상수항은?

① 20      ② 40      ③ 60
④ 80      ⑤ 100

**25**

$(x-a)^5$의 전개식에서 $x$의 계수와 상수항의 합이 0일 때, 양의 상수 $a$의 값을 구하시오.

**26**

다음 전개식에서 $x^5 y^2$의 계수를 구하시오.

$$(x-y)^7 + (2xy - y^2)(x-y)^5$$

**27**

$\left(ax^3+\dfrac{2}{x^2}\right)^4$의 전개식에서 $x^2$의 계수가 96일 때, $x^7$의 계수는?

(단, $a>0$)

① 8　　　　　② 16　　　　　③ 32

④ 64　　　　　⑤ 128

**28**

$(x-1)^n$의 전개식에서 $x^2$의 계수가 $-55$일 때, $x^3$의 계수를 구하시오. (단, $n$은 자연수이다.)

**29**

$\left(x^2+\dfrac{2}{x^3}\right)^n$의 전개식에서 상수항이 존재하도록 하는 양의 정수 $n$의 최솟값을 구하시오.

---

유형 **5**　이항계수의 응용

**30**

$(1+3x)^4(1-2x)^5$의 전개식에서 $x^2$의 계수는?

① $-34$　　　　② $-26$　　　　③ $-18$

④ 18　　　　　⑤ 26

**31**

$\left(x+\dfrac{1}{x}\right)^5(x^2+1)^3$의 전개식에서 $x^9$의 계수를 $a$, $x$의 계수를 $b$라 할 때, $a+b$의 값을 구하시오.

**32**

$(a+b-2c)^6$의 전개식에서 $a^2b^2c^2$의 계수를 구하시오.

유형 **6**  등비수열의 합과 이항정리

## 33

$(1+x)+(1+x)^2+(1+x)^3+\cdots+(1+x)^{10}$의 전개식에서 $x^3$의 계수는?

① 320  　　② 330  　　③ 340

④ 350  　　⑤ 360

## 34

다항식 $(1+x^2)+(1+x^2)^2+\cdots+(1+x^2)^{10}$의 전개식에서 $x^2$의 계수를 구하시오.

## 35

$(1+x)+2(1+x)^2+3(1+x)^3+\cdots+10(1+x)^{10}$의 전개식에서 $x^2$의 계수는?

① 840  　　② 960  　　③ 1080

④ 1200  　　⑤ 1320

유형 **7**  파스칼의 삼각형

## 36

파스칼의 삼각형을 이용하여

$$_1C_0+{}_2C_1+{}_3C_2+{}_4C_3+{}_5C_4+{}_6C_5$$

를 구한 값은?

$$
\begin{array}{ccccc}
{}_1C_0 & {}_1C_1 & & & \\
{}_2C_0 & {}_2C_1 & {}_2C_2 & & \\
{}_3C_0 & {}_3C_1 & {}_3C_2 & {}_3C_3 & \\
{}_4C_0 & {}_4C_1 & {}_4C_2 & {}_4C_3 & {}_4C_4 \\
& & \vdots & &
\end{array}
$$

① 21  　　② 23

③ 25  　　④ 27

⑤ 29

## 37

파스칼의 삼각형을 이용하여

$$_{100}C_2+{}_{99}C_2+{}_{98}C_2+\cdots$$
$$+{}_3C_2+{}_2C_2$$

를 간단히 하면?

$$
\begin{array}{cccccc}
{}_1C_0 & {}_1C_1 & & & & \\
{}_2C_0 & {}_2C_1 & {}_2C_2 & & & \\
{}_3C_0 & {}_3C_1 & {}_3C_2 & {}_3C_3 & & \\
{}_4C_0 & {}_4C_1 & {}_4C_2 & {}_4C_3 & {}_4C_4 & \\
{}_5C_0 & {}_5C_1 & {}_5C_2 & {}_5C_3 & {}_5C_4 & {}_5C_5 \\
& & \vdots & & &
\end{array}
$$

① $_{99}C_2$  　　② $_{100}C_2$

③ $_{101}C_2$  　　④ $_{100}C_3$

⑤ $_{101}C_3$

## 38

$_2C_2+{}_3C_2+{}_4C_2+\cdots+{}_{20}C_2$의 값은?

① 1310  　　② 1320  　　③ 1330

④ 1340  　　⑤ 1350

## 유형 8  이항계수의 성질

### 39

$(_8C_0+_8C_2+_8C_4+_8C_6+_8C_8)\times(_8C_1+_8C_3+_8C_5+_8C_7)=2^n$일 때, 자연수 $n$의 값을 구하시오.

### 40

$_{10}C_1-_{10}C_2+_{10}C_3-\cdots-_{10}C_{10}$의 값은?

① $-1$        ② $0$        ③ $1$

④ $2$        ⑤ $3$

### 41

$_nC_1+2\,_nC_2+3\,_nC_3+\cdots+n\,_nC_n>5000$을 만족시키는 자연수 $n$의 최솟값을 구하시오.

### 42

〈보기〉에서 옳은 것만을 있는 대로 고른 것은?

┤ 보기 ├

ㄱ. $_{10}C_0+_{10}C_1+_{10}C_2+\cdots+_{10}C_{10}=2^{10}$

ㄴ. $_7C_0+_7C_2+_7C_4+_7C_6=_7C_1+_7C_3+_7C_5+_7C_7$

ㄷ. $_5C_0-_5C_1+_5C_2-_5C_3+_5C_4-_5C_5=0$

① ㄱ        ② ㄴ        ③ ㄷ

④ ㄱ, ㄴ        ⑤ ㄱ, ㄴ, ㄷ

### 43

집합 $A=\{x\,|\,x$는 9 이하의 자연수$\}$의 부분집합 중에서 원소의 개수가 $n$개인 부분집합의 개수를 $a_n$이라 할 때, $a_1+a_3+a_5+a_7+a_9$의 값은?

① $2^5$        ② $2^6$        ③ $2^7$

④ $2^8$        ⑤ $2^9$

### 44

$19^{19}$을 400으로 나누었을 때의 나머지를 구하시오.

## 45

$x$에 대한 이차방정식 $10x^2 - {}_{n+1}\mathrm{H}_r x - 5 \times n! \, {}_{n+r}\mathrm{C}_r = 0$의 두 근이 $-5$와 $6$일 때, ${}_n\mathrm{H}_r$의 값을 구하시오.

## 46

$n$ 이하의 자연수에서 중복을 허용하여 3개의 수를 뽑는 경우의 수를 $a$, $n+1$ 이하의 자연수에서 중복을 허용하여 2개의 수를 뽑는 경우의 수를 $b$, $n+2$ 이하의 자연수에서 1개의 수를 뽑는 경우의 수를 $c$라 하였더니 세 수 $a$, $b$, $c$가 이 순서대로 등차수열을 이루었다. 자연수 $n$의 값을 구하시오.

## 47

$(a+b+c)^4 + (b+c+d)^4$의 전개식에서 서로 다른 항의 개수는?

① 21      ② 22      ③ 23
④ 24      ⑤ 25

## 48

두 집합 $A = \{2, 3, 4, 5, 6, 7\}$, $B = \{1, 2, 3, 4, 5, 6, 7\}$에 대하여 $a \in A$, $b \in A$이고 $a < b$이면 $f(a) \le f(b)$를 만족시키는 함수 $f : A \longrightarrow B$ 중에서 $f(2)f(5) = 12$를 만족시키는 함수의 개수를 구하시오.

## 49

집합 $X = \{1, 2, 3, 4, 5\}$에 대하여 다음 조건을 만족시키는 함수 $f : X \longrightarrow X$의 개수는?

> (가) $f(f(4)) \ne f(4)$
> (나) $f(1) \le f(2) \le f(3) \le f(4)$

① 169      ② 170      ③ 171
④ 172      ⑤ 173

## 50

같은 종류의 공 9개를 서로 다른 주머니 4개에 빈 주머니가 없도록 남김없이 나누어 넣으려고 한다. 각 주머니에 4개 이하의 공이 들어가도록 넣는 방법의 수를 구하시오.

## 51

연립방정식

$$\begin{cases} a+b+c+d=11 \\ d-2e=1 \end{cases}$$

을 만족시키는 다섯 개의 자연수 $a$, $b$, $c$, $d$, $e$의 모든 순서쌍 $(a, b, c, d, e)$의 개수를 구하시오.

## 52

다음 조건을 만족시키는 음이 아닌 세 정수 $a$, $b$, $c$의 모든 순서쌍 $(a, b, c)$의 개수를 구하시오.

(가) $a+b+c=7$
(나) $2^a \times 4^b$은 8의 배수이다.

## 53

등식

$$a+b+c+3(x+y+z)=8$$

을 만족시키는 음이 아닌 정수 $a$, $b$, $c$, $x$, $y$, $z$의 모든 순서쌍 $(a, b, c, x, y, z)$의 개수를 구하시오.

## 54

$(1+x)^n$의 전개식에서 $x^8$, $x^9$, $x^{10}$의 계수가 이 순서대로 등차수열을 이루도록 하는 양의 정수 $n$의 값의 합을 구하시오.

## 55

다항식 $(ax+b)^8$의 전개식에서 $x^n$의 계수를 $a_n$ ($n=1, 2, 3, \cdots, 8$), 상수항을 $a_0$이라 하자. 다음 조건을 만족시키는 양의 실수 $a$, $b$를 정할 때, $25ab$의 값을 구하시오.

(가) $\log_3(a_0+a_1+a_2+\cdots+a_8)=16$
(나) 세 수 $a_0$, $a_2$, $a_5$는 이 순서대로 등비수열을 이룬다.

## 56

$(x^2+x+1)\left(x+\dfrac{1}{x}\right)^{10}$의 전개식에서 상수항을 구하시오.

## 57

다항식 $2(x+a)^n$의 전개식에서 $x^{n-1}$의 계수와 다항식
$(x-1)(x+a)^n$의 전개식에서 $x^{n-1}$의 계수가 같게 되는 모든
순서쌍 $(a, n)$에 대하여 $an$의 최댓값을 구하시오.

(단, $a$는 자연수이고, $n$은 $n \geq 2$인 자연수이다.)

## 58

$(1+x)+(1+x)^2+(1+x)^3+\cdots+(1+x)^n$의 전개식에서
$x$의 계수를 $a_n$이라 할 때, $\displaystyle\sum_{n=1}^{10} \frac{1}{a_n}$의 합은?

① $\dfrac{9}{10}$  ② $\dfrac{18}{10}$  ③ $\dfrac{10}{11}$

④ $\dfrac{15}{11}$  ⑤ $\dfrac{20}{11}$

## 59

오늘부터 $36^7$일째 되는 날이 수요일이라 할 때,
오늘부터 $(1+36)^7$일째 되는 날은 무슨 요일인가?

① 월요일  ② 화요일  ③ 수요일

④ 목요일  ⑤ 금요일

### 최고난도 문제

## 60

$\displaystyle\sum_{k=0}^{10} ({}_{10}\mathrm{C}_k)^2 = {}_n\mathrm{C}_{10}$일 때, 자연수 $n$의 값을 구하시오.

## 61

학생 A가 숫자 1, 2, 3, 4, 5 중에서 중복을 허락하여 3개를 택
하고, 학생 B도 숫자 1, 2, 3, 4, 5 중에서 중복을 허락하여 3개
를 택할 때, 두 학생 A와 B가 택한 6개의 숫자가 짝수 2개, 홀수
4개인 경우의 수는?

(단, 각 학생이 택한 3개의 숫자의 순서는 생각하지 않는다.)

① 304  ② 314  ③ 324

④ 334  ⑤ 344

# 03 확률의 뜻과 성질

# 03 확률의 뜻과 성질

## 1 시행과 사건

개념 플러스

(1) 시행: 같은 조건에서 반복할 수 있으며 그 결과가 우연에 의하여 결정되는 실험이나 관찰

(2) 표본공간: 어떤 시행에서 일어날 수 있는 모든 가능한 결과 전체의 집합

◀ 표본공간은 공집합이 아닌 경우만 생각한다.

(3) 사건: 시행의 결과, 즉 표본공간의 부분집합

(4) 근원사건: 어떤 시행에서 더 이상 세분할 수 없는 사건

(5) 전사건: 어떤 시행에서 반드시 일어나는 사건

(6) 공사건: 어떤 시행에서 결코 일어나지 않는 사건

## 2 배반사건과 여사건

표본공간 $S$의 두 사건 $A$, $B$에 대하여

(1) 합사건: $A$ 또는 $B$가 일어나는 사건　　　　➡ $A \cup B$

(2) 곱사건: $A$와 $B$가 동시에 일어나는 사건　　➡ $A \cap B$

(3) 배반사건: $A$와 $B$가 동시에 일어나지 않는 사건 ➡ $A \cap B = \varnothing$

(4) $A$의 여사건: $A$가 일어나지 않는 사건　　　➡ $A^C$

◀ $A \cap A^C = \varnothing$이므로 $A$와 $A^C$은 서로 배반사건이다.

## 3 수학적 확률

(1) 어떤 시행에서 각각의 근원사건이 일어날 가능성이 같은 정도로 기대될 때, 표본공간 $S$에서 사건 $A$가 일어날 수학적 확률 $\mathrm{P}(A)$는

$$\mathrm{P}(A) = \frac{n(A)}{n(S)} = \frac{(\text{사건 } A\text{가 일어날 경우의 수})}{(\text{일어날 수 있는 모든 경우의 수})}$$

(2) 확률의 기본 성질

① 임의의 사건 $A$에 대하여 $0 \le \mathrm{P}(A) \le 1$

② 전사건 $S$에 대하여 $\mathrm{P}(S) = 1$ ← 반드시 일어날 때

③ 공사건 $\varnothing$에 대하여 $\mathrm{P}(\varnothing) = 0$ ← 절대로 일어나지 않을 때

◀ 기하학적 확률 [교육과정 外]
어떤 영역 $S$ 안에서 각각의 점에 대하여 일어날 가능성이 모두 같은 정도로 기대될 때, 사건 $A$가 $S$의 부분 영역에서 일어난다고 할 경우 사건 $A$가 일어날 확률 $\mathrm{P}(A)$는

$$\mathrm{P}(A) = \frac{(\text{영역 } A\text{의 크기})}{(\text{영역 } S\text{의 크기})}$$

## 4 통계적 확률

동일한 조건에서 같은 시행을 $n$회 반복하였을 때, 사건 $A$가 일어난 횟수를 $r_n$이라 하면 사건 $A$가 일어날 통계적 확률 $\mathrm{P}(A)$는

$$\mathrm{P}(A) = \lim_{n \to \infty} \frac{r_n}{n} = p \ (\text{단, } p\text{는 수학적 확률})$$

참고 $\lim\limits_{n \to \infty} \dfrac{r_n}{n}$의 의미는 $n$의 값이 한없이 커질 때의 $\dfrac{r_n}{n}$의 값으로 「미적분」에서 공부한다.

◀ 시행 횟수가 충분히 클 때 통계적 확률은 수학적 확률에 가까워지므로 수학적 확률을 구하기 어려운 경우에 통계적 확률을 대신 사용할 수 있다.

## 01

서로 다른 두 개의 주사위를 동시에 던질 때, 나오는 두 눈의 수의 합이 4 이하일 확률을 구하시오.

## 02

5명의 학생 A, B, C, D, E를 한 줄로 세울 때, 다음 확률을 구하시오.

(1) A, B가 양 끝에 서 있을 확률

(2) A 바로 다음에 B가 서 있을 확률

(3) A, B가 이웃하게 서 있을 확률

(4) A, B 사이에 다른 학생이 2명 있을 확률

## 03

부모와 자녀를 포함하여 8명의 가족이 원탁에 둘러앉을 때, 부모가 서로 마주 보고 앉을 확률은?

① $\frac{1}{7}$    ② $\frac{1}{6}$    ③ $\frac{1}{5}$

④ $\frac{1}{3}$    ⑤ $\frac{1}{2}$

## 04

세 개의 숫자 1, 2, 3에서 중복을 허용하여 세 자리 정수를 만들 때, 그 정수가 3의 배수일 확률을 구하시오.

## 05

6개의 문자 B, C, D, E, E, F를 일렬로 나열할 때, 양 끝에 자음이 위치할 확률은?

① $\frac{1}{5}$    ② $\frac{1}{4}$    ③ $\frac{2}{5}$

④ $\frac{1}{2}$    ⑤ $\frac{3}{5}$

## 06

흰 공 3개, 붉은 공 2개가 들어 있는 주머니에서 2개의 공을 동시에 꺼낼 때, 같은 색의 공이 나올 확률을 구하시오.

## 07

똑같은 연필 10자루를 네 명의 학생에게 나누어 줄 때, 모든 학생이 적어도 한 자루의 연필을 받을 확률을 구하시오.

## 08

두 집합 $A = \{1, 2, 3\}$, $B = \{1, 2, 3, 4, 5\}$에 대하여 $f : A \longrightarrow B$인 함수 중에서 하나를 택할 때, 그 함수가 $i \in A$, $j \in A$에 대하여 $i < j$이면 $f(i) < f(j)$를 만족시키는 함수일 확률을 구하시오.

## 유형 1 수학적 확률

### 09

1부터 5까지의 숫자가 각각 하나씩 적힌 5장의 카드에서 1장을 꺼낼 때, 적힌 숫자에 대한 다음 사건 중에서 서로 배반사건인 것은?

| $A$: 짝수 | $B$: 소수 |
| $C$: 6의 약수 | $D$: 완전제곱수 |

① $A$와 $B$  ② $A$와 $C$  ③ $B$와 $C$
④ $B$와 $D$  ⑤ $C$와 $D$

### 중요
### 10

10 이하의 자연수가 각각 하나씩 적혀 있는 10장의 카드에서 임의로 한 장의 카드를 꺼낼 때, 4의 배수가 적혀 있는 카드를 꺼낼 사건을 $A$, 홀수가 적혀 있는 카드를 꺼낼 사건을 $B$라 하자.
두 사건 $A$, $B$와 모두 배반인 사건 $C$의 개수를 구하시오.

### 11

그림과 같이 A지점에서 B지점으로 가는 산책로가 있다. 먼저 형섭이가 출발하여 얼마 후 보이지 않을 때, 민호가 출발한다. 형섭이와 민호가 같은 길을 따라서 산책할 확률을 구하시오.
(단, 같은 지점은 두 번 지나지 않으며 갈림길에서 어느 길로 갈 가능성은 모두 같다고 한다.)

### 중요
### 12

두 개의 주사위 A, B를 동시에 던져 나오는 두 눈의 수를 각각 $a$, $b$라 할 때, $|a-b|=2$일 확률은?

① $\dfrac{2}{9}$  ② $\dfrac{5}{18}$  ③ $\dfrac{1}{3}$
④ $\dfrac{7}{18}$  ⑤ $\dfrac{4}{9}$

### 13

집합 $A=\{a, b, c, d, e, f\}$의 모든 부분집합 중에서 하나의 부분집합을 임의로 택할 때, $a$와 $b$가 그 부분집합의 원소일 확률을 구하시오.

### 14

한 개의 주사위를 두 번 던져 첫 번째 나온 눈의 수를 $a$, 두 번째 나온 눈의 수를 $b$라 할 때, $\left[\dfrac{a+2b}{b}\right]=\dfrac{a+2b}{b}$를 만족시킬 확률을 구하시오. (단, $[x]$는 $x$보다 크지 않은 최대의 정수이다.)

## 유형 2 순열을 이용하는 확률

### 15

남자 3명과 여자 5명을 일렬로 세울 때, 남자끼리는 이웃하지 않게 서 있을 확률은?

① $\dfrac{3}{28}$      ② $\dfrac{5}{28}$      ③ $\dfrac{3}{14}$

④ $\dfrac{5}{14}$      ⑤ $\dfrac{11}{28}$

### 16

네 개의 숫자 0, 1, 2, 3이 각각 하나씩 적혀 있는 4장의 카드가 있다. 이 카드를 한 줄로 나열하여 네 자리 자연수를 만들 때, 3100보다 클 확률을 구하시오.

### 17

A, B, C 세 학교 학생이 2명씩 있다. 이 6명이 그림과 같이 좌석 번호가 지정된 6개의 좌석 중에서 임의로 1개씩 선택하여 앉을 때, 같은 학교의 두 학생끼리는 좌석 번호의 차가 1 또는 10이 되도록 앉게 될 확률을 구하시오.

| 11 | 12 | 13 |
|----|----|----|
| 21 | 22 | 23 |

## 유형 3 원순열을 이용하는 확률

### 18

갑, 을을 포함하여 7명을 원탁에 앉힐 때, 갑과 을이 이웃할 확률은?

① $\dfrac{1}{10}$      ② $\dfrac{1}{5}$      ③ $\dfrac{1}{3}$

④ $\dfrac{2}{5}$      ⑤ $\dfrac{1}{2}$

### 19

A, B, C, D, E, F, G, H의 8명이 원탁에 둘러앉을 때, B와 D는 서로 마주 보고 앉고, E와 G는 이웃하여 앉게 될 확률을 구하시오.

### 20

빨강색과 주황색을 포함하는 서로 다른 6가지의 색을 모두 사용하여 그림과 같은 원탁의 6개의 영역을 칠할 때, 가운데 영역을 제외한 나머지 영역에 빨강색과 주황색을 이웃하여 칠할 확률을 구하시오.

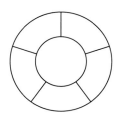

유형 **4**   중복순열을 이용하는 확률

**21**

A, B, C 세 개의 우체통에 임의로 $a$, $b$, $c$ 세 통의 편지를 넣을 때, 각각의 우체통에 1통의 편지만 넣을 확률은?

① $\dfrac{1}{9}$        ② $\dfrac{2}{9}$        ③ $\dfrac{1}{3}$

④ $\dfrac{4}{9}$        ⑤ $\dfrac{5}{9}$

**22**

0, 1, 2, 3의 네 개의 숫자에서 중복을 허용하여 세 자리 자연수를 만들 때, 3을 포함하지 않을 확률을 구하시오.

**23**

집합 $\{1, 2, 3, 4, 5\}$에서 중복을 허용하여 임의로 세 수 $a$, $b$, $c$를 뽑을 때, $a+bc$의 값이 홀수일 확률을 구하시오.

유형 **5**   같은 것이 있는 순열을 이용하는 확률

**24**

7개의 숫자 1, 1, 1, 1, 2, 3, 3을 한 줄로 나열할 때, 1끼리는 이웃하지 않을 확률을 구하시오.

**25**

그림과 같은 바둑판 모양의 도로가 있다. A지점에서 B지점까지 최단 경로로 갈 때, P지점을 거쳐서 갈 확률을 $\dfrac{a}{b}$라 하자. $a+b$의 값을 구하시오.

(단, $a$, $b$는 서로소인 자연수이다.)

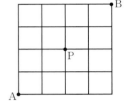

**26**

그림과 같이 수직선 위를 움직이는 점 P가 있다. 한 개의 주사위를 던져 짝수의 눈이 나오면 오른쪽으로 1만큼, 홀수의 눈이 나오면 왼쪽으로 1만큼 점 P가 움직인다. 주사위를 4번 던진 후 원점에서 출발한 점 P가 다시 원점으로 돌아왔을 때, 점 P가 점 A(1)을 들러 왔을 확률은 $\dfrac{b}{a}$이다. $a^2+b^2$의 값을 구하시오.

(단, $a$, $b$는 서로소인 자연수이다.)

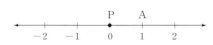

## 유형 **6** 조합을 이용하는 확률

### 27

숫자 1이 적힌 카드가 1장, 2가 적힌 카드가 2장, 3이 적힌 카드가 3장, 4가 적힌 카드가 4장 있다. 이 10장의 카드를 모두 섞은 후 두 장의 카드를 임의로 뽑을 때, 두 장의 카드에 적힌 수가 같을 확률은?

① $\dfrac{1}{9}$ ② $\dfrac{2}{9}$ ③ $\dfrac{1}{3}$

④ $\dfrac{4}{9}$ ⑤ $\dfrac{5}{9}$

### 28

1부터 10까지의 자연수가 각각 하나씩 적힌 10장의 카드 중에서 3장을 뽑았을 때, 3장에 적힌 수의 곱이 4의 배수가 될 확률을 구하시오.

### 29

10명의 학생으로 이루어진 모임에서 대표 2명을 뽑을 때, 남학생과 여학생이 1명씩 뽑힐 확률은 $\dfrac{8}{15}$이다. 10명의 학생 중에서 여학생의 수를 구하시오. (단, 여학생이 남학생보다 많다.)

### 30

정팔각형의 8개의 꼭짓점 중에서 임의로 세 꼭짓점을 연결하여 만든 삼각형이 이등변삼각형이 될 확률을 구하시오.

### 31

0부터 9까지의 숫자가 각각 하나씩 적혀 있는 10장의 카드가 있다. 이 중에서 3장의 카드를 동시에 꺼낼 때, 적혀 있는 숫자들 중에서 가장 큰 수를 $a$, 가장 작은 수를 $b$라 하자. $a-b\leq3$일 확률을 구하시오.

### 32

6명의 학생 A, B, C, D, E, F를 임의로 2명씩 짝을 지어 3개의 조로 편성하려고 한다. A와 B는 같은 조에 편성되고, C와 D는 서로 다른 조에 편성될 확률은?

① $\dfrac{1}{15}$ ② $\dfrac{1}{10}$ ③ $\dfrac{2}{15}$

④ $\dfrac{1}{6}$ ⑤ $\dfrac{1}{5}$

**33**

주영이가 마트에서 귤, 참외, 사과, 배를 구입하려고 한다. 중복을 허용하여 6개를 구입할 때, 배가 3개만 포함될 확률은?

① $\dfrac{1}{42}$      ② $\dfrac{1}{21}$      ③ $\dfrac{1}{14}$

④ $\dfrac{2}{21}$      ⑤ $\dfrac{5}{42}$

**34**

같은 모양의 구슬 10개를 4개의 주머니 A, B, C, D에 넣으려고 할 때, 각 주머니에 적어도 2개의 구슬이 들어갈 확률을 구하시오.

**35**

음이 아닌 정수 $x$, $y$, $z$에 대하여 방정식 $x+y+z=10$의 해의 순서쌍 $(x, y, z)$ 중에서 하나를 택할 때, 순서쌍이 $x\geq1, y\geq2,$ $z\geq3$을 만족시킬 확률은 $\dfrac{q}{p}$이다. $p+q$의 값을 구하시오.

(단, $p$, $q$는 서로소인 자연수이다.)

**36**

두 집합 $A=\{a, b, c\}$, $B=\{1, 2, 3, 4\}$에 대하여 $A$에서 $B$로의 함수 $f$를 만들 때, $f$가 일대일함수일 확률은?

① $\dfrac{1}{8}$      ② $\dfrac{1}{4}$      ③ $\dfrac{3}{8}$

④ $\dfrac{1}{2}$      ⑤ $\dfrac{5}{8}$

**37**

두 집합 $A=\{a, b, c\}$, $B=\{1, 2, 3, 4\}$에 대하여 $A$에서 $B$로의 함수 $f: A \longrightarrow B$를 만들 때, 함수 $f$가 상수함수일 확률을 구하시오.

**38**

두 집합 $A=\{3, 4, 5\}$, $B=\{6, 7, 8, 9, 10\}$에 대하여 $f: A \longrightarrow B$인 함수를 만들 때, $x_1\in A$, $x_2\in A$에 대하여 $x_1<x_2$이면 $f(x_1)\leq f(x_2)$를 만족시킬 확률이 $\dfrac{b}{a}$이다. $a+b$의 값을 구하시오. (단, $a$, $b$는 서로소인 자연수이다.)

## 39

집합 $X=\{1, 2, 3\}$에 대하여 $X$에서 $X$로의 함수를 만들 때, 함숫값의 합이 5가 될 확률은?

① $\dfrac{2}{9}$  ② $\dfrac{1}{3}$  ③ $\dfrac{4}{9}$

④ $\dfrac{5}{9}$  ⑤ $\dfrac{2}{3}$

중요
## 40

두 집합 $X=\{1, 2, 3, 4\}$, $Y=\{1, 2, 3, 4, 5, 6\}$에 대하여 $X$에서 $Y$로의 함수 중에서 임의로 한 개를 택할 때, 이 함수가 다음 조건을 만족시키는 함수 $f$일 확률은 $\dfrac{q}{p}$이다. $p+q$의 값을 구하시오.

(단, $p$, $q$는 서로소인 자연수이다.)

> (가) $X$의 임의의 두 원소 $x_1$, $x_2$에 대하여 $x_1 < x_2$이면
>   $f(x_1) \le f(x_2)$이다.
> (나) $f(2)=4$

## 41

두 집합 $X=\{a, b, c\}$, $Y=\{1, 2, 3, 4\}$에 대하여 함수
$f: X \longrightarrow Y$ 중에서 하나를 택할 때, $f(a) < f(b) = f(c)$를
만족시킬 확률을 $\dfrac{q}{p}$라 하자. $p+q$의 값을 구하시오.

(단, $p$, $q$는 서로소인 자연수이다.)

유형 **9** **확률의 기본 성질**

## 42

표본공간을 $S$, 공사건을 $\varnothing$라 할 때, 임의의 두 사건 $A$, $B$에 대하여 〈보기〉에서 옳은 것만을 있는 대로 고른 것은?

─┤ 보 기 ├─

ㄱ. $0 \le P(A) \le 1$
ㄴ. $P(S) + P(\varnothing) = 1$
ㄷ. $1 < P(S) + P(A) + P(B) + P(\varnothing) < 2$

① ㄱ  ② ㄴ  ③ ㄱ, ㄴ

④ ㄱ, ㄷ  ⑤ ㄱ, ㄴ, ㄷ

## 43

표본공간 $S$의 부분집합인 두 사건 $A$, $B$가 일어날 확률 $P(A)$, $P(B)$에 대하여 다음 조건이 성립할 때, $3P(A) + P(B)$의 값을 구하시오.

> (가) $P(A) - 2P(B) = P(\varnothing)$
> (나) $\dfrac{P(A) + P(B)}{3} = P(S) - 2P(B)$

## 44

각 면에 1부터 4까지의 자연수가 하나씩 적혀 있는 정사면체 $m$개와 동전 $n$개를 동시에 던지는 시행에서 표본공간의 원소의 개수가 512일 때, $mn$의 최댓값은?

(단, 정사면체는 바닥에 놓인 면에 적힌 수를 읽는다.)

① 4        ② 7        ③ 10

④ 12       ⑤ 15

## 45

1부터 10까지의 자연수가 각각 하나씩 적힌 10개의 구슬이 주머니에 들어 있다. 이 주머니에서 임의로 한 개의 구슬을 꺼내어 그 구슬에 적힌 수를 $m$이라 할 때, 직선 $y=m$과 포물선 $y=-x^2+5x-\dfrac{3}{4}$이 만나도록 하는 수가 적힌 구슬을 꺼낼 확률을 구하시오.

## 46

한 개의 주사위를 두 번 던져 첫 번째 나온 눈의 수를 $a$, 두 번째 나온 눈의 수를 $b$라고 한다. $f(x)=(5-a)x+1$, $g(x)=(b-3)x-3$일 때, 직선 $y=(f \circ g)(x)$가 제1사분면을 지날 확률을 구하시오.

## 47

9개의 수 $2^1$, $2^2$, $2^3$, $\cdots$, $2^9$이 표와 같이 배열되어 있다. 각 행에서 한 개씩 임의로 선택한 세 수의 곱을 3으로 나눈 나머지가 1이 될 확률은?

| $2^1$ | $2^2$ | $2^3$ |
|---|---|---|
| $2^4$ | $2^5$ | $2^6$ |
| $2^7$ | $2^8$ | $2^9$ |

① $\dfrac{10}{27}$        ② $\dfrac{4}{9}$        ③ $\dfrac{14}{27}$

④ $\dfrac{16}{27}$       ⑤ $\dfrac{2}{3}$

## 48

한 개의 주사위를 두 번 던져서 나온 두 눈의 수를 차례로 $a$, $b$라 할 때, 부등식 $3<(a-2)(b-1)\leq 6$을 만족시킬 확률을 구하시오.

## 49

3명씩 탑승한 두 대의 자동차 A, B가 어느 휴게소에서 만났다. 이들 6명은 연료절약을 위해 좌석수가 6개인 자동차 B에 모두 승차하려고 한다. 자동차 B의 운전자는 자리를 바꾸지 않고 나머지 5명은 임의로 앉을 때, 처음부터 자동차 B에 탔던 2명이 모두 처음 좌석이 아닌 다른 좌석에 앉게 될 확률은 $\dfrac{q}{p}$이다. $p+q$의 값을 구하시오. (단, $p$, $q$는 서로소인 자연수이다.)

## 50

그림과 같이 좌표평면 위의 원점 O를 출발하여 매초 1만큼 $x$축의 방향 또는 $y$축의 방향으로 움직이는 점 P가 있다. 예를 들어 점 P가 원점을 출발하여 3초 후에 점 $(1, 0)$에 도달하는 경로 중에서 하나는

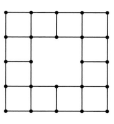

$(0, 0) \rightarrow (1, 0) \rightarrow (1, 1) \rightarrow (1, 0)$과 같다. 점 P가 원점을 출발하여 6초 후에 점 $(2, 2)$에 도달할 확률을 구하시오.

## 51

그림과 같이 거리가 1인 두 개의 평행선 위에 거리가 1만큼씩 떨어져 있는 점이 각각 5개씩 있다. 이 중에서 네 개의 점을 연결하여 사각형을 만들 때, 넓이가 3이 될 확률을 구하시오.

## 52

두 주머니 A와 B에는 숫자 1, 2, 3, 4가 하나씩 적혀 있는 4장의 카드가 각각 들어 있다. 갑은 주머니 A에서, 을은 주머니 B에서 각자 임의로 두 장의 카드를 꺼내어 가진다. 갑이 가진 두 장의 카드에 적힌 수의 합과 을이 가진 두 장의 카드에 적힌 수의 합이 같을 확률을 구하시오.

## 53

한 변의 길이가 1인 정사각형 12개를 그림과 같이 배치하여 나타나는 24개의 꼭짓점들 중 임의로 2개의 점을 선택하여 선분을 만들 때, 선분의 길이가 $\sqrt{10}$일 확률은?

① $\dfrac{2}{69}$　　　　② $\dfrac{4}{69}$　　　　③ $\dfrac{2}{23}$

④ $\dfrac{8}{69}$　　　　⑤ $\dfrac{10}{69}$

## 54

1에서 $n$까지의 자연수가 각각 하나씩 적혀 있는 $n$장의 카드가 있다. 이 중에서 3장의 카드를 동시에 꺼낼 때, 꺼낸 3장의 카드에 적힌 수가 연속인 자연수일 확률을 $\mathrm{P}_n$이라고 한다. $\displaystyle\sum_{n=3}^{20} \mathrm{P}_n$의 값을 구하시오.

## 55

주머니 안에 1부터 8까지의 자연수가 각각 하나씩 적혀 있는 8개의 공이 들어 있다. 이 주머니에서 임의로 세 개의 공을 동시에 꺼낼 때, 꺼낸 공에 적혀 있는 수를 각각 $a$, $b$, $c$ $(a<b<c)$라 하자. $\dfrac{bc}{a}$가 자연수일 확률은 $\dfrac{q}{p}$이다. $p+q$의 값을 구하시오.

(단, $p$, $q$는 서로소인 자연수이다.)

## 56

집합 $U=\{1,\ 2,\ 3,\ 4\}$의 공집합이 아닌 모든 부분집합 중에서 임의로 서로 다른 두 부분집합을 택할 때, 두 부분집합이 서로소일 확률은?

① $\dfrac{1}{7}$      ② $\dfrac{4}{21}$      ③ $\dfrac{5}{21}$

④ $\dfrac{2}{7}$      ⑤ $\dfrac{1}{3}$

## 57

집합 $X=\{-2,\ -1,\ 0,\ 1,\ 2\}$에 대하여 $X$에서 $X$로의 함수 $f$ 중에서 임의로 하나의 함수를 택할 때, 이 함수가 $x\in X$인 모든 $x$에 대하여 $f(x)=-f(-x)$를 만족시키는 함수일 확률을 구하시오.

 최고난도 문제

## 58

집합 $\{1,\ 2,\ 3,\ \cdots,\ 100\}$에서 중복을 허용하여 임의로 두 수 $a$, $b$를 뽑을 때, $3^a+7^b$의 일의 자리의 수가 0일 확률은?

① $\dfrac{1}{2}$      ② $\dfrac{1}{3}$      ③ $\dfrac{1}{4}$

④ $\dfrac{3}{16}$      ⑤ $\dfrac{1}{8}$

## 59

1부터 9까지의 자연수가 각각 하나씩 적혀 있는 9개의 구슬을 임의로 3개씩 3묶음으로 나누어 상자 A, B, C에 각각 한 묶음씩 넣을 때, 각 상자에 들어 있는 세 구슬에 적혀 있는 수의 합이 모두 홀수일 확률을 구하시오.

# 04 덧셈정리와 조건부확률

# 04 덧셈정리와 조건부확률

## 1 확률의 덧셈정리

두 사건 $A$, $B$에 대하여
$$P(A \cup B) = P(A) + P(B) - P(A \cap B)$$
특히 두 사건 $A$, $B$가 서로 배반사건, 즉 $A \cap B = \varnothing$이면
$$P(A \cup B) = P(A) + P(B)$$

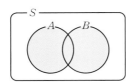 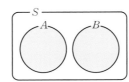

**개념 플러스**

◀ $n$개의 사건 $A_1$, $A_2$, $A_3$, $\cdots$, $A_n$이 서로 배반
사건이면
$$P(A_1 \cup A_2 \cup A_3 \cup \cdots \cup A_n)$$
$$= P(A_1) + P(A_2) + P(A_3) + \cdots + P(A_n)$$

## 2 여사건의 확률

사건 $A$의 여사건 $A^C$에 대하여
$$P(A^C) = 1 - P(A)$$

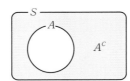

◀ 조건 속에 '적어도 ~인 사건',
'~ 이상인 사건', '~ 이하인 사건'이라는 표현
이 있는 경우에는 여사건의 확률을 이용하면
편리하다.

## 3 조건부확률

확률이 0이 아닌 두 사건 $A$, $B$에 대하여 사건 $A$가 일어났다고 가정할 때, 사건 $B$
가 일어날 확률을 사건 $A$가 일어났을 때의 사건 $B$의 조건부확률이라 하고, 기호로
$P(B|A)$와 같이 나타낸다.
$$P(B|A) = \frac{P(A \cap B)}{P(A)} \text{ (단, } P(A) \neq 0)$$

◀ **조건부확률의 성질**
$P(A) > 0$, $P(B) > 0$일 때,
(1) $P(B^C|A) = 1 - P(B|A)$
(2) 두 사건 $A$와 $B$가 서로 배반사건이면
$$P(B|A) = P(A|B) = 0$$

## 4 확률의 곱셈정리

두 사건 $A$와 $B$에 대하여 두 사건이 동시에 일어날 확률은
$$P(A \cap B) = P(A)P(B|A) = P(B)P(A|B) \text{ (단, } P(A) > 0, P(B) > 0)$$

◀ 두 사건 $A$, $E$에 대하여
$$P(E) = P(A \cap E) + P(A^C \cap E)$$
$$= P(A)P(E|A)$$
$$+ P(A^C)P(E|A^C)$$

## 쌤이 꼭 내는 기본 문제

### 01

두 사건 $A$, $B$가 서로 배반사건이고

$$\mathrm{P}(A)=\frac{1}{3},\ \mathrm{P}(B)=\frac{1}{4}$$

일 때, $\mathrm{P}(A \cup B)$는?

① $\frac{1}{12}$  　  ② $\frac{1}{4}$  　  ③ $\frac{5}{12}$

④ $\frac{7}{12}$  　  ⑤ $\frac{3}{4}$

### 02

두 사건 $A$, $B$에 대하여

$$\mathrm{P}(A)=\frac{1}{3},\ \mathrm{P}(B)=\frac{1}{4},\ \mathrm{P}(A^C \cup B^C)=\frac{11}{12}$$

일 때, $\mathrm{P}(A \cup B)$를 구하시오.

### 03

1에서 12까지의 번호가 각각 하나씩 적힌 12개의 공이 들어 있는 주머니에서 한 개의 공을 꺼낼 때, 2의 배수 또는 3의 배수가 적힌 공이 나올 확률을 구하시오.

### 04

서로 다른 두 개의 주사위를 동시에 던질 때, 나오는 두 눈의 수의 합이 6의 배수일 확률은?

① $\frac{1}{12}$  　  ② $\frac{1}{9}$  　  ③ $\frac{5}{36}$

④ $\frac{1}{6}$  　  ⑤ $\frac{7}{36}$

### 05

각 면에 1, 2, 3, 4의 숫자가 하나씩 적혀 있는 정사면체가 있다. 이 정사면체를 두 번 던져서 나온 두 눈의 수의 합이 4 이상일 확률은? (단, 정사면체는 바닥에 놓인 면에 적힌 숫자를 읽는다.)

① $\frac{13}{16}$  　  ② $\frac{5}{8}$  　  ③ $\frac{7}{16}$

④ $\frac{1}{4}$  　  ⑤ $\frac{1}{16}$

### 06

두 사건 $A$, $B$에 대하여

$$\mathrm{P}(A)=\frac{1}{3},\ \mathrm{P}(B)=\frac{1}{2},\ \mathrm{P}(A \mid B)=\frac{1}{6}$$

일 때, $\mathrm{P}(A \cup B)$를 구하시오.

### 07

다음 표와 같은 인원으로 구성된 어떤 동아리 학생 20명 중에서 임의로 한 명을 뽑았다. 뽑힌 학생이 3학년일 때, 이 학생이 남학생일 확률을 구하시오.

(단위: 명)

| 학년 ＼ 성별 | 남 | 여 | 합계 |
|---|---|---|---|
| 1학년 | 5 | 3 | 8 |
| 2학년 | 3 | 3 | 6 |
| 3학년 | 4 | 2 | 6 |
| 합계 | 12 | 8 | 20 |

### 08

파란 구슬 3개, 빨간 구슬 2개가 들어 있는 주머니에서 차례로 두 개의 구슬을 꺼낼 때, 두 개 모두 파란 구슬일 확률을 구하시오.

(단, 꺼낸 구슬은 다시 넣지 않는다.)

## 09

두 사건 $A$, $B$에 대하여

$$\mathrm{P}(A^C \cap B^C) = 0.2, \ \mathrm{P}(A^C \cup B^C) = 0.8, \ \mathrm{P}(B) = 0.4$$

일 때, $\mathrm{P}(A)$는?

① 0.4      ② 0.5      ③ 0.6

④ 0.7      ⑤ 0.8

## 10

세 사건 $A$, $B$, $C$가 서로 배반사건이고

$$\mathrm{P}(A) = \frac{1}{4}, \ \mathrm{P}(B) = \frac{1}{6}, \ \mathrm{P}(C) = \frac{1}{12}$$

일 때, $1 - \mathrm{P}(A \cup B \cup C)$를 구하시오.

## 11

$A \cap B = \varnothing$인 두 사건 $A$, $B$에 대하여

$$\mathrm{P}(A \cup B) = \frac{3}{4}, \ \frac{1}{3} \leq \mathrm{P}(B) \leq \frac{2}{3}$$

일 때, $\mathrm{P}(A)$의 최댓값을 구하시오.

## 12

어느 마을에서 사과를 생산하는 농가는 전체의 $\frac{2}{3}$, 배를 생산하는 농가는 전체의 $\frac{1}{2}$이고, 사과와 배를 모두 생산하는 농가는 전체의 $\frac{1}{4}$이다. 이 마을에서 한 농가를 임의로 골랐을 때, 이 농가가 사과 또는 배를 생산하는 농가일 확률을 구하시오.

## 13

내일 눈이 올 확률이 $40\%$, 내일과 모레 모두 눈이 올 확률은 $20\%$이다. 내일 또는 모레 눈이 올 확률이 $70\%$일 때, 모레 눈이 올 확률은 몇 $\%$인지 구하시오.

## 14

서로 다른 3개의 동전을 동시에 던지는 시행에서 3개 모두 같은 면이 나오는 사건을 $A$, 3개 중에서 적어도 2개가 뒷면이 나오는 사건을 $B$라 할 때, $\mathrm{P}(A \cup B)$는?

① $\frac{1}{8}$      ② $\frac{1}{4}$      ③ $\frac{3}{8}$

④ $\frac{5}{8}$      ⑤ $\frac{3}{4}$

## 15

1, 2, 3의 숫자가 각각 하나씩 적힌 3개의 공이 들어 있는 주머니가 있다. 임의로 1개의 공을 꺼내어 공에 적힌 숫자를 확인한 뒤 넣는 일을 3번 반복할 때, 꺼낸 공에 적힌 세 수가 모두 같거나 세 수의 합이 6일 확률을 구하시오.

## 16

두 집합 $X=\{1, 3, 5\}$, $Y=\{2, 4, 6, 8, 10\}$에 대하여 $X$에서 $Y$로의 함수 $f$를 만들 때, $f(3)=8$이거나 $f(5)=10$일 확률을 구하시오.

## 17

집합 $N=\{n\,|\,1\leq n\leq 1000,\ n$은 자연수$\}$에 대하여 집합 $N$에서 임의로 한 개의 자연수 $a$를 꺼냈을 때, 이차방정식 $10x^2-7ax+a^2=0$이 적어도 하나의 정수해를 가질 확률은?

① $\dfrac{1}{5}$  ② $\dfrac{2}{5}$  ③ $\dfrac{3}{5}$

④ $\dfrac{2}{3}$  ⑤ $\dfrac{3}{4}$

유형 **3** 확률의 덧셈정리 – 배반사건인 경우

## 18

필통 속에 노란색 연필이 4개, 파란색 연필이 3개 들어 있다. 이 필통에서 동시에 3개의 연필을 꺼낼 때, 모두 같은 색의 연필이 나올 확률은?

① $\dfrac{4}{35}$  ② $\dfrac{1}{7}$  ③ $\dfrac{6}{35}$

④ $\dfrac{1}{5}$  ⑤ $\dfrac{8}{35}$

## 19

노란 구슬 5개, 파란 구슬 5개가 들어 있는 주머니에서 4개의 구슬을 꺼낼 때, 노란 구슬의 개수가 2 이하일 확률이 $\dfrac{n}{m}$이다. $m+n$의 값을 구하시오. (단, $m$, $n$은 서로소인 자연수이다.)

## 20

0, 1, 2, 3, 4, 5의 숫자 중에서 세 수를 사용하여 각 자리의 숫자가 모두 다른 세 자리 정수를 만들 때, 그 수가 짝수일 확률을 구하시오.

## 유형 **4**  여사건의 확률

### 21

8개의 제비 중에 당첨 제비가 3개 들어 있다. 이 중에서 2개를
꺼낼 때, 적어도 1개가 당첨 제비일 확률을 구하시오.

### 22

서로 다른 세 개의 주사위를 동시에 던질 때, 적어도 두 개의 눈이
같을 확률은?

① $\dfrac{2}{27}$   ② $\dfrac{1}{3}$   ③ $\dfrac{5}{12}$

④ $\dfrac{4}{9}$   ⑤ $\dfrac{5}{6}$

### 중요
### 23

흰 공이 3개, 검은 공이 $n$개 들어 있는 주머니에서 2개의 공을 동
시에 꺼낼 때, 검은 공이 적어도 하나 나올 확률은 $\dfrac{7}{10}$이다. $n$의
값을 구하시오.

### 24

흰 공 6개, 파란 공 4개가 들어 있는 주머니에서 4개의 공을 꺼낼
때, 흰 공이 2개 이상일 확률은?

① $\dfrac{25}{42}$   ② $\dfrac{29}{42}$   ③ $\dfrac{31}{42}$

④ $\dfrac{37}{42}$   ⑤ $\dfrac{41}{42}$

### 중요
### 25

영희, 지은, 승희는 5개의 특기적성 과목 중에서 한 과목씩 선택
하였다. 세 명 중에서 같은 과목을 선택한 사람이 있을 확률을 구하
시오.

### 26

한 개의 주사위를 두 번 던져서 첫 번째 나온 눈의 수를 $a$, 두 번째
나온 눈의 수를 $b$라 할 때, 직선 $y = \dfrac{b}{a} x$의 기울기가 2 이하일
확률을 구하시오.

## 유형 5 조건부확률의 계산

### 27

두 사건 $A$, $B$에 대하여

$$P(A)=\frac{1}{3}, P(B|A)=\frac{2}{5}, P(A^C\cap B^C)=\frac{1}{3}$$

일 때, $P(B)$는?

① $\frac{1}{3}$　　　② $\frac{2}{5}$　　　③ $\frac{7}{15}$

④ $\frac{8}{15}$　　　⑤ $\frac{3}{5}$

### 28

두 사건 $A$, $B$가 서로 배반사건이고

$$P(A)=\frac{3}{5}, P(B)=\frac{1}{4}$$

일 때, $P(B|A^C)$을 구하시오.

### 29

두 사건 $A$, $B$에 대하여

$$P(A)=\frac{1}{3}, P(A|B)=\frac{1}{2}, P(B|A)=\frac{1}{4}$$

일 때, $P((A\cap B^C)\cup(B\cap A^C))$을 구하시오.

## 유형 6 조건부확률

### 30

인원이 28명인 어느 학급에서 안경을 쓴 학생을 조사하였더니 다음 표와 같았다.

(단위: 명)

| 성별＼구분 | 안경 착용 | 안경 미착용 | 합계 |
|---|---|---|---|
| 남자 | 8 | 10 | 18 |
| 여자 | 4 | 6 | 10 |
| 합계 | 12 | 16 | 28 |

이 학급에서 임의로 1명을 뽑을 때, 뽑힌 학생이 남자일 사건을 $A$, 안경을 쓴 학생일 사건을 $B$라 하자.
$P(A|B^C)+P(B^C|A^C)$의 값을 구하시오.

### 31

어느 전자 회사는 전자제품 총 생산량의 40%를 해외에 수출하고 있는데, 해외로 수출하는 휴대 전화가 전자제품 총 생산량의 12%라고 한다. 전자제품 중에서 임의로 하나를 택한 것이 수출하는 제품일 때, 이 제품이 휴대 전화일 확률은?

① 0.2　　　② 0.3　　　③ 0.4

④ 0.5　　　⑤ 0.6

### 32

같은 모양의 흰 공 3개와 빨간 공 7개가 들어 있는 주머니 속에서 공을 한 개씩 두 번 꺼낸다고 한다. 첫 번째 꺼낸 공이 흰 공일 때, 두 번째 꺼낸 공도 흰 공일 확률을 구하시오.

(단, 꺼낸 공은 다시 넣지 않는다.)

## 33

A상자에는 흰 공 3개, 검은 공 2개, B상자에는 흰 공 4개, 검은 공 3개가 들어 있다. 한 개의 상자를 임의로 택하여 한 개의 공을 꺼내었더니 그것이 흰 공이었을 때, 택한 상자가 A상자일 확률을 구하시오.

## 34

어느 장소에 들를 때마다 세 번에 한 번 꼴로 우산을 잃어버리는 버릇이 있는 K군이 어느 날에 우산을 가지고 집을 나서서 학교, 도서관, 서점을 차례로 들러 집에 돌아와 보니 우산이 없었다. 우산을 도서관에서 잃어버렸을 확률을 구하시오.

## 35

올림픽 경기에 참가한 세 양궁 선수 갑, 을, 병이 10점에 화살을 명중시킬 확률이 각각 $\dfrac{3}{4}$, $\dfrac{2}{3}$, $\dfrac{2}{5}$라고 한다. 세 명이 동시에 하나의 과녁을 향해 쏘았더니 한 개의 화살이 10점에 맞았을 때, 이 화살이 갑이 명중시킨 화살일 확률은?

① $\dfrac{2}{17}$      ② $\dfrac{5}{17}$      ③ $\dfrac{9}{17}$

④ $\dfrac{11}{17}$      ⑤ $\dfrac{13}{17}$

## 36

어느 도시에서 야간에 뺑소니 사건이 일어났다. 이 도시 전체 차량의 80 %는 자가용이고, 20 %는 영업용이다. 그런데 한 목격자가 뺑소니 차량을 자가용이라고 증언하였다. 이 증언의 타당성을 알아보기 위해 사고와 동일한 상황에서 그 목격자가 자가용 차량과 영업용 차량을 구별할 수 있는 능력을 측정해 본 결과 바르게 구별할 확률이 90 %이었을 때, 목격자가 본 뺑소니 차량이 실제로 자가용일 확률은 $\dfrac{q}{p}$이다. $p+q$의 값을 구하시오.

(단, $p$, $q$는 서로소인 자연수이고, 모든 차량이 뺑소니 사건을 일으킬 가능성은 같다고 가정한다.)

## 37

어느 도시에서 2018년도에 새 휴대 전화로 바꾸어 구입하는 사람을 대상으로 구매 실태를 조사하였다. 조사 결과에 따르면 대상자의 30 %가 L사 제품을 사용하던 사람이었다. 그리고 L사 제품을 사용하던 사람의 60 %는 2018년에도 L사 제품을 구입하였고, S사 제품을 사용하던 사람의 80 %는 2018년에도 S사 제품을 구입하였다. 이 도시의 대상자 중에서 임의로 한 사람을 택하였더니 2018년에 S사 제품을 구입한 사람이었을 때, 이 사람이 L사 제품을 사용하던 사람이었을 확률은? (단, 휴대 전화 종류는 L사 제품과 S사 제품의 2가지뿐이라고 가정한다.)

① $\dfrac{3}{17}$      ② $\dfrac{4}{17}$      ③ $\dfrac{5}{17}$

④ $\dfrac{6}{17}$      ⑤ $\dfrac{7}{17}$

## 유형 7 확률의 곱셈정리

### 38

어느 동아리 신입회원 9명 중에서 3명은 남자, 6명은 여자였다. 이들 중에서 신입회원 대표 두 명을 차례로 호명할 때, 첫 번째에는 남자, 두 번째에는 여자가 호명될 확률을 구하시오.

### 39

흰 공 3개와 검은 공 $n$개가 들어 있는 주머니에서 2개의 공을 순서대로 1개씩 꺼낼 때, 첫 번째는 흰 공이 나오고, 두 번째는 검은 공이 나올 확률이 $\frac{3}{10}$이 되는 모든 $n$의 값의 합은?

(단, 꺼낸 공은 다시 넣지 않는다.)

① 5      ② 6      ③ 7

④ 8      ⑤ 9

### 40

어떤 야구팀이 다른 팀과의 시합에서 비가 오면 이길 확률이 0.7, 비가 오지 않으면 이길 확률이 0.4라고 한다. 그동안 시합이 열리는 날의 30 %는 비가 왔다고 할 때, 이 팀이 한 번의 시합에서 다른 팀을 이길 확률을 구하시오.

중요

### 41

흰 공 2개와 검은 공 3개가 들어 있는 상자에서 갑이 먼저 공 1개를 꺼낸 후 다시 넣지 않고 을이 나머지 4개 중에서 1개를 꺼냈다. 을이 꺼낸 공이 흰 공이었을 때, 갑이 꺼낸 공도 흰 공일 확률은?

① $\frac{1}{5}$      ② $\frac{1}{4}$      ③ $\frac{1}{3}$

④ $\frac{2}{3}$      ⑤ $\frac{3}{4}$

### 42

딸기 맛 사탕 4개, 포도 맛 사탕 3개가 들어 있는 정육면체 모양의 상자가 $n$개 있고, 딸기 맛 사탕 3개, 포도 맛 사탕 4개가 들어 있는 원기둥 모양의 상자가 한 개 있다. 상자를 임의로 택하여 사탕 2개를 한꺼번에 꺼냈더니 2개 모두 딸기 맛 사탕일 때, 택한 상자가 원기둥 모양이었을 확률이 $\frac{1}{9}$이다. $n$의 값을 구하시오.

중요

### 43

어느 의류 회사에서는 같은 디자인의 제품을 두 공장 P, Q에서 나누어 생산하고 있다. 공장 P에서는 옷 전체 생산량의 30 %, 공장 Q에서는 70 %를 생산하고 두 공장 P, Q의 불량률은 각각 1 %, 2 % 이다. 판매된 옷 한 벌이 불량으로 반품되었을 때, 이 옷이 공장 Q에서 생산된 제품일 확률을 구하시오.

## 44
어느 선풍기 공장에서 생산된 선풍기 중에서 보증 기간 동안 날개 부분에 문제가 발생할 확률은 $\frac{1}{20}$이고, 전기 부분에 문제가 발생할 확률은 $\frac{1}{10}$이었다. 이 공장에서 생산된 선풍기를 하나 샀을 때, 보증 기간 동안에 날개 또는 전기 부분에 문제가 발생할 확률의 최솟값을 구하시오.

## 45
1부터 9까지의 자연수 중에서 임의로 서로 다른 세 수를 동시에 선택할 때, 나온 수의 최솟값이 3이거나 최댓값이 8일 확률을 구하시오.

## 46
한 개의 주사위를 세 번 던질 때, 나오는 세 눈의 수를 차례로 $a$, $b$, $c$라 하자. 세 수 $a$, $b$, $c$가 등식 $(a-b)(b-2c)=0$을 만족시킬 확률은?

① $\frac{7}{36}$  ② $\frac{5}{24}$  ③ $\frac{2}{9}$

④ $\frac{17}{72}$  ⑤ $\frac{1}{4}$

## 47
1부터 6까지의 자연수 중에서 서로 다른 네 수를 택한 후 나열하여 만들 수 있는 네 자리 자연수 중에서 임의로 택한 자연수의 천의 자리, 백의 자리, 십의 자리, 일의 자리의 수를 각각 $a$, $b$, $c$, $d$라 할 때, $a>b>c$ 또는 $b>c>d$를 만족시킬 확률은 $\frac{q}{p}$이다. $p+q$의 값을 구하시오. (단, $p$와 $q$는 서로소인 자연수이다.)

## 48
그림과 같이 원 위에 같은 간격으로 0부터 6까지의 숫자가 쓰여 있다. 한 개의 주사위를 2번 던져서 나온 두 눈의 수의 합만큼 0에서 출발하여 화살표 방향으로 바둑돌을 움직인다고 할 때, 바둑돌이 0 또는 5에 있을 확률이 $\frac{n}{m}$이라고 한다. $m+n$의 값을 구하시오. (단, $m$, $n$은 서로소인 자연수이다.)

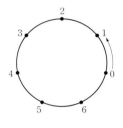

## 49
주머니 속에 2의 숫자가 적힌 카드가 3장, −1의 숫자가 적힌 카드가 3장 들어 있다. 주사위를 한 번 던져 나오는 눈의 수만큼 주머니 속에서 카드를 꺼낼 때, 꺼낸 카드에 적힌 숫자의 총합을 $X$라 하자. $X$가 4일 확률은?

① $\frac{1}{10}$  ② $\frac{7}{60}$  ③ $\frac{2}{15}$

④ $\frac{3}{20}$  ⑤ $\frac{1}{6}$

## 50

주머니 안에 1, 2, 3, 4, 5의 숫자가 각각 하나씩 적혀 있는 5개의 공이 들어 있다. 이 주머니에서 임의로 한 개의 공을 꺼내어 공에 적힌 숫자를 확인한 뒤 다시 주머니에 넣는 일을 4번 반복할 때, 꺼낸 공에 적혀 있는 수를 차례로 $a$, $b$, $c$, $d$라 하자. 네수 $a$, $b$, $c$, $d$가 다음 세 식을 모두 만족시킬 확률을 구하시오.

$$b^2+c^2=20,\ a\leq b,\ c\leq d$$

## 51

그림과 같이 두 직선 $l$, $m$이 $60°$의 각을 이루면서 점 O에서 만난다. 점 O로부터 일정한 간격으로 점을 잡고 직선 $l$ 위의 네 점을 A, B, C, D, 직선 $m$ 위의 세 점을 A′, B′, C′이라고 한다. 네 점 A, B, C, D에서 한 점, 세 점 A′, B′, C′에서 한 점을 골라내어 이 두 점과 점 O를 꼭짓점으로 하는 삼각형을 만들 때, 이 삼각형이 직각삼각형이 아닐 확률을 구하시오.

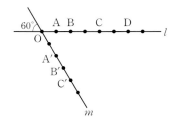

## 52

50원, 100원, 500원짜리 동전이 각각 3개씩 모두 9개가 들어 있는 지갑에서 동전 3개를 임의로 꺼낼 때, 꺼낸 모든 동전의 금액의 합이 250원 이상일 확률을 $\dfrac{q}{p}$라 하자. $p+q$의 값을 구하시오.

(단, $p$, $q$는 서로소인 자연수이다.)

## 53

확률이 모두 양수인 세 사건 $A$, $B$, $C$에 대하여 〈보기〉에서 옳은 것만을 있는 대로 고른 것은?

┤ 보기 ├

ㄱ. $\mathrm{P}(A)\leq\mathrm{P}(B)$이면 $\mathrm{P}(A|C)\leq\mathrm{P}(B|C)$이다.
ㄴ. $A\cup B=D$인 사건 $D$에 대하여 $\mathrm{P}(A|C)\leq\mathrm{P}(D|C)$이다.
ㄷ. $A\cap B=E$인 사건 $E$에 대하여 $\mathrm{P}(E|C)\leq\mathrm{P}(A|C)$이다.

① ㄴ  　② ㄱ, ㄴ  　③ ㄱ, ㄷ
④ ㄴ, ㄷ  　⑤ ㄱ, ㄴ, ㄷ

## 54

세 사람 A, B, C가 한 번의 시행으로 승부를 결정하는 가위바위보 게임을 하려고 한다. 오른쪽 표는 이 세 사람이 게임을 할 때 '가위, 바위, 보'를 낼 각각의 확률을 나타낸 것이다. C가 혼자 이겼다고 할 때, '보'를 내어 이겼을 확률을 구하시오.

| | A | B | C |
|---|---|---|---|
| 가위 | $\dfrac{1}{5}$ | $\dfrac{1}{2}$ | $\dfrac{1}{4}$ |
| 바위 | $\dfrac{3}{5}$ | $\dfrac{1}{3}$ | $\dfrac{1}{2}$ |
| 보 | $\dfrac{1}{5}$ | $\dfrac{1}{6}$ | $\dfrac{1}{4}$ |

## 55

다음 조건을 만족시키는 좌표 평면 위의 점 $(a, b)$ 중에서 임의로 서로 다른 두 점을 택한다. 택한 두 점의 $y$좌표가 같을 때, 이 두 점의 $y$좌표가 2일 확률은?

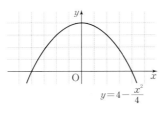

(개) $a$, $b$는 정수이다.    (내) $0 < b < 4 - \dfrac{a^2}{4}$

① $\dfrac{4}{17}$  ② $\dfrac{5}{17}$  ③ $\dfrac{6}{17}$

④ $\dfrac{7}{17}$  ⑤ $\dfrac{8}{17}$

## 56

A여자고등학교의 학생 비율은 1, 2학년이 각각 40 %이고 3학년은 20 %이다. 이 학생들에게 여자대학교에 진학할 의향이 있는지를 조사하였더니 1학년은 30 %, 2학년은 10 %, 3학년은 15 %가 졸업 후 여자대학교에 진학하기를 희망한다고 답하였다. 여자대학교에 진학하기를 희망하는 학생 중에서 1명을 택하였을 때, 그 학생이 1학년이거나 2학년 학생일 확률은 $\dfrac{n}{m}$이다. $m+n$의 값을 구하시오. (단, $m$, $n$은 서로소인 자연수이다.)

 최고난도 문제

## 57

두 사람 중에서 어느 한 사람이 연속하여 2번 이기면 끝나는 게임에서 갑, 을 두 사람이 각각 이길 확률은 다음 표와 같다.

| 확률＼게임 | 첫 번째 게임 | 갑이 이긴 다음의 게임 | 을이 이긴 다음의 게임 |
|---|---|---|---|
| 갑이 이길 확률 | $\dfrac{2}{3}$ | $\dfrac{2}{3}$ | $\dfrac{1}{4}$ |
| 을이 이길 확률 | $\dfrac{1}{3}$ | $\dfrac{1}{3}$ | $\dfrac{3}{4}$ |

이 시합에서 $2n$번째 게임에서 승부가 났다고 할 때, 갑이 승자일 확률을 구하시오. (단, $n \geq 2$)

## 58

주사위 한 개를 $n$번 던지는 시행에서 나온 눈의 수들 중에서 가장 큰 수를 $a_n$, 가장 작은 수를 $b_n$이라 하자. 예를 들어 주사위를 한 번 던지는 시행에서 나온 눈의 수가 3이면 $a_1 = b_1 = 3$이고, 주사위를 두 번 던지는 시행에서 나온 두 눈의 수가 4, 6이면 $a_2 = 6$, $b_2 = 4$이다. $a_n - b_n < 5$가 될 확률을 $p_n$이라 할 때, $\displaystyle\sum_{n=1}^{10} p_n$의 값은?

① $8 - 10\left(\dfrac{5}{6}\right)^{10}$

② $12 - 10\left(\dfrac{5}{6}\right)^{10}$

③ $8 - 10\left(\dfrac{5}{6}\right)^{10} + 2\left(\dfrac{2}{3}\right)^{10}$

④ $12 - 10\left(\dfrac{5}{6}\right)^{10} + 2\left(\dfrac{2}{3}\right)^{10}$

⑤ $8 + 10\left(\dfrac{5}{6}\right)^{10} - 2\left(\dfrac{2}{3}\right)^{10}$

# 05 독립과 독립시행의 확률

# 05 독립과 독립시행의 확률

## 1 사건의 독립과 종속

두 사건 $A$, $B$에 대하여

(1) $\mathrm{P}(B|A)=\mathrm{P}(B)$ 또는 $\mathrm{P}(A|B)=\mathrm{P}(A)$
　이면 두 사건 $A$와 $B$는 서로 독립이라고 한다.

(2) $\mathrm{P}(B|A)\neq\mathrm{P}(B)$ 또는 $\mathrm{P}(A|B)\neq\mathrm{P}(A)$
　이면 두 사건 $A$와 $B$는 서로 종속이라고 한다.

개념 플러스

◀ 두 사건 $A$, $B$가 서로 배반사건이면 $A$, $B$는 서로 종속이다. 또 두 사건 $A$, $B$가 서로 독립이면 $A$, $B$는 서로 배반사건이 아니다.

## 2 독립사건의 성질

두 사건 $A$와 $B$ ($\mathrm{P}(A)>0$, $\mathrm{P}(B)>0$)가 서로 독립이면

　$\mathrm{P}(B|A)=\mathrm{P}(B|A^C)=\mathrm{P}(B)$

　$\mathrm{P}(A|B)=\mathrm{P}(A|B^C)=\mathrm{P}(A)$

참고 두 사건 $A$, $B$가 서로 독립이면 $\mathrm{P}(B^C|A)=\mathrm{P}(B^C|A^C)=\mathrm{P}(B^C)$

◀ 두 사건 $A$와 $B$가 서로 독립이면 $A^C$과 $B$, $A$와 $B^C$, $A^C$과 $B^C$도 서로 독립이다.

## 3 독립사건의 곱셈정리

두 사건 $A$와 $B$가 서로 독립이기 위한 필요충분조건은

　$\mathrm{P}(A\cap B)=\mathrm{P}(A)\mathrm{P}(B)$ (단, $\mathrm{P}(A)>0$, $\mathrm{P}(B)>0$)

참고 세 사건 $A$, $B$, $C$가 서로 독립이기 위한 필요충분조건은

　$\mathrm{P}(A\cap B\cap C)=\mathrm{P}(A)\mathrm{P}(B)\mathrm{P}(C)$ (단, $\mathrm{P}(A)>0$, $\mathrm{P}(B)>0$, $\mathrm{P}(C)>0$)

◀ 배반사건과 독립사건의 비교
두 사건 $A$와 $B$가 서로 배반사건
$\Rightarrow \mathrm{P}(A\cap B)=0$
두 사건 $A$와 $B$가 서로 독립사건
$\Rightarrow \mathrm{P}(A\cap B)=\mathrm{P}(A)\mathrm{P}(B)$

◀ 두 사건 $A$, $B$가 서로 독립이면 $A$와 $B^C$도 서로 독립이다.
$$\begin{aligned}\mathrm{P}(A\cap B^C)&=\mathrm{P}(A)-\mathrm{P}(A\cap B)\\&=\mathrm{P}(A)-\mathrm{P}(A)\mathrm{P}(B)\\&=\mathrm{P}(A)\{1-\mathrm{P}(B)\}\\&=\mathrm{P}(A)\mathrm{P}(B^C)\end{aligned}$$

## 4 독립시행의 확률

매회의 시행에서 사건 $A$가 일어날 확률이 $p$로 일정할 때, 이 시행을 $n$회 반복하는 독립시행에서 사건 $A$가 $r$회 일어날 확률은

　$_n\mathrm{C}_r p^r q^{n-r}$ (단, $r=0, 1, 2, \cdots, n$, $p+q=1$)

◀ 독립시행의 확률을 구하는 과정
① 1회의 시행에서 사건 $A$가 일어날 확률을 구한다.
② 독립시행의 횟수와 사건 $A$가 일어나는 횟수를 파악하여 독립시행의 확률을 구한다.

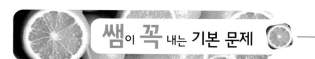 
## 01

두 사건 $A$, $B$가 서로 독립이고 $P(B)=\dfrac{3}{5}$, $P(A\cap B)=\dfrac{1}{5}$일 때, $P(A\cup B)$는?

① $\dfrac{2}{3}$      ② $\dfrac{11}{15}$      ③ $\dfrac{4}{5}$

④ $\dfrac{13}{15}$      ⑤ $\dfrac{14}{15}$

## 02

표본공간 $S=\{a,\,b,\,c,\,d,\,e,\,f\}$에서 한 개의 원소로 이루어진 사건이 일어날 확률이 모두 같을 때, 다음 중 사건 $\{a,\,b,\,c,\,d\}$와 독립인 사건은?

① $\{a,\,b\}$      ② $\{c,\,e\}$      ③ $\{d,\,e\}$

④ $\{b,\,c,\,d\}$      ⑤ $\{c,\,d,\,e\}$

## 03

두 사건 $A$, $B$에 대하여 〈보기〉에서 옳은 것만을 있는 대로 고르시오. (단, $P(A)\neq0$, $P(B)\neq0$)

┤ 보기 ├

ㄱ. 두 사건 $A$, $B$가 서로 배반사건이면 두 사건 $A$, $B$는 서로 독립이다.

ㄴ. 두 사건 $A$, $B$가 서로 독립이면 두 사건 $A$, $B^c$은 서로 독립이다.

ㄷ. 두 사건 $A$, $B$가 서로 독립이면 두 사건 $A$, $B$는 서로 배반사건이다.

## 04

검은 구슬이 5개, 흰 구슬이 3개 들어 있는 A주머니와 검은 구슬이 8개, 흰 구슬이 4개 들어 있는 B주머니에서 각각 하나씩 구슬을 꺼낼 때, 두 주머니 모두에서 흰 구슬을 꺼낼 확률을 구하시오.

## 05

A상자에는 3, 4, 5, 6, 7의 숫자가 하나씩 적혀 있는 5개의 공이 들어 있고, B상자에는 6, 7, 8, 9, 10의 숫자가 하나씩 적혀 있는 5개의 공이 들어 있다. 두 상자 A, B에서 각각 임의로 1개의 공을 꺼낼 때, 꺼낸 두 공에 적혀 있는 수의 곱이 짝수일 확률을 구하시오.

## 06

준수와 정훈이가 바둑을 두면 준수가 10번 중에서 8번 꼴로 이긴다고 한다. 두 사람이 바둑을 다섯 번 둘 때, 준수가 세 번 이길 확률은?

① $\dfrac{64}{625}$      ② $\dfrac{128}{625}$      ③ $\dfrac{196}{625}$

④ $\dfrac{12}{25}$      ⑤ $\dfrac{64}{125}$

## 07

주사위 한 개를 8번 던질 때, 홀수의 눈이 7번 이상 나올 확률은?

① $\dfrac{7}{256}$      ② $\dfrac{9}{256}$      ③ $\dfrac{11}{256}$

④ $\dfrac{13}{256}$      ⑤ $\dfrac{15}{256}$

## 08

어느 농구 선수의 자유투 성공률은 80 %라고 한다. 이 선수가 3번의 자유투를 던질 때, 1번 이상 성공할 확률은 $\dfrac{b}{a}$이다. $a+b$의 값을 구하시오. (단, $a$, $b$는 서로소인 자연수이다.)

## 09

서로 독립인 두 사건 $A$, $B$에 대하여 $\mathrm{P}(B)=\dfrac{1}{3}$, $\mathrm{P}(A\cap B^C)=\dfrac{1}{2}$일 때, $\mathrm{P}(A\cap B)$는?

① $\dfrac{1}{18}$      ② $\dfrac{1}{15}$      ③ $\dfrac{1}{12}$

④ $\dfrac{1}{6}$      ⑤ $\dfrac{1}{4}$

## 10

두 사건 $A$, $B$가 서로 독립이고 $\mathrm{P}(A^C\cap B)=\dfrac{1}{3}$, $\mathrm{P}(A^C\cap B^C)=\dfrac{1}{4}$일 때, $\mathrm{P}(B)$를 구하시오.

## 11

세 사건 $A$, $B$, $C$에 대하여 $A$와 $B$는 서로 독립이고, $A$와 $C$, $B$와 $C$는 각각 서로 배반사건이다. 세 사건 $A$, $B$, $C$가 일어날 확률이 각각 $\mathrm{P}(A)=\dfrac{1}{3}$, $\mathrm{P}(B)=\dfrac{1}{4}$, $\mathrm{P}(C)=\dfrac{5}{12}$일 때, $\mathrm{P}(A\,|\,(B\cup C))$를 구하시오.

## 12

1, 2, 3, 4가 적힌 면은 빨간색, 5, 6이 적힌 면은 파란색이 칠해진 주사위가 있다. 이 주사위를 한 번 던질 때, 홀수의 눈이 나오는 사건을 $A$, 6의 약수의 눈이 나오는 사건을 $B$, 빨간색 면이 나오는 사건을 $C$, 파란색이 면이 나오는 사건을 $D$라 하자. 〈보기〉에서 서로 독립인 것만을 있는 대로 고른 것은?

┌─ 보 기 ├─────────────────────┐
ㄱ. $A$와 $B$     ㄴ. $A$와 $C$     ㄷ. $B$와 $D$
└──────────────────────────────┘

① ㄱ      ② ㄴ      ③ ㄱ, ㄴ

④ ㄱ, ㄷ      ⑤ ㄴ, ㄷ

## 13

1개의 동전을 3회 던져서 첫 번째에 앞면이 나오는 사건을 $A$, 두 번째에 앞면이 나오는 사건을 $B$, 3회 중에서 2회만 연속하여 앞면이 나오는 사건을 $C$라 할 때, 〈보기〉에서 서로 종속인 것만을 있는 대로 고른 것은?

┌─ 보 기 ├─────────────────────┐
ㄱ. $A$와 $B$     ㄴ. $B$와 $C$     ㄷ. $A$와 $C$
└──────────────────────────────┘

① ㄱ      ② ㄴ      ③ ㄷ

④ ㄱ, ㄴ      ⑤ ㄴ, ㄷ

## 14

한 개의 주사위를 던져 4 이하의 눈이 나오는 사건을 $A$, 짝수의 눈이 나오는 사건을 $B$라 할 때, 〈보기〉에서 옳은 것만을 있는 대로 고른 것은?

| 보기 |

ㄱ. 두 사건 $A$, $B$는 서로 독립이다.
ㄴ. 두 사건 $A^C$, $B$는 서로 독립이다.
ㄷ. 두 사건 $A$, $B^C$은 서로 종속이다.

① ㄱ      ② ㄱ, ㄴ      ③ ㄱ, ㄷ
④ ㄴ, ㄷ      ⑤ ㄱ, ㄴ, ㄷ

## 15

한 개의 동전을 3번 던질 때, 첫 번째에 앞면이 나오는 사건을 $A$, 앞면이 적어도 2번 나오는 사건을 $B$, 3번 모두 같은 면이 나오는 사건을 $C$라 하자. 〈보기〉에서 서로 독립인 것만을 있는 대로 고른 것은?

| 보기 |

ㄱ. $A$와 $B$      ㄴ. $A$와 $C^C$      ㄷ. $B^C$과 $C^C$

① ㄴ      ② ㄱ, ㄴ      ③ ㄱ, ㄷ
④ ㄴ, ㄷ      ⑤ ㄱ, ㄴ, ㄷ

유형 3    독립과 종속의 성질

## 16

표본공간 $S$의 두 사건 $A$, $B$에 대하여 〈보기〉에서 옳은 것만을 있는 대로 고른 것은? (단, $P(A) \neq 0$, $P(B) \neq 0$)

| 보기 |

ㄱ. $A \subset B$이면 $P(B|A) = 1$이다.
ㄴ. 두 사건 $A$, $B$가 서로 배반사건이면 $P(B|A) = 0$이다.
ㄷ. 두 사건 $A$, $B$가 서로 독립이면 두 사건 $A$, $B$는 서로 배반사건이다.

① ㄱ      ② ㄱ, ㄴ      ③ ㄱ, ㄷ
④ ㄴ, ㄷ      ⑤ ㄱ, ㄴ, ㄷ

## 17

서로 독립인 세 사건 $A$, $B$, $C$에 대하여 〈보기〉에서 옳은 것만을 있는 대로 고른 것은? (단, $P(A) \neq 0$, $P(B) \neq 0$, $P(C) \neq 0$)

| 보기 |

ㄱ. $P(A \cup B \cup C) = P(A) + P(B) + P(C)$
ㄴ. $P(A \cap B \cap C) = P(A)P(B)P(C)$
ㄷ. 사건 $A$와 $B \cup C$는 서로 독립이다.

① ㄱ      ② ㄷ      ③ ㄱ, ㄴ
④ ㄴ, ㄷ      ⑤ ㄱ, ㄴ, ㄷ

## 유형 4  독립사건의 확률의 곱셈정리

### 18

어떤 시험에 갑, 을, 병 세 사람이 합격할 확률이 각각 $\dfrac{2}{5}$, $\dfrac{3}{4}$, $\dfrac{1}{3}$ 이다. 세 사람 모두 합격할 확률이 $\dfrac{a}{b}$일 때, $a+b$의 값을 구하시오. (단, $a$, $b$는 서로소인 자연수이다.)

### 19

주머니 A에는 흰 공 5개, 검은 공 1개가 들어 있고, 주머니 B에는 흰 공 4개, 검은 공 1개가 들어 있다. 준희는 주머니 A에서, 영수는 주머니 B에서 각각 1개의 공을 꺼낼 때, 두 사람 중에서 한 명만 흰 공을 뽑을 확률은 $\dfrac{q}{p}$이다. $p+q$의 값을 구하시오.

(단, $p$, $q$는 서로소인 자연수이다.)

### 20

3문제로 구성된 시험을 실시한 결과 1번, 2번, 3번 문제의 정답률이 각각 80 %, 50 %, 40 %이었다. 시험에 응시한 사람 중에서 한 사람을 뽑을 때, 그 사람이 2번 문제만 맞혔을 확률은?

① 6 %　　　　② 10 %　　　　③ 12 %

④ 30 %　　　　⑤ 50 %

### 21

어떤 프로축구팀의 세 선수 A, B, C가 페널티킥을 성공할 확률이 각각 0.8, 0.7, 0.6이다. 이들이 한 번씩 페널티킥을 하였을 때, 적어도 한 명은 성공할 확률을 구하시오.

### 22

어느 고등학교에서 전체 학생 330명을 대상으로 성별에 따라 생활복 도입에 대한 찬반 여부를 조사한 표가 다음과 같을 때, $a$의 값을 구하시오.

(단위: 명)

| 성별 ＼ 찬반 여부 | 찬성 | 반대 | 합계 |
|---|---|---|---|
| 남학생 | $a$ | $b$ | 220 |
| 여학생 | $c$ | $d$ | 110 |
| 합계 | 240 | 90 | 330 |

### 23

각 면에 1, 1, 1, 2의 숫자가 하나씩 적혀 있는 정사면체 모양의 상자가 있다. 이 상자를 던져서 밑면에 적힌 숫자가 1이면 그림의 영역 A에, 숫자가 2이면 영역 B에 색을 칠하기로 하였다. 두 영역에 색이 모두 칠해질 때까지 이 상자를 계속 던질 때, 3번째에 마칠 확률을 $\dfrac{q}{p}$라 하자. $p+q$의 값을 구하시오.

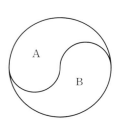

(단, $p$, $q$는 서로소인 자연수이다.)

## 유형 5   독립시행의 확률

### 24
한 개의 주사위를 5번 던져 3의 배수 또는 소수의 눈이 2번 나올 확률이 $\dfrac{a}{b}$일 때, $a+b$의 값을 구하시오.

(단, $a$, $b$는 서로소인 자연수이다.)

### 25
그림과 같은 도로망이 있다. 한 개의 동전을 던져서 앞면이 나오면 북쪽으로 한 칸 가고, 뒷면이 나오면 동쪽으로 한 칸 간다. 동전을 7번 던질 때, 점 O를 출발하여 점 A에 도착할 확률은?

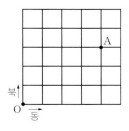

① $\dfrac{15}{128}$    ② $\dfrac{27}{128}$    ③ $\dfrac{35}{128}$

④ $\dfrac{39}{128}$    ⑤ $\dfrac{45}{128}$

### 26
좌표평면 위를 움직이는 점 P는 주사위를 던져 짝수의 눈이 나오면 $x$축의 양의 방향으로 1만큼, 홀수의 눈이 나오면 $y$축의 양의 방향으로 2만큼 움직인다. 주사위를 6번 던졌을 때, 원점에서 출발한 점 P가 점 $(1, 2)$를 지나 점 $(3, 6)$에 있을 확률을 구하시오.

### 27
2개의 당첨 제비가 포함되어 있는 10개의 제비가 있다. 이 중에서 임의로 3회 복원추출할 때, 적어도 한 개가 당첨 제비일 확률을 구하시오.

### 28
한 개의 주사위를 던져서 1 또는 2의 눈이 나오면 상금 1000원을 받고, 그 밖의 눈이 나오면 상금 500원을 받기로 하였다. 주사위를 5번 던졌을 때, 받은 상금이 4000원이 될 확률은?

① $\dfrac{4}{243}$    ② $\dfrac{4}{81}$    ③ $\dfrac{40}{243}$

④ $\dfrac{40}{81}$    ⑤ $\dfrac{41}{81}$

### 29
한 개의 주사위를 던져서 4 또는 6의 눈이 나오면 $x$축의 양의 방향으로 2만큼, $y$축의 양의 방향으로 1만큼 움직이고, 그 밖의 눈이 나오면 $x$축의 음의 방향으로 1만큼, $y$축의 양의 방향으로 1만큼 움직이는 점 P가 원점에서 출발하여 점 $(2, 4)$에 오게 될 확률을 구하시오.

유형 문제

## 30

○, ×로 답하는 서로 다른 6개의 문제가 주어져 있다. 어떤 학생이 임의로 ○, ×표를 할 때, 4문제 이상 맞힐 확률을 구하시오.

## 중요 31

두 배구팀 A, B가 결승전에서 먼저 2승한 팀이 우승한다고 한다. 한 번의 시합에서 A팀이 이길 확률은 $\frac{3}{5}$, B팀이 이길 확률은 $\frac{2}{5}$일 때, A팀이 우승할 확률을 구하시오. (단, 무승부는 없다.)

## 32

서로 다른 동전 6개와 주사위 1개를 동시에 던지는 시행에서 앞면이 나오는 동전의 개수가 주사위의 눈의 수보다 클 확률은?

① $\frac{37}{128}$　　② $\frac{39}{128}$　　③ $\frac{41}{128}$

④ $\frac{43}{128}$　　⑤ $\frac{45}{128}$

## 33

세연이는 5명의 친구에게 각각 전화를 걸어 오전 9시에서 10시 사이에 약속 장소로 모이라고 연락을 하였다. 그런데 세연이가 사정이 생겨서 오전 9시부터 15분 동안만 약속 장소에 있고 오전 9시 15분이 되면 그 곳을 떠나야 했다. 세연이가 적어도 2명의 친구를 만날 확률을 구하시오.

(단, 친구들은 모두 약속 시간에 맞춰 나온다고 한다.)

## 34

점 P가 수직선 위의 원점 O에 있다. 동전을 던져서 앞면이 나오면 −1만큼, 뒷면이 나오면 +1만큼 이동한다. 동전을 5회 던졌을 때, 점 P의 좌표가 2보다 클 확률을 구하시오.

## 중요 35

좌표평면 위를 움직이는 점 P가 원점을 출발하여 다음과 같이 움직인다.

> 한 개의 주사위를 던져서 홀수의 눈이 나오면 $x$축의 양의 방향으로 1만큼, 짝수의 눈이 나오면 $y$축의 양의 방향으로 1만큼 움직인다.

예를 들어 홀수의 눈이 2번, 짝수의 눈이 1번 나오면 점 P의 좌표는 (2, 1)이 된다. 주사위를 5번 던질 때, 원점에서 점 P까지의 거리가 4 이하일 확률은?

① $\frac{1}{8}$　　② $\frac{1}{4}$　　③ $\frac{3}{8}$

④ $\frac{1}{2}$　　⑤ $\frac{5}{8}$

## 36

두 사건 $A$, $B$가 서로 독립이고 $P(A \cup B) = \dfrac{5}{8}$,

$P(A \cap B) = \dfrac{1}{8}$, $P(A) > P(B)$일 때, $P(B)$를 구하시오.

## 37

두 사건 $A$, $B$에 대하여 $P(A \cup B)$의 값을 구하는데 갑은 두 사건이 서로 독립이라고 생각하여 0.6이라 하였고, 을은 두 사건이 서로 배반사건이라 생각하여 0.7이라고 하였다.

$|P(A) - P(B)|$의 값을 구하시오.

## 38

자연수 1, 2, 3, 4, 5를 임의로 나열하여 순서대로 $a_1$, $a_2$, $a_3$, $a_4$, $a_5$라 하자. $a_1 < a_2$인 사건을 $A$, $a_2 < a_3$인 사건을 $B$, $a_3 < a_4$인 사건을 $C$라 하자. 〈보기〉에서 옳은 것만을 있는 대로 고른 것은?

┤ 보 기 ├
ㄱ. $P(A \cap B) < P(A \cap C)$
ㄴ. 두 사건 $A$와 $B$는 서로 독립이다.
ㄷ. 두 사건 $A$와 $C$는 서로 독립이다.

① ㄱ      ② ㄴ      ③ ㄷ
④ ㄱ, ㄷ      ⑤ ㄴ, ㄷ

## 39

정보이론에서는 사건 $E$가 발생했을 때, 사건 $E$의 정보량 $I(E)$가 다음과 같이 정의된다고 한다.

$$I(E) = -\log_2 P(E)$$

〈보기〉에서 옳은 것만을 있는 대로 고른 것은? (단, 사건 $E$가 일어날 확률 $P(E)$는 양수이고, 정보량의 단위는 비트이다.)

┤ 보 기 ├
ㄱ. 한 개의 주사위를 던져 홀수의 눈이 나오는 사건을 $E$라 하면 $I(E) = 1$이다.
ㄴ. 두 사건 $A$, $B$가 서로 독립이고 $P(A \cap B) > 0$이면 $I(A \cap B) = I(A) + I(B)$이다.
ㄷ. $P(A) > 0$, $P(B) > 0$인 두 사건 $A$, $B$에 대하여 $2I(A \cup B) \leq I(A) + I(B)$이다.

① ㄱ      ② ㄱ, ㄴ      ③ ㄱ, ㄷ
④ ㄴ, ㄷ      ⑤ ㄱ, ㄴ, ㄷ

## 40

한 개의 주사위를 던져 나온 수만큼 말을 오른쪽으로 이동시키는 게임이 있다. A9에 도달하면 게임을 끝내고 오른쪽으로 이동할 칸 수가 주사위의 눈의 수보다 작을 때에는 A9까지 이동한 후 왼쪽으로 남은 칸 수만큼 이동한다. 예를 들어 A6의 위치에서 주사위를 던져 나온 눈의 수가 3이면 A9에 말을 옮겨 게임을 끝내고, 나온 눈의 수가 5이면 A7로 이동한다.

| A0 | A1 | A2 | A3 | A4 | A5 | A6 | A7 | A8 | A9 |
|---|---|---|---|---|---|---|---|---|---|
|  |  |  |  |  |  |  |  |  |  |

A0의 위치에서 주사위를 3번 던져서 게임이 끝날 확률은?

① $\dfrac{25}{216}$      ② $\dfrac{29}{216}$      ③ $\dfrac{31}{216}$

④ $\dfrac{35}{216}$      ⑤ $\dfrac{37}{216}$

## 41

그림은 갑, 을이 가지고 있는 주사위에 적힌 숫자를 전개도 모양을 이용해서 나타낸 것이다. 갑과 을이 각각의 주사위를 던져 큰 수가 나오는 사람이 이기는 게임

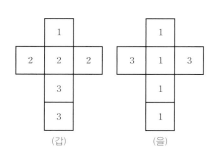

(갑)  (을)

을 한다. 갑이 을을 이길 확률을 $a$, 을이 갑을 이길 확률을 $b$라 할 때, $a-b$의 값을 구하시오.

## 42

좌표평면 위의 원점에 점 A가 있다. 한 개의 주사위를 던져 6의 약수의 눈이 나오면 점 A를 $x$축의 양의 방향으로 1만큼, 6의 약수의 눈이 나오지 않으면 $y$축의 양의 방향으로 1만큼 평행이동 시킨다. 주사위를 네 번 던질 때, 점 A가 그림과 같은 원 $x^2+y^2=9$의 외부에 놓이게 될 확률은?

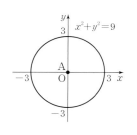

① $\dfrac{17}{27}$    ② $\dfrac{2}{3}$    ③ $\dfrac{56}{81}$

④ $\dfrac{19}{27}$    ⑤ $\dfrac{20}{27}$

## 43

$n$개의 동전을 동시에 던질 때, 적어도 $(n-1)$개가 뒷면이 나오는 사건을 $A$, 적어도 1개가 앞면이 나오되 모두 앞면은 아닌 사건을 $B$라 하자. 이 두 사건 $A$, $B$가 서로 독립이기 위한 $n$의 값을 구하시오. (단, $n \geq 2$)

 최고난도 문제

## 44

다음 조건을 만족시키는 집합 $U=\{x \mid x$는 9 이하의 자연수$\}$의 부분집합 $X$의 개수를 구하시오.

㈎ $8 \in X$이고 집합 $X$의 원소의 개수는 6이다.
㈏ 집합 $X$의 원소 중에서 임의로 한 개를 택할 때 짝수가 나오는 사건을 $A$라 하고, 5 이상의 수가 나오는 사건을 $B$라 하면 두 사건 $A$와 $B$는 서로 독립이다.

## 45

그림과 같은 정사각형의 모눈이 있다. 어떤 병뚜껑 한 개를 던져 앞면이 나오면 오른쪽으로 한 칸을 이동하고, 뒷면이 나오면 아래로 한 칸을 이동한다. 점 O에서 시작하여 이 시행을 반복할 때, 6개의 점 A, B, C, D, E, F 중에

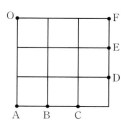

서 어느 한 점에 도달하면 이 시행을 끝내기로 한다. 이 시행이 정확히 4번 만에 끝날 확률이 $\dfrac{9}{32}$일 때, 이 시행이 정확히 5번 만에 끝날 확률을 구하시오.

# 06 확률변수와 확률분포

# 06 확률변수와 확률분포

## 1 확률변수

(1) 어떤 시행의 결과 일어나는 각 사건에 대하여 하나의 수를 대응시킬 때, 이 대응을 확률변수라고 한다.

(2) 확률변수는 표본공간을 정의역으로 하고, 실수의 집합을 공역으로 하는 함수이다.

(3) 확률변수 $X$가 어떤 값 $x$를 가질 확률 ➡ $\mathrm{P}(X=x)$

**개념 플러스**

## 2 이산확률변수와 확률질량함수

(1) **이산확률변수**: 확률변수 $X$가 유한개의 값을 갖거나 자연수와 같이 셀 수 있을 때, $X$를 이산확률변수라고 한다.

(2) **확률질량함수**: 이산확률변수 $X$가 가질 수 있는 모든 값 $x_1, x_2, x_3, \cdots, x_n$에 대하여 이 값을 가질 확률 $p_1, p_2, p_3, \cdots, p_n$을 대응시키는 함수 $\mathrm{P}(X=x_i)=p_i$ $(i=1, 2, 3, \cdots, n)$를 이산확률변수 $X$의 확률질량함수라고 한다.

(3) **확률질량함수의 성질**
이산확률변수 $X$의 확률질량함수 $\mathrm{P}(X=x_i)=p_i$ $(i=1, 2, 3, \cdots, n)$에 대하여
① $0 \leq p_i \leq 1$
② $p_1+p_2+p_3+\cdots+p_n=1$
③ $\mathrm{P}(x_i \leq X \leq x_j) = \sum\limits_{k=i}^{j} \mathrm{P}(X=x_k)$ (단, $i \leq j$, $j=1, 2, 3, \cdots, n$)

◀ **확률분포**
확률변수 $X$가 갖는 값과 $X$가 이 값을 가질 확률의 대응 관계를 $X$의 확률분포라 하고, 확률분포를 다음과 같이 표로 나타낸 것을 확률분포표라고 한다.

| $X$ | $x_1$ | $x_2$ | $x_3$ | $\cdots$ | $x_n$ | 합계 |
|---|---|---|---|---|---|---|
| $\mathrm{P}(X=x_i)$ | $p_1$ | $p_2$ | $p_3$ | $\cdots$ | $p_n$ | 1 |

## 3 연속확률변수와 확률밀도함수

(1) **연속확률변수**: 확률변수 $X$가 어떤 범위에 속하는 모든 실수 값을 가질 때, $X$를 연속확률변수라고 한다.

(2) **확률밀도함수**: 연속확률변수 $X$가 $a \leq X \leq b$에서 모든 실수 값을 가질 수 있고 이 범위에서 함수 $y=f(x)$ $(a \leq x \leq b)$가 다음과 같은 성질을 가질 때, 함수 $y=f(x)$를 연속확률변수 $X$의 확률밀도함수라고 한다.
① $f(x) \geq 0$
② 함수 $y=f(x)$의 그래프와 $x$축 및 두 직선 $x=a$, $x=b$로 둘러싸인 부분의 넓이는 1이다.
③ $\mathrm{P}(\alpha \leq X \leq \beta)$는 함수 $y=f(x)$의 그래프와 $x$축 및 두 직선 $x=\alpha$, $x=\beta$로 둘러싸인 부분의 넓이와 같다. (단, $a \leq \alpha \leq \beta \leq b$)

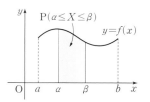

◀ **정적분을 이용하는 확률밀도함수**
구간 $[a, b]$에 속하는 모든 실수 값을 가질 수 있는 연속확률변수 $X$의 확률밀도함수 $y=f(x)$에 대하여 다음이 성립한다.
(1) $f(x) \geq 0$
(2) $\displaystyle\int_a^b f(x)\,dx=1$
(3) $\mathrm{P}(\alpha \leq X \leq \beta) = \displaystyle\int_\alpha^\beta f(x)\,dx$
(단, $a \leq \alpha \leq \beta \leq b$)

## 01

주머니 속에 1, 2, 3, 4, 5가 각각 하나씩 적힌 5개의 공이 들어 있다. 이 주머니에서 임의로 2개의 공을 동시에 꺼낼 때, 홀수가 적힌 공의 개수를 확률변수 $X$라 하자. $X$가 가질 수 있는 값들의 합을 구하시오.

## 02

세 개의 동전을 동시에 던지는 시행에서 앞면이 나오는 개수를 확률변수 $X$라 하자. 확률변수 $X$의 확률분포를 표로 나타내면 다음과 같을 때, 세 상수 $a$, $b$, $c$에 대하여 $a-b-c$의 값을 구하시오.

| $X$ | 0 | 1 | 2 | 3 | 합계 |
|---|---|---|---|---|---|
| $P(X=x)$ | $\frac{1}{8}$ | $a$ | $b$ | $c$ | 1 |

## 03

확률변수 $X$의 확률분포를 나타낸 표가 다음과 같을 때, $P(1 \leq X \leq 2)$는?

| $X$ | 0 | 1 | 2 | 3 | 합계 |
|---|---|---|---|---|---|
| $P(X=x)$ | $\frac{1}{6}$ | $a$ | $\frac{3}{10}$ | $\frac{1}{30}$ | 1 |

① $\frac{1}{5}$  ② $\frac{3}{10}$  ③ $\frac{2}{5}$

④ $\frac{3}{5}$  ⑤ $\frac{4}{5}$

## 04

확률변수 $X$의 확률질량함수가

$$P(X=x)=ax^2 \ (x=1, 2, 3, 4, 5)$$

일 때, $P(X \leq 4)$를 구하시오. (단, $a$는 상수이다.)

## 05

4개의 당첨 제비를 포함한 9개의 제비 중에서 3개의 제비를 동시에 뽑을 때, 나오는 당첨 제비의 개수를 확률변수 $X$라 하자. $P(1 \leq X \leq 2)$는?

① $\frac{1}{6}$  ② $\frac{1}{3}$  ③ $\frac{1}{2}$

④ $\frac{2}{3}$  ⑤ $\frac{5}{6}$

## 06

한 변의 길이가 1인 정육각형의 꼭짓점 중에서 임의로 두 점을 택하여 서로 연결하여 만든 선분의 길이를 확률변수 $X$라 할 때, $P(X<2)$를 구하시오.

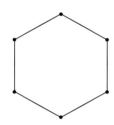

## 07

구간 $[0, 4]$에서 정의된 연속확률변수 $X$의 확률밀도함수 $y=f(x)$의 그래프가 그림과 같을 때, 상수 $k$의 값을 구하시오.

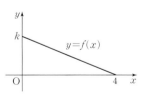

## 08

연속확률변수 $X$의 확률밀도함수가 $f(x)=ax \ (0 \leq x \leq 3)$일 때, $P(2 \leq X \leq 3)$을 구하시오. (단, $a$는 상수이다.)

## 09

확률변수 $X$의 확률분포를 나타낸 표가 다음과 같을 때, 상수 $a$의 값은?

| $X$ | $-1$ | $0$ | $1$ | 합계 |
|---|---|---|---|---|
| $P(X=x)$ | $a$ | $a^2+2a$ | $3a^2$ | $1$ |

① $\dfrac{1}{4}$      ② $\dfrac{1}{3}$      ③ $\dfrac{1}{2}$

④ $\dfrac{2}{3}$      ⑤ $\dfrac{3}{4}$

## 10

확률변수 $X$의 확률질량함수가

$$P(X=n)=\frac{k}{\sqrt{n+1}+\sqrt{n}} \quad (n=1,\,2,\,\cdots,\,8)$$

일 때, 상수 $k$의 값을 구하시오.

## 11

확률변수 $X$의 확률질량함수가

$$P(X=k)=\begin{cases} \dfrac{1}{k^2+k} & (k=1,\,2,\,3,\,4,\,5) \\[2mm] \dfrac{a}{k} & (k=6) \end{cases}$$

일 때, 상수 $a$의 값을 구하시오.

## 12

확률변수 $X$의 확률분포를 나타낸 표가 다음과 같을 때, $P(X \ge 2a)$는?

| $X$ | $0$ | $1$ | $2$ | $3$ | 합계 |
|---|---|---|---|---|---|
| $P(X=x)$ | $\dfrac{1}{8}$ | $\dfrac{3}{8}$ | $a$ | $\dfrac{1}{8}$ | $1$ |

① $\dfrac{3}{8}$      ② $\dfrac{1}{2}$      ③ $\dfrac{5}{8}$

④ $\dfrac{3}{4}$      ⑤ $\dfrac{7}{8}$

## 13

확률변수 $X$의 확률분포를 나타낸 표가 다음과 같다.

| $X$ | $2$ | $3$ | $4$ | 합계 |
|---|---|---|---|---|
| $P(X=x)$ | $a$ | $2a$ | $3b$ | $1$ |

$P(X=2)=\dfrac{2}{3}P(X=4)$일 때, $P(3 \le X \le 4)$를 구하시오.

## 14

다음과 같이 확률변수 $X$의 확률분포를 나타낸 표의 일부가 찢어져 보이지 않는다. $P(X \ge 4)=2P(X=1)$이 성립할 때, $P(X=3)$을 구하시오.

(단, 확률변수 $X$는 $1,\,2,\,3,\,\cdots,\,10$의 값을 갖는다.)

| $X$ | $1$ | $2$ | $3$ |
|---|---|---|---|
| $P(X=x)$ | $\dfrac{1}{6}$ | $\dfrac{1}{12}$ | |

**15**

확률변수 $X$의 확률질량함수가

$$P(X=x)=\frac{k}{x(x+1)} \ (x=1,\ 2,\ 3,\ 4)$$

일 때, $P(X=2)$를 구하시오. (단, $k$는 상수이다.)

**16**

확률변수 $X$의 확률질량함수가

$$P(X=n)=\log_k \frac{n+1}{n} \ (n=1,\ 2,\ \cdots,\ 9)$$

일 때, $P(X \geq 3)$은? (단, $k$는 상수이다.)

① $\log \dfrac{10}{9}$  ② $\log \dfrac{5}{3}$  ③ $\log \dfrac{5}{2}$

④ $\log \dfrac{10}{3}$  ⑤ $\log 5$

**17**

확률변수 $X$의 확률질량함수가

$$P(X=x)=p_x \ (x=1,\ 2,\ 3,\ 4,\ 5)$$

이고 확률 $p_1$, $p_2$, $p_3$, $p_4$, $p_5$가 이 순서대로 등차수열을 이룰 때, $P(X^2-6X+8 \leq 0)$을 구하시오.

**18**

불량품 4개가 포함된 7개의 제품 중에서 임의로 3개의 제품을 동시에 뽑아서 나오는 불량품의 개수를 확률변수 $X$라 할 때, $P(1 \leq X \leq 3)$은?

① $\dfrac{34}{35}$  ② $\dfrac{33}{35}$  ③ $\dfrac{32}{35}$

④ $\dfrac{31}{35}$  ⑤ $\dfrac{6}{7}$

**19**

흰 공 2개와 빨간 공 4개가 들어 있는 주머니에서 2개의 공을 꺼낼 때, 나오는 흰 공의 개수를 확률변수 $X$라 하자. $P(X^2-3X+2=0)$을 구하시오.

**20**

서로 다른 두 개의 주사위를 동시에 던질 때, 나오는 두 눈의 수의 곱을 5로 나눈 나머지를 확률변수 $X$라 하자. $P(X=0)$을 구하시오.

## 21

원점 O를 출발하여 수직선 위를 움직이는 점 P가 있다. 점 P는 주사위를 던져 짝수의 눈이 나오면 $+2$만큼, 홀수의 눈이 나오면 $-2$만큼 이동한다. 주사위를 두 번 던질 때, 점 P의 좌표를 확률변수 $X$로 하는 확률분포에서 $P(X \geq 0)$은?

① $\dfrac{1}{4}$      ② $\dfrac{1}{2}$      ③ $\dfrac{3}{4}$

④ $\dfrac{4}{5}$      ⑤ $\dfrac{5}{6}$

## 22

사과 6개와 귤 4개가 들어 있는 바구니에서 임의로 3개를 꺼내서 나오는 귤의 개수를 확률변수 $X$라 할 때, $\dfrac{1}{3} \leq P(X \leq k) \leq \dfrac{2}{3}$ 를 만족시키는 자연수 $k$의 값을 구하시오.

## 23

2, 4, 6, 8의 숫자가 각각 하나씩 적혀 있는 4장의 카드 중에서 동시에 2장을 뽑으려고 한다. 각 카드에 적힌 두 수의 차를 확률변수 $X$라 할 때, $P(|X-3| \leq 2)$를 구하시오.

## 24

$0 \leq x \leq 3$에서 정의된 연속확률변수 $X$의 확률밀도함수 $y=f(x)$의 그래프가 그림과 같을 때, 상수 $a$의 값은?

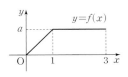

① $\dfrac{1}{3}$      ② $\dfrac{2}{5}$      ③ $\dfrac{2}{3}$

④ $\dfrac{3}{2}$      ⑤ $\dfrac{5}{2}$

## 25

구간 $[0, 6]$에서 정의된 연속확률변수 $X$의 확률밀도함수 $y=f(x)$의 그래프가 그림과 같을 때, 상수 $a$의 값을 구하시오.

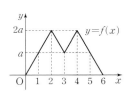

## 26

연속확률변수 $X$의 확률밀도함수가 $f(x)=a(1-|x|) \; (-1 \leq x \leq 1)$일 때, 상수 $a$의 값을 구하시오.

## 유형 6  확률밀도함수가 주어질 때 확률 구하기

### 27

연속확률변수 $X$의 확률밀도함수가

$$f(x) = \begin{cases} x & (0 \le x < 1) \\ 2-x & (1 \le x \le 2) \\ 0 & (x < 0 \text{ 또는 } x > 2) \end{cases}$$

일 때, $P\left(\dfrac{1}{2} \le X \le \dfrac{3}{2}\right)$을 구하시오.

### 28

연속확률변수 $X$의 확률밀도함수가 $f(x) = kx$ $(0 \le x \le 2)$일 때, $P(0 \le X \le k)$는? (단, $k$는 상수이다.)

① $\dfrac{1}{32}$  ② $\dfrac{1}{16}$  ③ $\dfrac{1}{8}$

④ $\dfrac{1}{4}$  ⑤ $\dfrac{1}{2}$

### 29

연속확률변수 $X$의 확률밀도함수가

$$f(x) = \begin{cases} ax & (0 \le x < 2) \\ -a(x-4) & (2 \le x \le 4) \end{cases}$$

일 때, $P(1 \le X \le 3)$을 구하시오. (단, $a$는 상수이다.)

### 30

연속확률변수 $X$에 대한 확률밀도함수 $y = f(x)$의 그래프가 그림과 같다. $P(a \le X \le b) = \dfrac{1}{4}$일 때, $a$의 값을 구하시오.

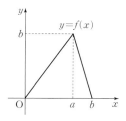

### 31

$-2 \le x \le 1$에서 정의된 연속확률변수 $X$의 확률밀도함수 $y = f(x)$의 그래프가 그림과 같을 때, 〈보기〉에서 옳은 것만을 있는대로 고른 것은?

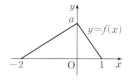

| 보기 |

ㄱ. $a = \dfrac{2}{3}$

ㄴ. $P(-2 \le X \le -1) = \dfrac{1}{2}P(X > 0)$

ㄷ. $P(-1 \le X \le 0) = P(X > -1) - P(-2 \le X \le 0)$

① ㄱ  ② ㄴ  ③ ㄱ, ㄴ

④ ㄴ, ㄷ  ⑤ ㄱ, ㄴ, ㄷ

### 32

$-2 \le X \le 4$의 모든 값을 취하는 연속확률변수 $X$의 확률밀도함수 $y = f(x)$에 대하여 다음이 성립할 때, $P(0 \le X \le 3)$을 구하시오.

(가) $f(1-x) = f(1+x)$

(나) $P(1 \le X \le 3) = 2P(3 \le X \le 4)$

(다) $P(0 \le X \le 1) = \dfrac{1}{4}$

## 33

확률변수 $X$가 $0$, $1$, $2$, $3$, $\cdots$, $9$의 값을 갖고, $X$의 확률분포는 그림에서 직선 $l$ 위의 점의 $y$좌표의 값으로 나타낼 때, 상수 $a$의 값은?

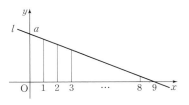

① $\dfrac{1}{9}$

② $\dfrac{1}{8}$

③ $\dfrac{1}{5}$

④ $\dfrac{1}{3}$

⑤ $\dfrac{1}{2}$

## 34

확률변수 $X$가 가질 수 있는 값이 $1$, $2$, $3$, $\cdots$, $99$일 때, $X=k$일 확률은 $\mathrm{P}(X=k)=\dfrac{a}{\sqrt{k+1}+\sqrt{k}}$ $(k=1, 2, 3, \cdots, 99)$이다.

$\mathrm{P}(X=16)+\mathrm{P}(X=17)+\mathrm{P}(X=18)+\cdots+\mathrm{P}(X=99)=b$ 라 할 때, $a+b$의 값을 구하시오. (단, $a$, $b$는 상수이다.)

## 35

확률변수 $X$의 확률질량함수가

$$\mathrm{P}(X=x)=\begin{cases} c & (x=0, 1, 2) \\ 2c & (x=3, 4, 5) \\ 5c^2 & (x=6, 7) \end{cases}$$

이다. 확률변수 $X$가 $6$ 이상일 사건을 $A$, 확률변수 $X$가 $3$ 이상일 사건을 $B$라 할 때, $\mathrm{P}(A|B)$를 구하시오. (단, $c$는 양수이다.)

## 36

$-a \le X \le a$에서 정의된 연속확률변수 $X$의 확률밀도함수 $y=f(x)$의 그래프가 그림과 같고 $f(0)=b$이다.

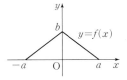

$-a \le Y \le a$에서 정의된 확률밀도함수 $y=\dfrac{1}{2}f(x)+c$에 대하여 $100(ab+ac)$의 값을 구하시오.

(단, $a$, $b$, $c$는 양수이다.)

## 37

$-2 \le x \le 2$에서 정의된 연속확률변수 $X$의 확률밀도함수 $y=f(x)$의 그래프가 그림과 같다.

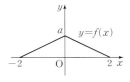

세 사건 $A=\{X|-2 \le X \le 0\}$, $B=\{X|-1 \le X \le 1\}$, $C=\{X|0 \le X \le 2\}$에 대하여 〈보기〉에서 옳은 것만을 있는 대로 고르시오.

┤ 보기 ├
ㄱ. $\mathrm{P}(A^c \cup B^c)=\dfrac{5}{8}$　　　ㄴ. $\mathrm{P}(B|C)=\dfrac{2}{7}$

ㄷ. 두 사건 $A$와 $B$는 서로 독립이다.

### 🎈 최고난도 문제

## 38

확률변수 $X$의 확률분포를 나타낸 표가 다음과 같다.

| $X$ | 0 | 1 | 2 | $\cdots$ | 10 | 합계 |
|---|---|---|---|---|---|---|
| $\mathrm{P}(X=x)$ | $p_0$ | $p_1$ | $p_2$ | $\cdots$ | $p_{10}$ | 1 |

집합 $\{x|0 \le x \le 10\}$에서 정의된 두 함수 $y=F(x)$, $y=G(x)$가 $F(x)=\mathrm{P}(0 \le X \le x)$, $G(x)=\mathrm{P}(X>x)$일 때, 〈보기〉에서 옳은 것만을 있는 대로 고르시오.

┤ 보기 ├
ㄱ. $F(4)+G(4)=1$

ㄴ. $\mathrm{P}(4 \le X \le 8)=F(8)-F(4)$

ㄷ. $\mathrm{P}(4 \le X \le 8)=G(3)-G(8)$

# 07 이산확률변수의 평균과 표준편차

# 07 이산확률변수의 평균과 표준편차

## 1 이산확률변수의 평균, 분산, 표준편차

이산확률변수 $X$의 확률질량함수가 $P(X=x_i)=p_i$ $(i=1, 2, 3, \cdots, n)$일 때

(1) $X$의 평균 (기댓값) : $E(X)=x_1 p_1+x_2 p_2+x_3 p_3+\cdots+x_n p_n=\displaystyle\sum_{i=1}^{n} x_i p_i$

(2) 분산: $V(X)=E((X-m)^2)=\displaystyle\sum_{i=1}^{n} (x_i-m)^2 p_i$

$$=\sum_{i=1}^{n} x_i^2 p_i-m^2=E(X^2)-\{E(X)\}^2 \text{ (단, } m=E(X))$$

(3) 표준편차: $\sigma(X)=\sqrt{V(X)}$

**참고** $V(X)=\displaystyle\sum_{i=1}^{n} (x_i-m)^2 p_i=\displaystyle\sum_{i=1}^{n} (x_i^2-2mx_i+m^2)p_i$

$$=\sum_{i=1}^{n} x_i^2 p_i-2m\sum_{i=1}^{n} x_i p_i+m^2\sum_{i=1}^{n} p_i$$

$$=\sum_{i=1}^{n} x_i^2 p_i-2m^2+m^2 \ (\because \sum_{i=1}^{n} x_i p_i=m, \ \sum_{i=1}^{n} p_i=1)$$

$$=\sum_{i=1}^{n} x_i^2 p_i-m^2=E(X^2)-\{E(X)\}^2$$

**개념 플러스**

◂ **확률질량함수**
이산확률변수 $X$가 가질 수 있는 모든 값 $x_1, x_2, x_3, \cdots, x_n$에 이 값을 가질 확률 $p_1, p_2, p_3, \cdots, p_n$이 대응되는 함수 $P(X=x_i)=p_i$ $(i=1, 2, 3, \cdots, n)$를 이산확률변수 $X$의 확률질량함수라고 한다.

◂ (1) (편차)=(변량)−(평균)
(2) (분산)$=\dfrac{\{(편차)^2의 총합\}}{(전체 자료의 개수)}$
(3) (표준편차)$=\sqrt{(분산)}$

## 2 확률변수의 평균, 분산, 표준편차의 성질

확률변수 $X$와 두 상수 $a$, $b$ $(a \neq 0)$에 대하여
(1) $E(aX+b)=aE(X)+b$
(2) $V(aX+b)=a^2 V(X)$
(3) $\sigma(aX+b)=|a|\sigma(X)$

**참고** ① $E(aX+b)=\displaystyle\sum_{i=1}^{n} (ax_i+b)p_i=a\sum_{i=1}^{n} x_i p_i+b\sum_{i=1}^{n} p_i=aE(X)+b$

② $V(aX+b)=\displaystyle\sum_{i=1}^{n} \{(ax_i+b)-E(aX+b)\}^2 p_i$

$$=\sum_{i=1}^{n} \{(ax_i+b)-(aE(X)+b)\}^2 p_i$$

$$=a^2\sum_{i=1}^{n} (x_i-E(X))^2 p_i$$

$$=a^2 V(X)$$

③ $\sigma(aX+b)=\sqrt{V(aX+b)}=\sqrt{a^2 V(X)}$

$$=|a|\sigma(X)$$

◂ 분산과 표준편차는 평균을 중심으로 흩어진 정도를 나타내므로 $b$의 값에 영향을 받지 않는다.

◂ 확률변수 $X$가 가질 수 있는 모든 값 $x_1, x_2, x_3, \cdots, x_n$에 대하여 확률변수 $Y=aX+b$ $(a, b$는 상수, $a \neq 0)$가 가질 수 있는 값은 $ax_1+b, ax_2+b, ax_3+b, \cdots, ax_n+b$이다.

정답 및 해설 42쪽

## 01

확률변수 $X$의 확률분포를 나타낸 표가 다음과 같을 때, $X$의 평균을 구하시오.

| $X$ | 2 | 3 | 4 | 6 | 합계 |
|---|---|---|---|---|---|
| $P(X=x)$ | $a$ | $\dfrac{1}{3}$ | $a$ | $\dfrac{1}{6}$ | 1 |

## 02

한 개의 주사위를 한 번 던져 나오는 눈의 수를 3으로 나눈 나머지를 확률변수 $X$라 하자. $X$의 평균을 구하시오.

## 03

흰 공 2개와 검은 공 3개가 들어 있는 주머니에서 임의로 3개의 공을 동시에 꺼낼 때, 주머니에서 나오는 흰 공의 개수를 확률변수 $X$라 하자. $E(X)$를 구하시오.

## 04

확률변수 $X$의 확률분포를 나타낸 표가 다음과 같을 때, $E(X)+\sigma(X)$의 값은?

| $X$ | 1 | 2 | 3 | 4 | 합계 |
|---|---|---|---|---|---|
| $P(X=x)$ | $\dfrac{1}{10}$ | $\dfrac{1}{5}$ | $\dfrac{3}{10}$ | $\dfrac{2}{5}$ | 1 |

① 1　　　　② 2　　　　③ 3
④ 4　　　　⑤ 5

## 05

확률변수 $X$의 확률분포를 나타낸 표가 다음과 같을 때, 확률변수 $Z=-3X+4$의 평균을 구하시오.

| $X$ | $-1$ | 0 | 1 | 합계 |
|---|---|---|---|---|
| $P(X=x)$ | $\dfrac{1}{2}$ | $\dfrac{1}{3}$ | $a$ | 1 |

## 06

확률변수 $X$에 대하여 $E(X)=5$, $V(X)=4$일 때, $E(-7X+1)+V(3X-5)$의 값을 구하시오.

## 07

확률변수 $X$의 확률분포를 나타낸 표가 다음과 같을 때, 확률변수 $Y=-3X+2$의 표준편차를 구하시오.

| $X$ | 6 | 12 | 18 | 합계 |
|---|---|---|---|---|
| $P(X=x)$ | $\dfrac{1}{2}$ | $\dfrac{1}{3}$ | $\dfrac{1}{6}$ | 1 |

## 08

확률변수 $X$에 대하여 $E(X)=5$, $E(X^2)=100$일 때, $\sigma(X)$는?

① $2\sqrt{3}$　　　　② $3\sqrt{3}$　　　　③ $4\sqrt{3}$
④ $5\sqrt{3}$　　　　⑤ $6\sqrt{3}$

## 유형 문제

유형 1 · 이산확률변수의 평균(기댓값)

### 09

확률변수 $X$의 확률분포를 나타낸 표가 다음과 같고, $E(X) = \dfrac{7}{5}$ 일 때, $\dfrac{b}{a}$의 값은?

| $X$ | 0 | 1 | 2 | 3 | 합계 |
|---|---|---|---|---|---|
| $P(X=x)$ | $\dfrac{1}{5}$ | $a$ | $\dfrac{3}{10}$ | $b$ | 1 |

① $\dfrac{1}{7}$　　　② $\dfrac{2}{7}$　　　③ $\dfrac{3}{7}$

④ $\dfrac{4}{7}$　　　⑤ $\dfrac{5}{7}$

### 10

확률변수 $X$의 확률분포를 나타낸 표가 다음과 같다.

| $X$ | $k$ | $2k$ | $4k$ | 합계 |
|---|---|---|---|---|
| $P(X=x)$ | $\dfrac{4}{7}$ | $a$ | $b$ | 1 |

$\dfrac{4}{7}$, $a$, $b$가 이 순서로 등비수열을 이루고 $X$의 평균이 24일 때, 상수 $k$의 값을 구하시오.

### 11

확률변수 $X$가 $1^2$, $2^2$, $3^2$, $\cdots$, $10^2$의 값을 갖고, 확률질량함수가 $P(X=k^2) = ck$ ($k=1, 2, \cdots, 10$)일 때, $E(X)$를 구하시오.

(단, $c$는 상수이다.)

### 12

상자 속에 숫자 1이 적힌 공이 1개, 2가 적힌 공이 2개, 3이 적힌 공이 3개, $\cdots$, 10이 적힌 공이 10개 들어 있다. 이 상자에서 임의로 한 개의 공을 꺼낼 때, 그 공에 적힌 수를 확률변수 $X$라고 한다. $E(X)$는?

① 5　　　② 6　　　③ 7

④ 8　　　⑤ 9

### 13

그림은 각 면에 1, 2, 3, 4가 적힌 정사면체의 전개도이다. 이 전개도로 만든 정사면체를 두 번 던질 때, 밑면에 적힌 수 중에서 첫 번째 수를 $a$, 두 번째 수를 $b$라 하자. $|a-b|$의 값을 확률변수 $X$라 할 때, $E(X)$를 구하시오.

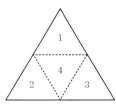

### 14

학교 축제에서 행운권 100장을 발행했는데, 상품은 표와 같이 10000원과 5000원짜리 문화 상품권이다. 문화 상품권을 현금으로 생각한다면, 행운권 한 장으로 받을 수 있는 현금의 기댓값을 구하시오.

| 상 | 문화 상품권 | 개수 |
|---|---|---|
| 행운상 | 10000원 | 10 |
| 다행상 | 5000원 | 40 |
| 꽝 | 0원 | 50 |

## 유형 2 이산확률변수의 분산, 표준편차

## 15

확률변수 $X$의 확률분포를 나타낸 표가 다음과 같을 때, $\sigma(X)$를 구하시오.

| $X$ | 0 | 2 | 4 | 합계 |
|---|---|---|---|---|
| $P(X=x)$ | $a$ | $a^2$ | $a^2$ | 1 |

## 16

확률변수 $X$의 확률질량함수가

$$P(X=n)=\frac{5-n}{10}\ (n=1,\,2,\,3,\,4)$$

일 때, $X$의 분산은?

① $\dfrac{1}{2}$        ② $1$        ③ $\dfrac{3}{2}$

④ $2$        ⑤ $\dfrac{5}{2}$

## 17

어떤 삼각뿔대 모양의 오면체의 각 면에 1, 1, 2, 2, 4가 각각 하나씩 적혀 있고, 이 오면체를 한 번 던지는 시행에서 바닥에 닿는 면에 적힌 숫자를 확률변수 $X$라 하자. 보경이는 이 오면체의 각 면의 숫자가 나올 확률을 구하기 위해 충분히 많은 시행을 하여, 다음과 같은 확률분포표를 얻었다. 그런데 실수로 잉크를 엎질러 확률분포표의 일부분을 보지 못하게 되었다. 다행히 잉크를 엎지르기 직전 구해 놓은 평균이 3이라는 사실을 알고 있을 때, $X$의 분산을 구하시오.

| $X$ | 1 | 2 | 4 | 합계 |
|---|---|---|---|---|
| $P(X=x)$ | $\dfrac{1}{6}$ | | | 1 |

## 18

확률변수 $X$의 확률분포를 나타낸 표가 다음과 같다.

| $X$ | $-1$ | 0 | 1 | 합계 |
|---|---|---|---|---|
| $P(X=x)$ | $a$ | $\dfrac{1}{3}$ | $b$ | 1 |

확률변수 $X$의 분산이 $\dfrac{5}{12}$일 때, $P(X=1)$은? (단, $a>b$)

① $\dfrac{1}{12}$        ② $\dfrac{1}{8}$        ③ $\dfrac{1}{6}$

④ $\dfrac{1}{4}$        ⑤ $\dfrac{1}{3}$

## 19

확률변수 $X$의 확률분포를 나타낸 표가 다음과 같다. $X$의 분산이 최대가 되도록 하는 $a$의 값을 $k$라 할 때, $12k$의 값을 구하시오.

| $X$ | 0 | 2 | 3 | 합계 |
|---|---|---|---|---|
| $P(X=x)$ | $a$ | $\dfrac{1}{4}$ | $b$ | 1 |

## 20

흰 공 3개, 검은 공 2개가 들어 있는 주머니에서 임의로 2개의 공을 꺼낼 때, 나오는 검은 공의 개수를 확률변수 $X$라고 한다. $V(X)$를 구하시오.

**21**

파란 공이 4개, 노란 공이 3개 들어 있는 주머니에서 임의로 3개의 공을 꺼낼 때 파란 공의 개수를 확률변수 $X$라 하자. $X$의 표준편차를 구하시오.

**유형 3** 이산확률변수 $aX+b$의 평균

**24**

확률변수 $X$의 확률분포를 나타낸 표가 다음과 같을 때, 확률변수 $aX+10$의 평균은? (단, $a$는 상수이다.)

| $X$ | 200 | 300 | 500 | 합계 |
|---|---|---|---|---|
| $P(X=x)$ | $\dfrac{1}{2}$ | $a$ | $4a^2$ | 1 |

① 75      ② 80      ③ 85

④ 90      ⑤ 95

**22**

각 면에 1, 2, 2, 3, 3, 3의 숫자가 하나씩 적혀 있는 서로 다른 두 개의 주사위를 던지는 시행에서 나오는 두 눈의 수의 합을 확률변수 $X$라 할 때, $X$의 표준편차를 구하시오.

**25**

확률변수 $X$의 확률분포를 나타낸 표가 다음과 같다.

| $X$ | 1 | $a$ | $a^2$ | $a^3$ | 합계 |
|---|---|---|---|---|---|
| $P(X=x)$ | $\dfrac{1}{4}$ | $\dfrac{1}{8}$ | $\dfrac{1}{2}$ | $\dfrac{1}{8}$ | 1 |

확률변수 $Y=2X+3$의 평균이 10일 때, 실수 $a$의 값을 구하시오.

**23**

숫자 1, 2, 3, $\cdots$, $n$이 각각 하나씩 적혀 있는 $n$장의 카드 중에서 한 장의 카드를 뽑는 시행에서 그 카드에 적힌 숫자를 확률변수 $X$라 할 때, $X$의 분산은?

① $\dfrac{n-1}{2}$      ② $\dfrac{n+1}{2}$      ③ $\left(\dfrac{n+1}{2}\right)^2$

④ $\dfrac{n^2-1}{12}$      ⑤ $\dfrac{n^2+1}{12}$

**26**

확률변수 $X$의 확률질량함수가
$$P(X=k)=ak \ (k=1, 2, 3, \cdots, 10)$$
일 때, $E(3X-7)$을 구하시오. (단, $a$는 상수이다.)

## 27

한 개의 주사위를 던져 나오는 눈의 수를 확률변수 $X$라 할 때, $E(4X+3)$은?

① 14      ② 15      ③ 16

④ 17      ⑤ 18

## 28

각 면에 1, 1, 2, 2, 2, 4의 숫자가 하나씩 적혀 있는 정육면체 모양의 상자가 있다. 이 상자를 던졌을 때, 바닥에 닿는 면에 적힌 수를 확률변수 $X$라 하자. 확률변수 $5X+3$의 평균을 구하시오.

## 29

한 개의 주사위를 던져서 나오는 눈의 수를 확률변수 $X$라 하자. 확률변수 $4X-k^2$에 대하여 $E(4X-k^2)$의 최댓값을 구하시오.

(단, $k$는 상수이다.)

---

유형 **4**   이산확률변수 $aX+b$의 분산과 표준편차

## 30

확률변수 $X$에 대하여 $E(X)=4$, $V(X)=8$이고, 확률변수 $Y=aX+b$에 대하여 $E(Y)=13$, $V(Y)=32$일 때, 두 상수 $a$, $b$에 대하여 $a^2+b^2$의 값은? (단, $a>0$)

① 27      ② 28      ③ 29

④ 30      ⑤ 31

## 31

확률변수 $X$의 확률분포를 나타낸 표가 다음과 같을 때, 확률변수 $Y=10X+5$의 분산을 구하시오.

| $X$ | 0 | 1 | 2 | 3 | 합계 |
|---|---|---|---|---|---|
| $P(X=x)$ | $\dfrac{1}{5}$ | $\dfrac{3}{10}$ | $\dfrac{3}{10}$ | $\dfrac{1}{5}$ | 1 |

## 32

확률변수 $X$의 평균이 $\dfrac{1}{2}$이고, $X$의 확률분포를 나타낸 표가 다음과 같을 때, $12aX+b$의 분산을 구하시오.

(단, $a$, $b$는 상수이다.)

| $X$ | $-2$ | 0 | 1 | $b$ | 합계 |
|---|---|---|---|---|---|
| $P(X=x)$ | $a$ | $\dfrac{1}{8}$ | $2a$ | $\dfrac{1}{8}$ | 1 |

## 33

어느 해 대학수학능력시험 수학 영역의 원점수 $X$의 평균을 $m$, 표준편차를 $\sigma$라 할 때, 표준점수 $T$는

$$T = a\left(\frac{X-m}{\sigma}\right) + b$$

꼴로 나타내어진다. 수학 영역의 표준점수 $T$가 평균이 100, 표준편차가 20인 분포를 이룬다고 할 때, 두 상수 $a$, $b$에 대하여 $a+b$의 값은? (단, $a > 0$)

① 80      ② 90      ③ 100
④ 110      ⑤ 120

## 34

4개의 제품 중에서 합격품이 2개 들어 있다. 이 중에서 2개의 제품을 임의로 꺼낼 때, 포함되어 있는 합격품의 개수를 확률변수 $X$라 하자. $\mathrm{E}(3X+2) + \mathrm{V}(3X+2)$의 값을 구하시오.

## 35

한 개의 주사위를 10번 던질 때, 홀수의 눈이 나오는 횟수를 확률변수 $X$라 하자. 확률변수 $Y = 10 - X$에 대하여 〈보기〉에서 옳은 것만을 있는 대로 고르시오.

┤ 보기 ├
ㄱ. $\mathrm{P}(5 \leq Y \leq 7) = \mathrm{P}(3 \leq X \leq 5)$
ㄴ. $Y$의 평균은 $X$의 평균과 같다.
ㄷ. $Y$의 분산은 $X$의 분산보다 크다.

## 유형 5    $\mathrm{V}(X) = \mathrm{E}(X^2) - \{\mathrm{E}(X)\}^2$

## 36

확률변수 $Y = -3X + 5$에 대하여 $\mathrm{E}(Y) = -4$, $\mathrm{V}(Y) = 18$이다. 확률변수 $X$에 대하여 $\mathrm{E}(X^2)$은?

① 5      ② 7      ③ 9
④ 11      ⑤ 13

## 37

확률변수 $X$에 대하여 $\mathrm{E}(X) = a$이고 $\mathrm{E}(X^2) = 2a+3$일 때, 확률변수 $2X$의 표준편차의 최댓값을 구하시오.

## 38

자연수 $n$에 대하여 자연수 $k$ $(k = 1, 2, 3, \cdots, n)$가 적힌 공이 $k$개씩 들어 있는 주머니에서 임의로 1개의 공을 꺼내어 그 공에 적힌 수를 확률변수 $X$라 할 때, $\mathrm{V}(X) + \{\mathrm{E}(X)\}^2 = an^2 + bn$이 항상 성립한다. 두 상수 $a$, $b$에 대하여 $ab$의 값을 구하시오.

## 39

상자 속에 1이 적힌 카드 5장과 3이 적힌 카드 10장이 들어 있다. 상자 속에서 카드를 한 장 꺼내어 그 수를 확인한 다음 다시 집어 넣는 작업을 1회 시행이라고 한다. A, B 두 사람이 각각 시행을 2회 또는 3회 할 수 있고, 각 시행에서 나온 카드에 적힌 수의 합을 득점으로 하는 게임을 한다. 단, 누구든 3회의 시행을 할 때, 나온 수의 합이 7 또는 9일 경우에는 그 사람의 점수는 0으로 한다. A, B는 각각 다음의 작전으로 게임을 한다.

> A: 2회까지의 합이 2일 경우 3회 시행을 하고, 4 또는 6일 경우에는 3회의 시행을 하지 않는다.
> B: 2회까지의 합이 2 또는 4일 경우에는 3회의 시행을 하고, 6일 경우 3회의 시행을 하지 않는다.

두 사람 A, B가 얻는 점수의 기댓값의 차를 구하시오.

## 40

한 개의 동전을 세 번 던져 나온 결과에 대하여, 다음 규칙에 따라 얻은 점수를 확률변수 $X$라 하자.

> (가) 같은 면이 연속하여 나오지 않으면 0점으로 한다.
> (나) 같은 면이 연속하여 두 번만 나오면 1점으로 한다.
> (다) 같은 면이 연속하여 세 번 나오면 3점으로 한다.

확률변수 $X$의 분산 $V(X)$를 구하시오.

## 41

오른쪽 표는 어느 학교 A반과 B반의 확률과 통계 과목의 수행평가 점수에 대한 평균과 분산을 나타낸 것이다. A반과 B반 전체 학생의 수행평가 점수에 대한 분산은?

| 구분 \ 반 | A | B |
|---|---|---|
| 평균 | 18 | 16 |
| 분산 | 4 | 8 |
| 학생 수 | 30 | 30 |

① 3　　　　② 5　　　　③ 7
④ 9　　　　⑤ 11

## 42

확률변수 $X$의 확률질량함수가

$$P(X=k) = \frac{1}{10} + (-1)^k p \ (k=1, 2, 3, \cdots, 2n)$$

일 때, $E(4X-3)=20$이다. $\dfrac{1}{p}$의 값을 구하시오.

(단, $0 < p < \dfrac{1}{10}$이고, $n$은 자연수이다.)

## 43

주머니 속에 1, 2, 3, 4, 5의 번호가 각각 하나씩 적힌 5개의 공이 들어 있다. 이 중에서 세 개의 공을 동시에 꺼낼 때, 가장 작은 수를 확률변수 $X$라 하자. 확률변수 $(10X-a)^2$의 기댓값이 최소일 때, 상수 $a$의 값을 구하시오.

## 44

그림과 같이 한 모서리의 길이가 1인 정육면체 ABCD-EFGH가 있다. 8개의 꼭짓점 중에서 임의로 세 개의 꼭짓점을 연결하여 만든 삼각형의 넓이를 확률변수 $X$라 할 때, $\{E(X)\}^2 + V(X)$의 값은?

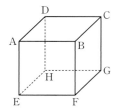

① $\dfrac{1}{7}$  ② $\dfrac{3}{7}$  ③ $\dfrac{5}{7}$

④ $1$  ⑤ $\dfrac{9}{7}$

## 45

등차수열 $\{a_n\}$의 9개의 항 $a_1, a_2, a_3, \cdots, a_9$에 대하여 $f(x) = \dfrac{1}{9} \sum\limits_{k=1}^{9} (a_k - x)^2$이라 하면 $f(x)$는 $x=10$일 때, 최솟값 $\dfrac{50}{9}$을 갖는다. 9개의 항의 평균을 $m$, 표준편차를 $\sigma$라 할 때, $\dfrac{m}{\sigma}$의 값을 구하시오.

## 46

확률변수 $X$는 $x_1, x_2, \cdots, x_{10}$의 값을 가지고, 그 각각의 확률은 모두 같다. $E(X)=2$, $\sigma(X)=5$일 때, $f(t) = \sum\limits_{i=1}^{10} (x_i - t)^2$의 최솟값을 구하시오.

 최고난도 문제

## 47

확률변수 $X$의 확률질량함수가
$$P(X=k) = ck \ (c\text{는 상수}, k=1, 2, 3, \cdots, n)$$
이고 확률변수 $Y=3X-2$의 표준편차가 $\sqrt{5}$일 때, 자연수 $n$의 값을 구하시오.

## 48

확률변수 $X$의 평균은 0, 분산은 1이다. 확률변수 $Y=aX+b$에 대하여 $E((Y-2)^2) \le 4$를 만족시키는 순서쌍 $(a, b)$의 개수를 구하시오. (단, $a, b$는 자연수이다.)

# 08 이항분포

# 08 이항분포

## 1 이항분포

사건 $A$가 일어날 확률이 $p$일 때, $n$번의 독립시행에서 사건 $A$가 일어나는 횟수를 확률변수 $X$라 하면 $X$의 확률질량함수는

$$P(X=x)={}_nC_x p^x q^{n-x} \ (x=0, 1, 2, \cdots, n, q=1-p)$$

이고 $X$의 확률분포를 표로 나타내면 다음과 같다.

| $X$ | 0 | 1 | 2 | $\cdots$ | $n$ | 합계 |
|---|---|---|---|---|---|---|
| $P(X=x)$ | ${}_nC_0 p^0 q^n$ | ${}_nC_1 p^1 q^{n-1}$ | ${}_nC_2 p^2 q^{n-2}$ | $\cdots$ | ${}_nC_n p^n q^0$ | 1 |

이와 같은 확률분포를 이항분포라 하고, $B(n, p)$로 나타낸다.

**개념 플러스**

◀ 확률변수 $X$가 이항분포 $B(n, p)$를 따를 때, $X$의 확률질량함수
$$P(X=x)={}_nC_x p^x q^{n-x}$$
$$(x=0, 1, 2, \cdots, n, q=1-p)$$
에서 각 확률은 $(p+q)^n$을 이항정리에 의하여 전개한 식
$$(p+q)^n={}_nC_0 p^0 q^n+{}_nC_1 p^1 q^{n-1}+\cdots+{}_nC_n p^n q^0$$
의 우변의 각 항과 같다.

## 2 이항분포의 평균, 분산, 표준편차

확률변수 $X$가 이항분포 $B(n, p)$를 따를 때,
(1) $E(X)=np$
(2) $V(X)=npq$ (단, $q=1-p$)
(3) $\sigma(X)=\sqrt{npq}$

◀ 확률변수 $X$와 두 상수 $a, b \ (a \neq 0)$에 대하여
(1) $E(aX+b)=aE(X)+b$
(2) $V(aX+b)=a^2 V(X)$
(3) $\sigma(aX+b)=|a|\sigma(X)$

◀ 확률변수 $X$가 이항분포 $B(n, p)$를 따를 때
(1) $E(X)=\sum_{r=0}^{n} r\,{}_nC_r p^r q^{n-r}=np$
(단, $q=1-p$)
(2) $V(X)$
$$=\sum_{r=0}^{n} r^2\,{}_nC_r p^r q^{n-r}-\left(\sum_{r=0}^{n} r\,{}_nC_r p^r q^{n-r}\right)^2$$
$$=npq$$
(3) $E(X^2)=\sum_{r=0}^{n} r^2\,{}_nC_r p^r q^{n-r}=npq+(np)^2$

## 3 큰수의 법칙

$n$번의 독립시행에서 사건 $A$가 일어나는 횟수를 확률변수 $X$라 할 때, 매회의 시행에서 사건 $A$가 일어날 확률이 $p$이면 임의의 양수 $h$에 대하여

$$\lim_{n \to \infty} P\left(\left|\frac{X}{n}-p\right|<h\right)=1$$

◀ 큰수의 법칙에 의하여 시행 횟수가 충분히 클 때 상대도수, 즉 통계적 확률은 수학적 확률에 가까워지므로 수학적 확률을 모를 때는 시행 횟수를 충분히 크게 하여 사건 $A$의 상대도수를 사건 $A$가 일어날 확률 $P(A)$의 근삿값으로 사용할 수 있다.

## 쌤이 꼭 내는 기본 문제

### 01

확률변수 $X$의 확률질량함수가

$$P(X=k) = {}_{30}C_k \left(\frac{1}{6}\right)^k \left(\frac{5}{6}\right)^{30-k} (k=0, 1, 2, \cdots, 30)$$

일 때, $X$는 이항분포 $B(n, p)$를 따른다고 한다. $n-6p$의 값을 구하시오.

### 02

20 %의 불량률로 제품을 생산하는 기계가 100개의 제품을 생산할 때, 나오는 불량품의 개수를 확률변수 $X$라 하자. $X$가 이항분포 $B(n, p)$를 따를 때, $n+5p$의 값을 구하시오.

### 03

확률변수 $X$가 이항분포 $B\left(5, \frac{1}{2}\right)$을 따를 때,
$P(X^2-4X+3=0)$은?

① $\frac{11}{32}$  ② $\frac{13}{32}$  ③ $\frac{15}{32}$

④ $\frac{17}{32}$  ⑤ $\frac{19}{32}$

### 04

이항분포 $B(5, p)$를 따르는 확률변수 $X$에 대하여
$P(X=4)=5P(X=5)$가 성립할 때, $P(X^2-4X+4>0)$을 구하시오. (단, $p \neq 0$)

### 05

이항분포 $B(n, p)$를 따르는 확률변수 $X$의 평균이 20, 표준편차가 4일 때, $n$의 값을 구하시오.

### 06

한 개의 동전을 3번 던져서 뒷면이 나오는 횟수를 확률변수 $X$라 할 때, $X$의 평균은?

① $\frac{1}{2}$  ② 1  ③ $\frac{3}{2}$

④ 2  ⑤ $\frac{5}{2}$

### 07

운전면허 필기시험을 준비하고 있는 혜원이는 3문제 중 2문제의 비율로 정답을 맞힌다고 한다. 혜원이가 운전면허 필기시험의 50문제를 풀었을 때, 틀린 문제의 수를 확률변수 $X$라 하자. $X$의 평균과 표준편차의 합을 구하시오.

### 08

확률변수 $X$의 확률질량함수는

$$P(X=x) = {}_nC_x \, p^x (1-p)^{n-x} (x=0, 1, 2, \cdots, n)$$

이다. $X$의 평균과 분산이 각각 $E(X)=20$, $V(X)=15$일 때, $\frac{n}{p}$의 값을 구하시오.

유형 **1** 이항분포와 확률질량함수

## 09

확률변수 $X$의 확률질량함수가

$$P(X=x) = {}_{36}C_x \left(\frac{2}{3}\right)^x 3^{x-36} \ (x=0, 1, 2, \cdots, 36)$$

일 때, $X$는 이항분포 $B(n, p)$를 따른다고 한다. $np$의 값을 구하시오.

## 10

한 개의 주사위를 36번 던지는 시행에서 1의 눈이 나오는 횟수를 확률변수 $X$라 할 때, $X$는 이항분포 $B(n, p)$를 따른다. $\dfrac{n}{p}$의 값은?

① 36      ② 96      ③ 126

④ 216      ⑤ 276

## 11

한 개의 주사위를 90번 던지는 시행에서 5 이상의 눈이 나오는 횟수를 확률변수 $X$라 할 때, $X$의 확률질량함수는

$$P(X=r) = {}_nC_r a^r \left(\frac{2}{3}\right)^{n-r} \ (r=0, 1, 2, \cdots, 90)$$

이다. $na$의 값을 구하시오. (단, $a$는 상수이다.)

유형 **2** 이항분포에서의 확률

## 12

한 개의 동전을 2번 던지는 시행에서 앞면이 나오는 횟수를 확률변수 $X$라 하면 $X$는 이항분포 $B(n, p)$를 따르고, $X$의 확률분포를 표로 나타내면 다음과 같다.

| $X$ | 0 | 1 | 2 | 합계 |
|-----|-----|-----|-----|------|
| $P(X=x)$ | $p_0$ | $p_1$ | $p_2$ | 1 |

$10n(p+p_1)$의 값을 구하시오.

## 13

완치율이 $80\%$인 어떤 병을 앓고 있는 5명의 환자가 동일한 치료를 받고 있다. 완치되는 환자의 수를 확률변수 $X$라 할 때, $P(X \geq 4) = \left(\frac{4}{5}\right)^4 k$이다. 상수 $k$의 값은?

① $\dfrac{1}{5}$      ② $\dfrac{3}{5}$      ③ $\dfrac{7}{5}$

④ $\dfrac{9}{5}$      ⑤ $\dfrac{11}{5}$

## 14

확률변수 $X$가 이항분포 $B\left(50, \dfrac{1}{4}\right)$을 따를 때,

$$\frac{P(X=k)}{P(X=k+1)} = \frac{2}{5}$$를 만족시키는 $k$의 값을 구하시오.

(단, $k=0, 1, 2, \cdots, 49$)

## 유형 3 이항분포의 평균과 표준편차

### 15

확률변수 $X$가 이항분포 $B\left(100, \dfrac{1}{5}\right)$을 따를 때, $\sigma(3X-4)$를 구하시오.

### 16

확률변수 $X$가 이항분포 $B(20, p)$를 따를 때, $X$의 분산의 최댓값을 구하시오. (단, $0<p<1$)

### 17

확률변수 $X$가 이항분포 $B(n, p)$를 따를 때, $X$의 평균이 $\dfrac{4}{5}$,

$X^2$의 평균이 $\dfrac{32}{25}$이다. $P(X=3)$은?

① $\dfrac{8}{5^3}$      ② $\dfrac{16}{5^3}$      ③ $\dfrac{8}{5^4}$

④ $\dfrac{16}{5^4}$      ⑤ $\dfrac{8}{5^5}$

### 18

이항분포 $B\left(3, \dfrac{1}{4}\right)$을 따르는 확률변수 $X$의 확률질량함수가

$$P(X=i)=p_i \ (i=0, 1, 2, 3)$$

일 때, $p_1+2p_2+3p_3$의 값은?

① $\dfrac{1}{4}$      ② $\dfrac{1}{2}$      ③ $\dfrac{3}{4}$

④ $1$      ⑤ $\dfrac{5}{4}$

### 19

이항분포 $B\left(7, \dfrac{1}{3}\right)$을 따르는 확률변수 $X$의 확률질량함수가

$$P(X=i)=p_i \ (i=0, 1, 2, \cdots, 7)$$

일 때, $\displaystyle\sum_{i=0}^{7} (9i-4)p_i$의 값을 구하시오.

### 20

이항분포 $B\left(45, \dfrac{2}{3}\right)$를 따르는 확률변수 $X$의 확률질량함수가

$$P(X=i)=p_i \ (i=0, 1, 2, \cdots, 45)$$

일 때, $\displaystyle\sum_{i=0}^{45} i^2 \times p_i$의 값을 구하시오.

**21**

서로 다른 두 개의 주사위를 동시에 180번 던지는 시행에서 두 주사위의 눈의 수의 합이 4의 배수가 되는 횟수를 확률변수 $X$라 할 때, $\mathrm{E}(X)$는?

① 40 　　　　② 45 　　　　③ 50

④ 55 　　　　⑤ 60

**22**

어느 지역 고등학교 학생들의 혈액형별 분포는 다음 표와 같다.

| 혈액형 | A형 | B형 | AB형 | O형 | 합계 |
|---|---|---|---|---|---|
| 비율 | 25 % | 26 % | 20 % | 29 % | 100 % |

이 지역 고등학교 학생 400명의 혈액형을 조사하였을 때, 혈액형이 A형인 학생 수를 확률변수 $X$, AB형인 학생 수를 확률변수 $Y$라 하자. $\mathrm{V}(X)+\mathrm{V}(Y)$의 값을 구하시오.

**23** 중요

서로 다른 주사위 두 개를 동시에 180번 던져서 나오는 두 눈의 수의 합이 5의 배수가 되는 횟수를 확률변수 $X$라 하자. $X$의 확률질량함수가

$$\mathrm{P}(X{=}i){=}p_i\ (i{=}0,\ 1,\ 2,\ \cdots,\ 180)$$

일 때, $\displaystyle\sum_{i=0}^{180}(3i{-}2)p_i$의 값을 구하시오.

**24**

흡연하는 사람이 폐암에 걸릴 확률이 30 %라고 한다. 흡연하는 사람 200명 중에서 폐암에 걸리는 사람의 수를 확률변수 $X$라 할 때, $\mathrm{E}(X^2)$을 구하시오.

**25** 중요

어느 백화점에서 일정 금액을 구입하는 고객에게 3장 중 1장 꼴로 당첨되는 복권을 나누어 주었다. 9장의 복권 중에서 당첨되는 복권의 개수를 확률변수 $X$라 할 때, $\mathrm{E}((2X{-}1)^2)$을 구하시오.

**26**

한 개의 동전을 4번 던질 때, 앞면이 나오는 횟수를 확률변수 $X$라 하자. $(X{-}a)^2$의 기댓값을 $f(a)$라 할 때, $f(a)$의 최솟값은? (단, $a$는 상수이다.)

① 1 　　　　② $\dfrac{4}{3}$ 　　　　③ $\dfrac{5}{3}$

④ $\dfrac{7}{4}$ 　　　　⑤ 2

## 유형 5 · 확률질량함수를 이용한 평균과 분산

### 27

확률변수 $X$의 확률분포를 나타낸 표가 다음과 같을 때, $X$의 평균과 분산의 합은?

| $X$ | 0 | 1 | 2 |
|---|---|---|---|
| $\mathrm{P}(X=x)$ | $_{160}\mathrm{C}_0\left(\dfrac{1}{2}\right)^{320}$ | $3\times {}_{160}\mathrm{C}_1\left(\dfrac{1}{2}\right)^{320}$ | $3^2\times {}_{160}\mathrm{C}_2\left(\dfrac{1}{2}\right)^{320}$ |

| 3 | $\cdots$ | 160 | 합계 |
|---|---|---|---|
| $3^3\times {}_{160}\mathrm{C}_3\left(\dfrac{1}{2}\right)^{320}$ | $\cdots$ | $3^{160}\times {}_{160}\mathrm{C}_{160}\left(\dfrac{1}{2}\right)^{320}$ | 1 |

① 110   ② 120   ③ 130
④ 140   ⑤ 150

### 28

확률변수 $X$의 확률질량함수가

$$\mathrm{P}(X=x)={}_9\mathrm{C}_x\left(\frac{1}{3}\right)^x\left(\frac{2}{3}\right)^{9-x} \ (x=0,\ 1,\ 2,\ \cdots,\ 9)$$

일 때, $\mathrm{E}(X^2)$은?

① 10   ② 11   ③ 12
④ 13   ⑤ 14

### 29

확률변수 $X$의 확률질량함수가

$$\mathrm{P}(X=x)={}_{49}\mathrm{C}_x\ \frac{6^x}{7^{49}} \ (x=0,\ 1,\ 2,\ \cdots,\ 49)$$

일 때, $\mathrm{E}(X^2)$을 구하시오.

### 30

$$\sum_{x=0}^{72} x\times {}_{72}\mathrm{C}_x\left(\frac{1}{6}\right)^x\left(\frac{5}{6}\right)^{72-x}\text{의 값은?}$$

① 4   ② 8   ③ 12
④ 16   ⑤ 20

### 31

$$\sum_{x=0}^{36} x^2\times {}_{36}\mathrm{C}_x\left(\frac{1}{3}\right)^x\left(\frac{2}{3}\right)^{36-x}\text{의 값은?}$$

① 146   ② 148   ③ 150
④ 152   ⑤ 154

## 1등급 문제

**32**

이항분포 $B(n, p)$를 따르는 확률변수 $X$의 분산은 $\dfrac{16}{9}$이고,

$\dfrac{P(X=n-1)}{P(X=n)}=4$일 때, $X^2$의 평균은 $\dfrac{b}{a}$이다. $a+b$의 값을 구하시오. (단, $a$, $b$는 서로소인 자연수이다.)

**33**

흰 공 4개와 검은 공 $m$개가 들어 있는 주머니에서 1개의 공을 꺼내어 색을 확인하고 다시 주머니에 넣는 시행을 $n$번 반복할 때, 흰 공이 나오는 횟수를 확률변수 $X$라 하자. $E(X)=40$, $V(X)=24$일 때, $n-m$의 값은?

① 82          ② 86          ③ 90

④ 94          ⑤ 98

**34**

어느 고등학교의 학생들은 5명에 2명 꼴로 하루에 한 번 이상 매점을 이용한다고 한다. 이 학교 학생 중에서 임의로 50명을 택할 때, 그중 하루에 한 번 이상 매점을 이용하는 학생의 수를 확률변수 $X$라 하고, $X=k$ $(k=0, 1, 2, \cdots, 50)$일 확률을 $P(X=k)$라 하자. $\displaystyle\sum_{k=0}^{50} k^2 P(X=k)$의 값을 구하시오.

**35**

확률변수 $X$의 확률분포를 나타낸 표가 다음과 같을 때, $E(X)+V(X)$의 값을 구하시오.

| $X$ | 2 | $\dfrac{1}{3}+2$ | $\dfrac{2}{3}+2$ |
|---|---|---|---|
| $P(X=x)$ | $_{15}C_0\left(\dfrac{2}{5}\right)^{15}$ | $_{15}C_1\left(\dfrac{3}{5}\right)\left(\dfrac{2}{5}\right)^{14}$ | $_{15}C_2\left(\dfrac{3}{5}\right)^2\left(\dfrac{2}{5}\right)^{13}$ |

| $\dfrac{3}{3}+2$ | $\cdots$ | $\dfrac{15}{3}+2$ | 합계 |
|---|---|---|---|
| $_{15}C_3\left(\dfrac{3}{5}\right)^3\left(\dfrac{2}{5}\right)^{12}$ | $\cdots$ | $_{15}C_{15}\left(\dfrac{3}{5}\right)^{15}$ | 1 |

**36**

확률변수 $X$의 확률질량함수가

$$P(X=x)={}_{100}C_x\left(\dfrac{1}{5}\right)^x\left(\dfrac{4}{5}\right)^{100-x} \ (x=0, 1, 2, \cdots, 100)$$

일 때, $\displaystyle\sum_{x=0}^{100} x^2 {}_{100}C_x\left(\dfrac{1}{5}\right)^x\left(\dfrac{4}{5}\right)^{100-x}-\left\{\sum_{x=0}^{100} x\,{}_{100}C_x\left(\dfrac{1}{5}\right)^x\left(\dfrac{4}{5}\right)^{100-x}\right\}^2$ 의 값을 구하시오.

 **최고난도 문제**

**37**

확률변수 $X$의 확률질량함수가

$$P(X=x)=\dfrac{_6C_x}{k} \ (x=1, 2, 3, 4, 5, 6)$$

일 때, $E(21X^2+3)$을 구하시오. (단, $k$는 상수이다.)

# 09 정규분포

# 09 정규분포

## 1 정규분포

연속확률변수 $X$의 확률밀도함수 $y=f(x)$가

$$f(x)=\frac{1}{\sqrt{2\pi}\,\sigma}\,e^{-\frac{(x-m)^2}{2\sigma^2}}\ (e=2.718281\cdots)$$

일 때, $X$는 평균이 $m$이고 분산이 $\sigma^2$인 정규분포를
따른다고 하며, 기호

$$N(m,\,\sigma^2)$$

으로 나타낸다.

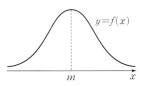

개념 플러스

◀ 정규분포곡선의 성질
(1) 직선 $x=m$에 대하여 대칭인 종 모양의
곡선이고, $x$축을 점근선으로 한다.
(2) $x=m$일 때, 최댓값 $\dfrac{1}{\sqrt{2\pi}\,\sigma}$을 가진다.
(3) 곡선과 $x$축 사이의 넓이는 1이다.
(4) $m$의 값이 일정할 때, $\sigma$의 값이 커지면 곡선
의 가운데 부분이 낮아지며 옆으로 퍼지
고, $\sigma$의 값이 작아지면 곡선의 가운데 부분
이 높아지고 옆으로 좁아진다.
(5) $\sigma$의 값이 일정할 때, $m$의 값이 변하면 대칭
축의 위치는 바뀌지만 곡선의 모양과 크기
는 같다.

## 2 표준정규분포

(1) 평균이 0, 표준편차가 1인 정규분포 $N(0,\,1)$을
표준정규분포라고 한다.
(2) **정규분포의 표준화**
확률변수 $X$가 정규분포 $N(m,\,\sigma^2)$을 따를 때

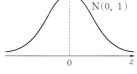

① 확률변수 $Z=\dfrac{X-m}{\sigma}$은 표준정규분포 $N(0,\,1)$을 따른다.

② $P(a\le X\le b)=P\left(\dfrac{a-m}{\sigma}\le Z\le\dfrac{b-m}{\sigma}\right)$

참고 $0<a<b$에 대하여 확률변수 $Z$가 표준정규분포를 따를 때
① $P(Z\ge a)=0.5-P(0\le Z\le a)$
② $P(-a\le Z\le 0)=P(0\le Z\le a)$
③ $P(a\le Z\le b)=P(0\le Z\le b)-P(0\le Z\le a)$
임을 이용하여 확률을 구한다.

◀ 확률변수 $X$가 정규분포 $N(m,\,\sigma^2)$을 따를
때, $P(X\ge a)$는
(1) $a\ge m$일 때,
$$P(X\ge a)=0.5-P\left(0\le Z\le\frac{a-m}{\sigma}\right)$$
(2) $a<m$일 때,
$$P(X\ge a)=0.5+P\left(\frac{a-m}{\sigma}\le Z\le 0\right)$$
$$=0.5+P\left(0\le Z\le\frac{m-a}{\sigma}\right)$$

## 3 이항분포와 정규분포 사이의 관계

확률변수 $X$가 이항분포 $B(n,\,p)$를 따르고 $n$이 충분히 크면 $X$는 근사적으로 정규
분포 $N(np,\,npq)$를 따른다. (단, $q=1-p$)

$$B(n,\,p)\ \Rightarrow\ N(np,\,npq)$$

참고 이항분포 $\xrightarrow[\text{크면}]{n\text{이 충분히}}$ 정규분포 $\xrightarrow{\text{표준화}}$ 표준정규분포 $\xrightarrow{\text{표준정규분포표}}$ 확률 계산

◀ $n$이 $np\ge 5$, $nq\ge 5$를 만족시킬 때, $n$을 충분
히 큰 값으로 생각한다.

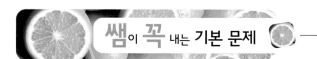

## 01

정규분포 $N(m, \sigma^2)$을 따르는 확률변수 $X$에 대하여
$P(X \le 12) = P(X \ge 18)$일 때, $m$의 값을 구하시오.

## 02

정규분포 $N(m, \sigma^2)$을 따르는 확률변수 $X$에 대하여
$P(m \le X \le m+2\sigma) = 0.4772$일 때, $P(X \ge m-2\sigma)$는?

① 0.0226　　② 0.4772　　③ 0.5226
④ 0.9544　　⑤ 0.9772

## 03

확률변수 $X$가 정규분포
$N(70, 10^2)$을 따를 때, 오른쪽
표준정규분포표를 이용하여
$P(60 \le X \le 90)$을 구하시오.

| $z$ | $P(0 \le Z \le z)$ |
| --- | --- |
| 1.0 | 0.3413 |
| 2.0 | 0.4772 |
| 3.0 | 0.4987 |

## 04

확률변수 $X$는 정규분포 $N(2, 3^2)$을 따르고, 확률변수 $Y$는 정규
분포 $N(2, 4^2)$을 따를 때, $P(X \ge 2k) = P(Y \ge k)$를 만족시키는
상수 $k$의 값을 구하시오.

## 05

어느 공장에서 생산되는 테니스공 한 개의 무게는 평균 56 g, 표준
편차 0.5 g인 정규분포를 따른다고 한다. 이 공장에서 생산된
테니스공 중에서 임의로 한 개를 택할 때, 이 테니스공의 무게가
55.5 g 이상 56.5 g 이하일 확률을 구하시오.

(단, $P(0 \le Z \le 1) = 0.3413$으로 계산한다.)

## 06

어느 대학교 학생 400명의 몸무
게는 정규분포 $N(50, 4^2)$을 따
른다고 할 때, 몸무게가 44 kg
이상 58 kg 이하인 학생 수를
오른쪽 표준정규분포표를 이용
하여 구하시오.

| $z$ | $P(0 \le Z \le z)$ |
| --- | --- |
| 0.5 | 0.192 |
| 1.0 | 0.341 |
| 1.5 | 0.433 |
| 2.0 | 0.477 |

## 07

확률변수 $X$가 이항분포 $B\left(720, \dfrac{1}{6}\right)$을 따를 때,
$P(100 \le X \le 140)$은? (단, $P(0 \le Z \le 2) = 0.4772$로 계산한다.)

① 0.0456　　② 0.6826　　③ 0.7745
④ 0.9104　　⑤ 0.9544

## 08

확률변수 $X$의 확률질량함수가
$$P(X=x) = {}_{48}C_x \left(\frac{1}{4}\right)^x \left(\frac{3}{4}\right)^{48-x} \ (x=0, 1, 2, \cdots, 48)$$
일 때, $P(12 \le X \le 18)$을 구하시오.

(단, $P(0 \le Z \le 2) = 0.4772$로 계산한다.)

## 유형 1 정규분포곡선의 성질

**09**

정규분포 $N(m, \sigma^2)$을 따르는 확률변수 $X$에 대하여 〈보기〉에서 옳은 것만을 있는 대로 고르시오.

┤ 보기 ├
ㄱ. $P(X \geq m) = 0.5$
ㄴ. $P(X \geq m+\sigma) = P(X \leq m-\sigma)$
ㄷ. $P(X \geq m+\sigma) \leq P(X \geq m+2\sigma)$

**10**

확률변수 $X$가 정규분포 $N(m, \sigma^2)$을 따를 때, $P(c \leq X \leq c+2)$가 최대가 되도록 하는 상수 $c$의 값은?

① $m-2$  　② $m-1$  　③ $m$
④ $m+1$  　⑤ $m+2$

**11**

확률변수 $X$가 정규분포 $N(m, \sigma^2)$을 따르고 $P(|X-m| \leq \sigma) = a$, $P(|X-m| \leq 2\sigma) = b$라 할 때, $P(m-\sigma \leq X \leq m+2\sigma)$를 $a$, $b$로 나타낸 것은?

① $\dfrac{b-a}{2}$  　② $b-a$  　③ $\dfrac{a+b}{2}$
④ $a+b$  　⑤ $2b-a$

**12**

정규분포 $N(m, \sigma^2)$을 따르는 확률변수 $X$가 다음 조건을 만족시킬 때, $m+\sigma$의 값을 구하시오.

(가) $P(X \leq 6) = P(X \geq 10)$
(나) $E(X^2) = 100$

**13**

확률변수 $X$가 정규분포 $N(8, 2^2)$을 따를 때, 오른쪽 표를 이용하여 〈보기〉에서 옳은 것만을 있는 대로 고른 것은?

| $x$ | $P(m \leq X \leq x)$ |
|---|---|
| $m+\sigma$ | 0.3413 |
| $m+2\sigma$ | 0.4772 |
| $m+3\sigma$ | 0.4987 |

(단, $m$은 평균, $\sigma$는 표준편차이다.)

┤ 보기 ├
ㄱ. $P(X \leq 10) = 0.8772$
ㄴ. $P(4 \leq X \leq 12) = 0.9544$
ㄷ. $P(X \geq 14) = 0.0013$

① ㄴ  　② ㄱ, ㄴ  　③ ㄱ, ㄷ
④ ㄴ, ㄷ  　⑤ ㄱ, ㄴ, ㄷ

**14**

확률변수 $X$가 정규분포 $N(m, \sigma^2)$을 따를 때, $P(X \geq m+1.2\sigma) = 0.1151$이다. $X$의 평균이 80, 표준편차가 5일 때, $P(X \geq a) = 0.8849$를 만족시키는 상수 $a$의 값을 구하시오.

## 유형 2  표준정규분포

### 15
확률변수 $X$가 정규분포 $N(m, 5^2)$을 따를 때,
$P(X \geq 120) = 0.0228$을 만족시키는 상수 $m$의 값을 구하시오.
(단, $P(|Z| \leq 2) = 0.9544$로 계산한다.)

### 16
두 확률변수 $X$, $Y$는 각각 정규분포 $N(1, 1^2)$, $N(1, 2^2)$을 따르고
$$a = P(0 < X < 2), b = P(1 < Y < 5), c = P(-3 < Y < 3)$$
이라 할 때, 다음 중 $a$, $b$, $c$의 대소 관계로 옳은 것은?

① $a < b < c$　　　② $a < c < b$　　　③ $b < a < c$

④ $b < c < a$　　　⑤ $c < b < a$

### 17
어느 해 한국, 미국, 일본의 대졸 신입 사원의 월급은 평균이 각각 180만 원, 3000불, 28만 엔이고 표준편차가 각각 10만 원, 300불, 2만 5천 엔인 정규분포를 따른다고 한다. 이 3개국에서 임의로 한 명씩 뽑힌 대졸 신입 사원 A, B, C의 월급이 각각 194만 원, 3250불, 31만 엔이라 할 때, 각각 자국 내에서 상대적으로 월급을 많이 받는 사람부터 순서대로 적은 것은?

① A, B, C　　　② A, C, B　　　③ B, A, C

④ C, A, B　　　⑤ C, B, A

### 18
확률변수 $X$가 정규분포 $N(50, 5^2)$을 따를 때, 오른쪽 표준정규분포표를 이용하여 $P(X \geq a) = 0.0013$을 만족시키는 상수 $a$의 값을 구하시오.

| $z$ | $P(0 \leq Z \leq z)$ |
|---|---|
| 1.0 | 0.3413 |
| 2.0 | 0.4772 |
| 3.0 | 0.4987 |

### 19
확률변수 $X$가 정규분포 $N(5, 2^2)$을 따를 때, 오른쪽 표준정규분포표를 이용하여 $f(x) = P(x \leq X \leq x+6)$의 최댓값을 구하시오.

| $z$ | $P(0 \leq Z \leq z)$ |
|---|---|
| 0.5 | 0.19 |
| 1.0 | 0.34 |
| 1.5 | 0.43 |
| 2.0 | 0.48 |

### 20
평균이 65, 표준편차가 10인 정규분포를 따르는 확률변수 $X$에 대하여 $P(X \leq 55) = 0.1587$이다. 확률변수 $Y$가 $Y = 2X + 2$일 때, $P(Y \leq 152)$는?

① 0.1234　　　② 0.3766　　　③ 0.6587

④ 0.8413　　　⑤ 0.8766

## 유형 ③ 정규분포의 활용

### 21

어느 양식장의 물고기 한 마리의 무게는 평균 800 g, 표준편차 50 g인 정규분포를 따른다고 한다. 이 양식장에서 임의로 선택한 물고기 한 마리의 무게가 830 g 이상일 확률을 위의 표준정규분포표를 이용하여 구하면?

| z | $P(0 \le Z \le z)$ |
|---|---|
| 0.3 | 0.1179 |
| 0.4 | 0.1554 |
| 0.5 | 0.1915 |
| 0.6 | 0.2257 |

① 0.2257     ② 0.2743     ③ 0.3085

④ 0.3446     ⑤ 0.3821

### 22

어느 고등학교 2학년 학생들의 수학 시험 성적은 평균이 70점이고, 표준편차가 5점인 정규분포를 따른다고 한다. 성적이 65점 이상 80점 이하인 학생은 전체의 몇 %인지 위의 표준정규분포표를 이용하여 구하시오.

| z | $P(0 \le Z \le z)$ |
|---|---|
| 1.0 | 0.34 |
| 1.5 | 0.43 |
| 2.0 | 0.48 |

### 23

확률변수 $X$가 정규분포 $N(1, 1^2)$을 따를 때, $y$에 대한 이차방정식 $y^2-2Xy+3X=0$이 허근을 가질 확률을 오른쪽 표준정규분포표를 이용하여 구하시오.

| z | $P(0 \le Z \le z)$ |
|---|---|
| 1.0 | 0.34 |
| 1.5 | 0.43 |
| 2.0 | 0.48 |
| 2.5 | 0.49 |

### 24

어느 공장에서 생산된 제품 한 개의 무게는 평균이 50 g, 표준편차가 2 g인 정규분포를 따른다. 이 공장에서는 생산된 제품의 무게가 52.56 g 이상인 것을 최상품으로 분류하여 판매한다고 할 때, 한 달 동안 생산된 3650개의 제품 중에서 최상품으로 분류 받은 것은 몇 개인지 구하시오.

(단, $P(0 \le Z \le 1.28)=0.4$로 계산한다.)

### 25

1000명이 지원한 어느 회사의 입사 시험 성적이 평균 70점, 표준편차 12점인 정규분포를 따를 때, 88점을 받은 지원자의 등수를 오른쪽 표준정규분포표를 이용하여 구하시오.

| z | $P(0 \le Z \le z)$ |
|---|---|
| 0.5 | 0.19 |
| 1.0 | 0.34 |
| 1.5 | 0.43 |
| 2.0 | 0.48 |

### 26

정원이 $n$명인 어느 학과의 신입생 모집에 400명이 지원하였다. 응시생의 성적이 평균 395점, 표준편차 10점인 정규분포를 따르고, 합격하기 위한 최소 점수는 410점이라 할 때, 자연수 $n$의 값을 위의 표준정규분포표를 이용하여 구하시오.

| z | $P(0 \le Z \le z)$ |
|---|---|
| 1.5 | 0.43 |
| 2.0 | 0.48 |
| 2.5 | 0.49 |

## 27

어느 농장의 생후 7개월 된 돼지 200마리의 무게는 평균 110 kg, 표준편차 10 kg인 정규분포를 따른다고 한다. 이 200마리의 돼

| $z$ | $P(0 \le Z \le z)$ |
|------|------|
| 2.12 | 0.483 |
| 2.17 | 0.485 |
| 2.29 | 0.489 |

지 중에서 무거운 것부터 차례로 3마리를 뽑아 우량 돼지 선발대회에 보내려고 한다. 우량 돼지 선발대회에 보낼 돼지의 최소 무게를 위의 표준정규분포표를 이용하여 구하면?

① 131.2 kg ② 131.7 kg ③ 132.9 kg
④ 152.4 kg ⑤ 153.4 kg

## 28

어느 고등학교에서 학생 400명의 기말고사 성적에 따라 상위 2 % 안에 드는 학생에게 장학금을 지급한다고 한다. 학생 전체의 성적이 평균 77점, 표준편차

| $z$ | $P(0 \le Z \le z)$ |
|------|------|
| 1.25 | 0.39 |
| 1.75 | 0.46 |
| 2.00 | 0.48 |
| 2.50 | 0.49 |

3점인 정규분포를 따른다고 할 때, 장학금을 받는 학생 수를 $a$, 장학금을 받기 위한 최소 점수를 $b$점이라 하자. $a+b$의 값을 위의 표준정규분포표를 이용하여 구하시오.

정답 및 해설 56쪽

## 유형 4   이항분포와 정규분포의 관계

## 29

확률변수 $X$가 이항분포 $B\left(100, \dfrac{1}{2}\right)$을 따르고, 확률변수 $Z$가 표준정규분포 $N(0, 1)$을 따를 때, $P(40 \le X \le 50) = P(0 \le Z \le c)$를 만족시키는 상수 $c$의 값은?

① 0.5 ② 1 ③ 1.5
④ 2 ⑤ 2.5

## 30

$_{48}C_9\left(\dfrac{1}{4}\right)^9\left(\dfrac{3}{4}\right)^{39} + {}_{48}C_{10}\left(\dfrac{1}{4}\right)^{10}\left(\dfrac{3}{4}\right)^{38} + \cdots + {}_{48}C_{21}\left(\dfrac{1}{4}\right)^{21}\left(\dfrac{3}{4}\right)^{27}$ 의 값을 구하시오.

(단, $P(0 \le Z \le 1) = 0.3413$, $P(0 \le Z \le 3) = 0.4987$로 계산한다.)

## 31

이산확률변수 $X$의 확률질량함수가

$$P(X=x) = {}_{100}C_x \, p^x (1-p)^{100-x}$$

$$(x=0, 1, 2, \cdots, 100\text{이고 } 0 < p < 1)$$

이고 $E(X) = 20$일 때, $P(X \le 30)$을 구하시오.

(단, $P(0 \le Z \le 2) = 0.4772$, $P(0 \le Z \le 2.5) = 0.4938$로 계산한다.)

## 유형 5 이항분포와 정규분포의 관계의 활용

### 32

한 개의 주사위를 72번 던져
6의 약수의 눈이 나오는 횟수를
확률변수 $X$라 할 때, 오른쪽 표
준정규분포표를 이용하여
$P(52 \leq X \leq 60)$을 구하시오.

| $z$ | $P(0 \leq Z \leq z)$ |
|-----|------|
| 1.0 | 0.3413 |
| 2.0 | 0.4772 |
| 3.0 | 0.4987 |

### 33

어느 게임의 접속 성공률이 오후
5시에서 6시 사이에는 50 %라
고 한다. 어느 날 오후 5시 30분
에 이 게임의 이용자 100명이
접속을 시도했을 때, 이들 중에
서 45명 이하가 접속에 성공할 확률을 위의 표준정규분포표를
이용하여 구하시오.

| $z$ | $P(0 \leq Z \leq z)$ |
|-----|------|
| 1.0 | 0.3413 |
| 1.5 | 0.4332 |
| 2.0 | 0.4772 |
| 2.5 | 0.4938 |

### 34

다음은 어느 백화점에서 판매하고 있는 등산화에 대한 제조 회사
별 고객의 선호도를 조사한 표이다.

| 제조 회사 | A | B | C | D | 합계 |
|-----|-----|-----|-----|-----|-----|
| 선호도(%) | 20 | 28 | 25 | 27 | 100 |

192명의 고객이 각각 한 켤레씩
등산화를 산다고 할 때, C 회사
제품을 선택할 고객이 42명 이상
일 확률을 오른쪽 표준정규분포
표를 이용하여 구하시오.

| $z$ | $P(0 \leq Z \leq z)$ |
|-----|------|
| 0.5 | 0.1915 |
| 1.0 | 0.3413 |
| 1.5 | 0.4332 |
| 2.0 | 0.4772 |

### 35

찬주가 100개의 오지선다형 문제에 모두 임의로 답을 선택할 때,
$k$개 이상의 문제를 맞힐 확률이 0.01이라고 한다. $k$의 값을 구하
시오. (단, $P(0 \leq Z \leq 2.5) = 0.49$로 계산한다.)

### 36

한 개의 주사위를 던져 6의 눈
이 나오면 900원의 이익을 얻고,
그 이외의 눈이 나오면 100원의
손해를 보는 게임이 있다. 이 게임
을 180회 시행했을 때, 이익금
으로 22000원 이상을 얻게 될 확률을 위의 표준정규분포표를 이
용하여 구하면?

| $z$ | $P(0 \leq Z \leq z)$ |
|-----|------|
| 0.5 | 0.1915 |
| 1.0 | 0.3413 |
| 1.5 | 0.4332 |
| 2.0 | 0.4772 |

① 0.1587  ② 0.0668  ③ 0.0456

④ 0.0292  ⑤ 0.0228

### 37

어느 공장에서 생산되는 제품의
무게는 평균이 30 g, 표준편차
가 5 g인 정규분포를 따르고, 제
품의 무게가 40 g 이상인 제품
은 불량품으로 판정한다. 이 공장에서 생산된 제품 중에서 2500개
를 임의로 추출할 때, 불량품이 57개 이상일 확률을 위의 표준정
규분포표를 이용하여 구하시오.

| $z$ | $P(0 \leq Z \leq z)$ |
|-----|------|
| 0.5 | 0.19 |
| 1.0 | 0.34 |
| 2.0 | 0.48 |

## 38

어느 회사에서 만든 휴대 전화 배터리의 지속 시간은 평균 30시간인 정규분포를 따른다고 한다. 이 회사에서 만든 8개의 배터리 중에서 지속 시간이 30시간 이상인 배터리가 2개 이상일 확률을 구하시오.

## 39

확률변수 $X$가 정규분포 $N(m, \sigma^2)$을 따르고 다음 조건을 만족시킨다.

> (가) $P(X \geq 64) = P(X \leq 56)$
> (나) $E(X^2) = 3616$

$P(X \leq 68)$을 오른쪽 표를 이용하여 구하시오.

| $x$ | $P(m \leq X \leq x)$ |
|---|---|
| $m+1.5\sigma$ | 0.4332 |
| $m+2\sigma$ | 0.4772 |
| $m+2.5\sigma$ | 0.4938 |

## 40

두 확률변수 $X$와 $Y$는 평균이 모두 0이고 분산이 각각 $\sigma^2$과 $\dfrac{\sigma^2}{4}$인 정규분포를 따르고, 확률변수 $Z$는 표준정규분포를 따른다. 두 양수 $a$, $b$에 대하여 $P(|X| \leq a) = P(|Y| \leq b)$일 때, 〈보기〉에서 옳은 것만을 있는 대로 고른 것은?

> ┤ 보기 ├
> ㄱ. $a > b$
> ㄴ. $P\left(Z > \dfrac{2b}{\sigma}\right) = P\left(Y > \dfrac{a}{2}\right)$
> ㄷ. $P(Y \leq b) = 0.7$일 때, $P(|X| \leq a) = 0.3$이다.

① ㄱ      ② ㄴ      ③ ㄱ, ㄴ
④ ㄴ, ㄷ      ⑤ ㄱ, ㄴ, ㄷ

## 41

두 확률변수 $X$, $Y$의 평균이 각각 $m$, $2m$ $(m > 0)$이고 표준편차가 각각 $2\sigma$, $\sigma$인 정규분포를 따를 때, 〈보기〉에서 옳은 것만을 있는 대로 고르시오.

> ┤ 보기 ├
> ㄱ. $P(X \leq 0) = P\left(Y \geq \dfrac{5}{2}m\right)$
> ㄴ. $P(m \leq X \leq 2m) = \dfrac{1}{2}P(2m \leq Y \leq 3m)$
> ㄷ. 두 상수 $a$, $b$에 대하여 $P(X \geq a) + P(Y \leq b) = 1$일 때,
>     $b = \dfrac{a+3m}{2}$

## 42

정규분포 $N(20, t^2)$을 따르는 확률변수 $X$에 대하여 양의 실수 전체의 집합을 정의역으로 하는 함수 $y = H(t)$는 $H(t) = P(X \leq 15)$이다. 〈보기〉에서 옳은 것만을 있는 대로 고르시오. (단, 표준정규분포를 따르는 확률변수 $Z$에 대하여 $P(0 \leq Z \leq 1) = 0.3413$, $P(0 \leq Z \leq 2) = 0.4772$로 계산한다.)

> ┤ 보기 ├
> ㄱ. $H(2.5) = P(Z \geq 2)$
> ㄴ. $H(2) < H(2.5)$
> ㄷ. $H(5) < 5H(2)$

## 43

어느 도시의 학생 2500명을 대상으로 조사한 통학 시간은 평균이 25분, 표준편차가 5분인 정규분포를 따른다고 한다. 이 2500명의 학생 중에서 임의로 택한 한 학생의 통학 시간이 35분 이상일 확률이 $p_1$이다. 또 이 2500명의 학생 중에서 통학 시간이 35분 이상인 학생이 $n$명 이상일 확률은 $p_2$이다. $p_1 = p_2$일 때, 자연수 $n$의 값을 위의 표준정규분포표를 이용하여 구하시오.

| $z$ | $P(0 \leq Z \leq z)$ |
|---|---|
| 1.0 | 0.34 |
| 1.5 | 0.43 |
| 2.0 | 0.48 |

## 44

어느 고등학교 학생들의 집에서 학교까지의 거리는 평균이 1580 m, 표준편차가 500 m인 정규분포를 따른다고 한다. 집에서 학교까지의 거리가 2000 m 이상인 학생 중에서 25 %, 2000 m 미만인 학생 중에서 5 %는 자전거로 통학한다고 한다. 자전거로 통학하는 학생 중에서 임의로 1명을 선택할 때, 이 학생의 집에서 학교까지의 거리가 2000 m 미만일 확률을 구하시오.

(단, $P(0 \leq Z \leq 0.84) = 0.3$으로 계산한다.)

## 45

세 확률변수 $X$, $Y$, $W$에 대하여 $X$는 이항분포 $B\left(100, \dfrac{1}{5}\right)$, $Y$는 이항분포 $B\left(225, \dfrac{1}{5}\right)$, $W$는 이항분포 $B\left(400, \dfrac{1}{5}\right)$을 따른다. 〈보기〉에서 옳은 것만을 있는 대로 고르시오.

┤ 보 기 ├

ㄱ. $P\left(\left|\dfrac{X}{100} - \dfrac{1}{5}\right| < \dfrac{1}{10}\right) < P\left(\left|\dfrac{W}{400} - \dfrac{1}{5}\right| < \dfrac{1}{10}\right)$

ㄴ. $P\left(\left|\dfrac{X}{100} - \dfrac{1}{5}\right| < \dfrac{1}{10}\right) < P\left(\left|\dfrac{Y}{225} - \dfrac{1}{5}\right| < \dfrac{1}{25}\right)$

ㄷ. $P\left(\left|\dfrac{Y}{225} - \dfrac{1}{5}\right| < \dfrac{1}{25}\right) < P\left(\left|\dfrac{W}{400} - \dfrac{1}{5}\right| < \dfrac{1}{25}\right)$

## 46

어느 과수원에서 수확한 사과의 무게는 평균이 400 g, 표준편차가 50 g인 정규분포를 따른다고 한다. 이 사과 중에서 무게가 442 g 이상인 것을 1등급 상품

| $z$ | $P(0 \leq Z \leq z)$ |
|---|---|
| 0.64 | 0.24 |
| 0.84 | 0.30 |
| 1.00 | 0.34 |
| 1.28 | 0.40 |

으로 정한다. 이 과수원에서 수확한 사과 중에서 100개를 임의로 선택할 때, 1등급 상품이 24개 이상일 확률을 위의 표준정규분포표를 이용하여 구하시오.

## 최고난도 문제

## 47

정규분포 $N(60, 5^2)$을 따르는 확률변수 $X$에 대하여 $f(k) = P(k \leq X \leq k+10)$이라 하면 $f(k)$의 최댓값이 0.6826

| $z$ | $P(0 \leq Z \leq z)$ |
|---|---|
| 1.0 | 0.3413 |
| 2.0 | 0.4772 |
| 3.0 | 0.4987 |

이다. $a < b$일 때, $f(a) > f(b)$를 만족시키는 실수 $a$의 최솟값을 위의 표준정규분포표를 이용하여 구하시오.

## 48

확률변수 $X_m$이 정규분포 $N(m, 1)$을 따를 때, $f(m) = P(X_m \leq 0)$이라 하자. 〈보기〉에서 옳은 것만을 있는 대로 고른 것은?

┤ 보 기 ├

ㄱ. $f(m)$의 최댓값은 $\dfrac{1}{2}$이다.

ㄴ. $f(m) + f(-m) = 1$

ㄷ. $m_1 < m_2$이면 $f(m_1) > f(m_2)$이다.

① ㄱ     ② ㄱ, ㄴ     ③ ㄱ, ㄷ

④ ㄴ, ㄷ     ⑤ ㄱ, ㄴ, ㄷ

# 10 표본평균의 분포

# 10 표본평균의 분포

## 1 모집단과 표본

(1) 모집단: 통계 조사에서 조사의 대상이 되는 집단 전체
(2) 표본: 모집단에서 조사를 위하여 뽑은 대상들의 집합
(3) 표본의 크기: 표본조사에서 뽑은 표본의 개수
(4) 임의추출: 모집단의 각 대상이 표본에 포함될 확률이 모두 같도록 추출하는 방법

개념 플러스

◀ **추출하는 방법의 수**
크기가 $m$인 모집단에서 크기가 $n$인 표본을 추출할 때
(1) 복원추출하는 방법의 수는 순서를 따질 때
  $\Rightarrow {}_m\Pi_n$
(2) 비복원추출하는 방법의 수는
  ① 순서대로 하나씩 추출할 때 $\Rightarrow {}_m\mathrm{P}_n$
  ② 동시에 $n$개를 추출할 때 $\Rightarrow {}_m\mathrm{C}_n$

## 2 표본평균의 평균, 분산, 표준편차

모평균이 $m$이고, 모표준편차가 $\sigma$인 모집단에서 임의추출한 크기가 $n$인 표본의 표본평균 $\overline{X}$에 대하여

(1) 표본평균의 평균 ➡ $\mathrm{E}(\overline{X})=m$

(2) 표본평균의 분산 ➡ $\mathrm{V}(\overline{X})=\dfrac{\sigma^2}{n}$

(3) 표본평균의 표준편차 ➡ $\sigma(\overline{X})=\dfrac{\sigma}{\sqrt{n}}$

◀ 모집단에서 임의추출한 크기가 $n$인 표본을 $X_1, X_2, \cdots, X_n$이라 할 때, 이들의 평균
$\overline{X}=\dfrac{1}{n}(X_1+X_2+\cdots+X_n)$
을 표본평균이라고 한다.

◀ 모평균 $m$은 고정된 상수이지만 표본평균 $\overline{X}$는 추출된 표본에 따라 여러 가지 값을 가질 수 있는 확률변수이다.

## 3 표본평균의 분포

정규분포 $\mathrm{N}(m, \sigma^2)$을 따르는 모집단에서 크기가 $n$인 표본을 복원추출할 때, 표본평균을 $\overline{X}$라 하면

(1) $\mathrm{E}(\overline{X})=m$, $\mathrm{V}(\overline{X})=\dfrac{\sigma^2}{n}$, $\sigma(\overline{X})=\dfrac{\sigma}{\sqrt{n}}$

(2) $\overline{X}$의 분포는 정규분포 $\mathrm{N}\left(m, \dfrac{\sigma^2}{n}\right)$을 따른다.

◀ 모집단의 분포가 정규분포가 아닐 때도 표본의 크기 $n$이 충분히 크면, $\overline{X}$의 분포는 근사적으로 정규분포 $\mathrm{N}\left(m, \dfrac{\sigma^2}{n}\right)$을 따른다.
이때 $n$이 충분히 크다는 것은 $n \geq 30$을 만족시킬 때이다.

◀ (모집단의 평균)=(표본평균 전체 집단의 평균)
(모집단의 표준편차)
  >(표본평균 전체 집단의 표준편차)

## 4 표본평균 $\overline{X}$의 확률 구하기

크기가 $n$인 표본의 표본평균 $\overline{X}$가 정규분포 $\mathrm{N}\left(m, \dfrac{\sigma^2}{n}\right)$을 따를 때,

$Z=\dfrac{\overline{X}-m}{\dfrac{\sigma}{\sqrt{n}}}$ 을 이용하여 표준화하고, 표준정규분포표를 이용하여 확률을 구한다.

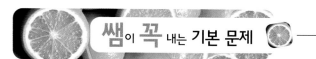

## 01

숫자 1, 2, 3, 4가 각각 하나씩 적힌 4개의 공이 들어 있는 주머니가 있다. 다음을 구하시오.

(1) 복원추출로 1개씩 2번 꺼내는 방법의 수

(2) 비복원추출로 1개씩 2번 꺼내는 방법의 수

(3) 동시에 2개를 꺼내는 방법의 수

## 02

모평균이 300, 모분산이 25인 모집단에서 크기가 $n$인 표본을 임의추출할 때, 표본평균 $\overline{X}$의 평균이 $a$, 표준편차가 $\frac{1}{3}$이라고 한다. $a-n$의 값을 구하시오.

## 03

모집단의 확률변수 $X$의 확률분포를 나타낸 표가 다음과 같을 때, 이 모집단에서 크기가 4인 표본을 임의추출하였다. 표본평균을 $\overline{X}$라 할 때, $V(\overline{X})$를 구하시오.

| $X$ | 1 | 2 | 3 | 4 | 5 | 합계 |
|---|---|---|---|---|---|---|
| $P(X=x)$ | $\frac{1}{6}$ | $\frac{1}{6}$ | $\frac{1}{3}$ | $\frac{1}{6}$ | $\frac{1}{6}$ | 1 |

## 04

1, 2, 3, 4의 숫자가 각각 하나씩 적힌 공이 4개 들어 있는 주머니에서 복원추출로 2개의 공을 꺼낼 때, 공에 적힌 숫자의 평균을 $\overline{X}$라 하자. $E(\overline{X}) \times V(\overline{X})$의 값은?

① $\frac{21}{16}$  ② $\frac{23}{16}$  ③ $\frac{25}{16}$

④ $\frac{27}{16}$  ⑤ $\frac{29}{16}$

## 05

정규분포 $N(40, 10^2)$을 따르는 모집단에서 크기가 $n$인 표본을 임의추출할 때, 표본평균 $\overline{X}$는 정규분포 $N\left(40, \frac{1}{4}\right)$을 따른다. $n$의 값을 구하시오.

## 06

정규분포를 따르는 모집단에서 추출한 크기가 10인 표본의 평균을 $\overline{X}$, 크기가 20인 표본의 평균을 $\overline{Y}$라 할 때, 다음 중 옳은 것은?

① $E(\overline{X}) < E(\overline{Y})$  ② $E(\overline{X}) > E(\overline{Y})$

③ $\sigma(\overline{X}) < \sigma(\overline{Y})$  ④ $\sigma(\overline{X}) > \sigma(\overline{Y})$

⑤ $\sigma(\overline{X}) = \sigma(\overline{Y})$

## 07

모평균이 50, 모표준편차가 5인 정규분포를 따르는 모집단에서 100개의 표본을 임의추출하여 그 표본평균을 $\overline{X}$라 할 때, $P(\overline{X} \geq 50.5)$를 위의 표준정규분포표를 이용하여 구하시오.

| $z$ | $P(0 \leq Z \leq z)$ |
|---|---|
| 0.5 | 0.19 |
| 1.0 | 0.34 |
| 1.5 | 0.43 |

## 08

A고등학교 학생의 몸무게는 평균이 70 kg, 표준편차가 20 kg인 정규분포를 따른다고 한다. 이 학교의 학생 중에서 100명을 임의추출하여 몸무게를 조사할 때, 그 표본평균이 74 kg 이상일 확률을 위의 표준정규분포표를 이용하여 구하시오.

| $z$ | $P(0 \leq Z \leq z)$ |
|---|---|
| 1.0 | 0.3413 |
| 1.5 | 0.4332 |
| 2.0 | 0.4772 |
| 2.5 | 0.4938 |

| 유형 1 | 표본평균의 평균, 표준편차 <br> – 모평균과 모표준편차가 주어질 때 |
| --- | --- |

## 09

모평균이 $m$, 모표준편차가 $\sigma$인 모집단에서 크기가 9인 표본을 임의추출할 때, 표본평균 $\overline{X}$의 평균이 10, 표준편차가 2이다. $m+\sigma$의 값은?

① 12　　　　② 14　　　　③ 16

④ 18　　　　⑤ 20

## 10

모집단의 확률변수 $X$가 정규분포 $N(8, \sigma^2)$을 따른다고 한다. 이 모집단에서 크기가 4인 표본을 임의추출할 때, 표본평균 $\overline{X}$에 대하여 $\sigma(\overline{X})=2$이다. $E(X^2)$을 구하시오.

## 11

모표준편차가 $\dfrac{1}{6}$인 정규분포를 따르는 모집단에서 크기가 $n$인 표본을 임의추출할 때, 표본평균 $\overline{X}$의 표준편차 $\sigma(\overline{X})$가 $\dfrac{1}{40}$ 이하가 되는 $n$의 최솟값을 구하시오.

| 유형 2 | 표본평균의 평균, 표준편차 <br> – 모집단의 확률분포가 주어질 때 |
| --- | --- |

## 12

모집단의 확률변수 $X$의 확률분포를 나타낸 표가 다음과 같다.

| $X$ | 1 | 2 | 3 | 4 | 합계 |
| --- | --- | --- | --- | --- | --- |
| $P(X=x)$ | $\dfrac{2}{5}$ | $\dfrac{3}{10}$ | $a$ | $\dfrac{1}{10}$ | 1 |

이 모집단에서 크기가 16인 표본을 임의추출할 때, 그 표본평균을 $\overline{X}$라 하자. $E(\overline{X})+\sigma(\overline{X})$의 값을 구하시오.

## 13

모집단의 확률변수 $X$의 확률분포를 나타낸 표가 다음과 같다.

| $X$ | 1 | 2 | 3 | 4 | 5 | 합계 |
| --- | --- | --- | --- | --- | --- | --- |
| $P(X=x)$ | $\dfrac{1}{9}$ | $\dfrac{2}{9}$ | $\dfrac{1}{3}$ | $\dfrac{2}{9}$ | $\dfrac{1}{9}$ | 1 |

이 모집단에서 크기가 4인 표본을 임의추출할 때, 표본평균 $\overline{X}$에 대하여 $E(\overline{X}^2)$은?

① 9　　　　② $\dfrac{28}{3}$　　　　③ $\dfrac{29}{3}$

④ 10　　　　⑤ $\dfrac{31}{3}$

## 14

모집단의 확률변수 $X$의 확률분포를 나타낸 표가 다음과 같다.

| $X$ | 1 | 2 | 3 | 4 | 합계 |
| --- | --- | --- | --- | --- | --- |
| $P(X=x)$ | $\dfrac{1}{10}$ | $\dfrac{1}{5}$ | $\dfrac{3}{10}$ | $\dfrac{2}{5}$ | 1 |

이 모집단에서 크기가 $n$인 표본을 임의추출할 때, 표본평균 $\overline{X}$에 대하여 $E(\overline{X}) \times V(\overline{X})=\dfrac{1}{4}$이라고 한다. $n$의 값을 구하시오.

## 15

다음은 어떤 모집단의 확률분포를 표로 나타낸 것이고, 세 수 $a$, $b$, $c$는 이 순서대로 등차수열을 이룬다.

| $X$ | 1 | 2 | 3 | 합계 |
|-----|---|---|---|------|
| $P(X=x)$ | $a$ | $b$ | $c$ | 1 |

이 모집단에서 크기가 4인 표본을 임의추출하여 구한 표본평균을 $\overline{X}$라 하자. $E(2\overline{X}-1)=\dfrac{7}{2}$일 때, $\overline{X}$의 분산을 구하시오.

## 16

어떤 모집단의 확률변수 $X$의 확률질량함수가

$$P(X=x)={}_{360}C_x \frac{5^x}{6^{360}} \ (x=0, 1, 2, \cdots, 360)$$

이고, 이 모집단에서 크기가 100인 표본을 임의추출하여 구한 표본평균을 $\overline{X}$라 할 때, $E(\overline{X}) \times V(\overline{X})$의 값은?

① 110 　　　② 120 　　　③ 130

④ 140 　　　⑤ 150

## 17

주머니 속에 1, 2, 2, 3의 숫자가 각각 하나씩 적힌 4개의 공이 들어 있다. 이것을 모집단으로 하여 크기가 2인 표본을 복원추출할 때, 공에 적힌 숫자의 표본평균 $\overline{X}$의 평균과 표준편차의 합은?

① 1 　　　②$\dfrac{3}{2}$ 　　　③ 2

④$\dfrac{5}{2}$ 　　　⑤ 3

## 18

1, 2, 3이 하나씩 적힌 카드가 각각 1장, 2장, 3장씩 있다. 이 중에서 복원추출로 2장의 카드를 뽑아 카드에 적힌 숫자의 평균을 $\overline{X}$라 할 때, $E(\overline{X}^2)=\dfrac{b}{a}$이다. $a+b$의 값을 구하시오.

(단, $a$, $b$는 서로소인 자연수이다.)

## 19

다음과 같이 주어진 5개의 자료에서 크기가 9인 표본을 복원추출할 때, 표본평균 $\overline{X}$의 표준편차가 $\sigma(\overline{X})=\dfrac{\sqrt{10}}{5}$이었다. $x$의 값을 구하시오. (단, $x>0$)

$$-2, \ 0, \ 1, \ x, \ 3$$

유형 **4** 이산확률분포에서 표본평균의 확률

## 20

모집단의 확률변수 $X$의 확률분포를 나타낸 표가 다음과 같다.

| $X$ | $-2$ | $0$ | $2$ | 합계 |
|---|---|---|---|---|
| $P(X=x)$ | $\dfrac{1}{4}$ | $\dfrac{1}{2}$ | $\dfrac{1}{4}$ | $1$ |

이 모집단에서 크기가 3인 표본을 임의추출하여 구한 표본평균 $\overline{X}$에 대하여 $P(\overline{X} \geq 2)$는?

① $\dfrac{1}{64}$  ② $\dfrac{1}{32}$  ③ $\dfrac{1}{16}$

④ $\dfrac{1}{8}$  ⑤ $\dfrac{1}{4}$

## 21

모집단의 확률변수 $X$의 확률분포를 나타낸 표가 다음과 같다.

| $X$ | $a$ | $2a$ | $3a$ | 합계 |
|---|---|---|---|---|
| $P(X=x)$ | $\dfrac{3}{10}$ | $\dfrac{3}{5}$ | $\dfrac{1}{10}$ | $1$ |

이 모집단에서 크기가 2인 표본을 임의추출할 때, 그 표본평균을 $\overline{X}$라 하자. $E(2\overline{X}) = \dfrac{18}{5}$일 때, $P(\overline{X} = 2a)$를 구하시오.

## 22

숫자 2가 적힌 공 1개, 숫자 4가 적힌 공 $n$개가 들어 있는 주머니에서 임의로 1개의 공을 꺼내어 공에 적힌 수를 확인한 후 다시 주머니에 넣는 시행을 2회 반복한다. 꺼낸 공에 적힌 수의 평균을 $\overline{X}$라 할 때, $P(\overline{X} = 3) = \dfrac{3}{8}$이다. 자연수 $n$의 값을 구하시오.

유형 **5** 표본평균의 분포

## 23

확률변수 $X$가 정규분포 $N(m, \sigma^2)$을 따르는 모집단에서 크기가 $n_1$, $n_2$인 표본을 임의추출할 때, 표본평균을 각각 $\overline{X_1}$, $\overline{X_2}$라 하자. 확률변수 $\overline{X_1}$, $\overline{X_2}$는 정규분포를 따르고 정규분포곡선은 그림과 같다. 〈보기〉에서 옳은 것만을 있는 대로 고른 것은?

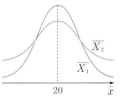

┤ 보기 ├

ㄱ. $E(\overline{X_1}) = E(\overline{X_2}) = 20$
ㄴ. $V(\overline{X_1}) > V(\overline{X_2})$
ㄷ. $\sigma(\overline{X_1}) \leq \sigma(X)$
ㄹ. $n_1 > n_2$

① ㄱ, ㄹ  ② ㄴ, ㄷ  ③ ㄷ, ㄹ
④ ㄱ, ㄴ, ㄷ  ⑤ ㄱ, ㄷ, ㄹ

## 24

정규분포 $N(m, \sigma^2)$을 따르는 모집단에서 크기가 $n_1$, $n_2$ $(n_1 < n_2)$인 표본을 임의추출하였을 때, 그 표본평균을 각각 $\overline{X_1}$, $\overline{X_2}$라 하자. 표본평균 $\overline{X_1}$, $\overline{X_2}$에 대한 확률분포

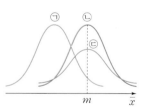

를 나타내는 함수를 각각 $y=f(x)$, $y=g(x)$라 할 때, 두 함수 $y=f(x)$, $y=g(x)$의 그래프의 모양으로 알맞은 것을 그림에서 찾아 차례대로 나열한 것은?

① ㉠, ㉡  ② ㉡, ㉠  ③ ㉠, ㉢
④ ㉡, ㉢  ⑤ ㉢, ㉡

## 유형 6 표본평균의 확률

### 25

어느 방송사의 '○○ 뉴스'의 방송시간은 평균이 50분, 표준편차가 2분인 정규분포를 따른다. 방송된 '○○ 뉴스'를 대상으로 크기가 9인 표본을 임의추출하여 조사한 방송시간의 표본평균을 $\overline{X}$라 할 때, $P(49 \leq \overline{X} \leq 51)$을 위의 표준정규분포표를 이용하여 구하면?

| $z$ | $P(0 \leq Z \leq z)$ |
|-----|----------------------|
| 1.5 | 0.4332 |
| 1.6 | 0.4452 |
| 1.7 | 0.4554 |
| 1.8 | 0.4641 |

① 0.8664  ② 0.8904  ③ 0.9108

④ 0.9282  ⑤ 0.9452

### 26

어떤 공장에서 생산되는 제품의 무게는 평균이 400 g, 표준편차가 10 g인 정규분포를 따른다고 한다. 이 중에서 25개의 제품을 뽑아 측정한 무게의 표본평균이 402 g 이하일 확률을 위의 표준정규분포표를 이용하여 구하시오.

| $z$ | $P(0 \leq Z \leq z)$ |
|-----|----------------------|
| 0.5 | 0.19 |
| 1.0 | 0.34 |
| 1.5 | 0.43 |
| 2.0 | 0.48 |

### 27

모평균이 100, 모표준편차가 20인 정규분포를 따르는 모집단에서 크기가 $n$인 표본을 임의추출하여 구한 표본평균을 $\overline{X}$라 하자. 함수 $y=f(n)$을 $f(n)=P(100 \leq \overline{X} \leq 120)$이라 할 때, $f(4)-f(1)$의 값을 위의 표준정규분포표를 이용하여 구하시오.

| $z$ | $P(0 \leq Z \leq z)$ |
|-----|----------------------|
| 0.5 | 0.1915 |
| 1.0 | 0.3413 |
| 1.5 | 0.4332 |
| 2.0 | 0.4772 |

### 28

모평균이 10, 모표준편차가 1인 정규분포를 따르는 어떤 모집단에서 표본을 임의로 100개 추출하여 표본평균을 조사하였다. 표본평균이 모평균보다 1 % 이상 크게 나타날 확률을 위의 표준정규분포표를 이용하여 구하시오.

| $z$ | $P(0 \leq Z \leq z)$ |
|-----|----------------------|
| 1.0 | 0.3413 |
| 1.5 | 0.4332 |
| 2.0 | 0.4772 |
| 2.5 | 0.4938 |

### 29

확률변수 $Z$가 표준정규분포 $N(0, 1)$을 따를 때, $P(0 \leq Z \leq 1.5)=\alpha$, $P(0 \leq Z \leq 2.5)=\beta$라고 한다. 모평균이 250, 모표준편차가 40인 정규분포를 따르는 모집단에서 크기가 100인 표본을 임의추출하여 표본평균을 $\overline{X}$라 할 때, $P(256 \leq \overline{X} \leq 260)$을 $\alpha$, $\beta$를 이용하여 나타낸 것은?

① $\dfrac{\alpha+\beta}{10}$  ② $\dfrac{\beta-\alpha}{10}$  ③ $\beta-\alpha$

④ $1-\alpha-\beta$  ⑤ $\dfrac{1}{2}+\alpha-\beta$

## 30

정규분포 $N(120, 10^2)$을 따르는 모집단에서 크기가 25인 표본을 임의로 추출할 때, 그 표본평균 $\overline{X}$에 대하여
$P(115 \leq \overline{X} \leq k) = 0.9710$이 성립한다. 상수 $k$의 값을 위의 표준정규분포표를 이용하여 구하시오.

| $z$ | $P(0 \leq Z \leq z)$ |
|-----|-----|
| 1.0 | 0.3413 |
| 1.5 | 0.4332 |
| 2.0 | 0.4772 |
| 2.5 | 0.4938 |

## 31

어느 공장에서 생산되는 건전지의 수명은 평균이 60시간, 표준편차가 4시간인 정규분포를 따른다고 한다. 이 공장에서 생산된 건전지 중에서 크기가 16인 표본을 임의추출하여 건전지의 수명에 대한 표본평균을 $\overline{X}$라 할 때, $P(\overline{X} \geq a) = 0.02$를 만족시키는 상수 $a$의 값을 구하시오. (단, $P(0 \leq Z \leq 2) = 0.48$로 계산한다.)

## 32

어느 양식장에서 양식되는 전복 1마리의 무게는 평균이 140 g, 표준편차가 12 g인 정규분포를 따른다고 한다. 전복 9마리를 한 상자에 넣어 판매하려고 할 때, 한 상자의 무게가 상위 5 % 이내에 해당하는 것을 1등급으로 판매한다. 1등급으로 판매되는 한 상자의 최소 무게를 구하시오.
(단, $P(0 \leq Z \leq 1.65) = 0.45$, $P(0 \leq Z \leq 1.96) = 0.475$로 계산하고, 상자의 무게는 생각하지 않는다.)

유형 **7** 표본의 크기 구하기

## 33

정규분포 $N(10, 12^2)$을 따르는 모집단에서 크기가 $n$인 표본을 임의추출하여 그 표본평균을 $\overline{X}$라 할 때,
$P(10 \leq \overline{X} \leq 13) = 0.4332$이다.
$n$의 값을 위의 표준정규분포표를 이용하여 구하시오.

| $z$ | $P(0 \leq Z \leq z)$ |
|-----|-----|
| 0.5 | 0.1915 |
| 1.0 | 0.3413 |
| 1.5 | 0.4332 |
| 2.0 | 0.4772 |

## 34

모평균이 64, 모표준편차가 7인 정규분포를 따르는 모집단에서 임의추출한 크기가 $n$인 표본평균을 $\overline{X}$라 할 때,
$P\left(\overline{X} \geq 71 + \dfrac{7}{\sqrt{n}}\right) = 0.01$을 만족시키는 $n$의 값을 위의 표준정규분포표를 이용하여 구하면?

| $z$ | $P(0 \leq Z \leq z)$ |
|-----|-----|
| 1.0 | 0.34 |
| 2.0 | 0.48 |
| 3.0 | 0.49 |

① 2      ② 3      ③ 4
④ 5      ⑤ 6

## 35

어느 음료수 공장에서 생산되는 음료수 캔 한 개의 무게는 평균이 280 g, 표준편차가 20 g인 정규분포를 따른다고 한다. 이 공장에서 생산된 음료수 캔 $n$개를 임의추출하여 측정한 무게의 평균을 $\overline{X}$라 하자.
$P(|\overline{X} - 280| \leq 5) \geq 0.8664$를 만족시키는 자연수 $n$의 최솟값을 위의 표준정규분포표를 이용하여 구하시오.

| $z$ | $P(0 \leq Z \leq z)$ |
|-----|-----|
| 0.5 | 0.1915 |
| 1.0 | 0.3413 |
| 1.5 | 0.4332 |
| 2.0 | 0.4772 |

## 36

모평균이 5, 모분산이 2인 정규분포를 따르는 모집단에서 크기가 $n$인 표본을 임의추출할 때, 표본평균 $\overline{X}$에 대하여 $f(n)=\mathrm{E}(\overline{X}^2-5\overline{X}+1)$이 성립한다. $y=f(n)$의 그래프의 개형은?

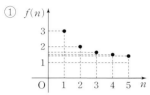

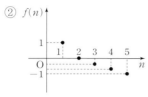

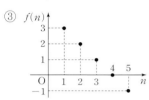

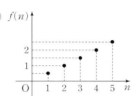

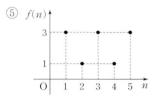

## 37

주머니 안에 숫자 1이 적힌 공이 1개, 숫자 2가 적힌 공이 2개, $\cdots$, 숫자 $n$이 적힌 공이 $n$개 들어 있다. 이 주머니에서 $n$개의 공을 복원추출할 때, 공에 적힌 숫자의 표본평균을 $\overline{X}$라 하자. $\mathrm{V}(\overline{X})=\dfrac{1}{4}$을 만족시키는 자연수 $n$의 값을 구하시오.

## 38

정육면체 모양의 상자의 각 면에 1, 2, 2, 3, 4, 4의 숫자가 하나씩 적혀 있다. 이 상자를 2회 던질 때, 윗면에 나온 두 수의 평균을 $\overline{X}$라 하자. $\mathrm{P}(2\leq\overline{X}<3)$은?

① $\dfrac{1}{3}$　　　② $\dfrac{7}{18}$　　　③ $\dfrac{4}{9}$

④ $\dfrac{1}{2}$　　　⑤ $\dfrac{5}{9}$

## 39

모집단의 확률변수 $X$의 확률분포를 나타낸 표가 다음과 같다.

| $X$ | 20 | 30 | 40 | 합계 |
|---|---|---|---|---|
| $\mathrm{P}(X=x)$ | $\dfrac{1}{2}$ | $a$ | $\dfrac{1}{2}-a$ | 1 |

이 모집단에서 크기가 2인 표본을 임의추출하여 구한 표본평균을 $\overline{X}$라 하자. $\overline{X}$의 평균이 29일 때, $\mathrm{P}(\overline{X}=30)$을 구하시오.

## 40

어느 회사에서 생산되는 제품을 1000개씩 상자에 넣어 판매한다. 상자에서 임의로 추출한 16개의 제품의 무게의 평균이 12.7 이상이면 그 상자를 정상

| $z$ | $\mathrm{P}(0\leq Z\leq z)$ |
|---|---|
| 1.6 | 0.4452 |
| 1.8 | 0.4641 |
| 2.0 | 0.4772 |
| 2.2 | 0.4861 |

판매하고, 12.7 미만이면 할인 판매한다. A상자에 들어 있는 제품의 무게는 평균이 16, 표준편차가 6인 정규분포를 따르고, B상자에 들어 있는 제품의 무게는 평균이 10, 표준편차가 6인 정규분포를 따른다고 할 때, A상자가 할인 판매될 확률이 $p$, B상자가 정상 판매될 확률이 $q$이다. $p+q$의 값을 위의 표준정규분포표를 이용하여 구하시오. (단, 무게의 단위는 g이다.)

## 41

정규분포 $N(30, 10^2)$을 따르는 모집단에서 크기가 100인 표본을 임의추출할 때, 그 표본평균을 $\overline{X}$라 하자. 〈보기〉에서 옳은 것만을 있는 대로 고르시오.

(단, $P(0 \le Z \le 1) = 0.34$, $P(0 \le Z \le 2) = 0.48$로 계산한다.)

┤ 보기 ├

ㄱ. 표본평균 $\overline{X}$는 평균이 30, 표준편차가 1인 정규분포를 따른다.

ㄴ. $P(29 \le \overline{X} \le 32) = 0.82$

ㄷ. 표본의 크기가 $\dfrac{1}{4}$배가 되면 표본평균 $\overline{X}$의 표준편차는 4로 늘어난다.

## 42

정규분포 $N(10, 2^2)$을 따르는 모집단에서 임의추출한 크기가 $n$인 표본의 표본평균을 $\overline{X}$, 표준정규분포를 따르는 확률변수를 $Z$라 하자. 〈보기〉에서 옳은 것만을 있는 대로 고르시오.

(단, $a$, $b$는 상수이다.)

┤ 보기 ├

ㄱ. $V(\overline{X}) = \dfrac{4}{n}$

ㄴ. $P(\overline{X} \le 10 - a) = P(\overline{X} \ge 10 + a)$

ㄷ. $P(\overline{X} \ge a) = P(Z \le b)$이면 $a + \dfrac{2}{\sqrt{n}} b = 10$이다.

## 43

모평균이 $m$인 정규분포를 따르는 모집단에서 크기가 $n$인 표본을 임의추출하여 그 표본평균을 $\overline{X_n}$라 하고, 표본평균 $\overline{X_n}$의 표준편차를 $f(n)$이라 할 때, 〈보기〉에서 옳은 것만을 있는 대로 고르시오.

┤ 보기 ├

ㄱ. $n$의 값이 증가하면 $f(n)$의 값은 감소한다.

ㄴ. 모표준편차는 $4f(4)$의 값과 같다.

ㄷ. $P(|\overline{X_n} - m| \le f(n))$의 값은 $n$의 값에 관계없이 항상 일정하다.

## 44

어느 공장에서 생산되는 제품의 무게 $X$는 평균이 60g, 표준편차가 5g인 정규분포를 따른다고 한다. 제품의 무게가 50g 이하인 제품은 불량품으로 판정한다. 이 공장에서 생산된 제품 중에서 2500개를 임의로 추출할 때, 2500개 무게의 평균을 $\overline{X}$, 불량품의 개수를 $Y$라 하자. 위의 표준정규분포표를 이용하여 옳은 것만을 〈보기〉에서 있는 대로 고르시오.

| $z$ | $P(0 \le Z \le z)$ |
|---|---|
| 0.5 | 0.19 |
| 1.0 | 0.34 |
| 1.5 | 0.43 |
| 2.0 | 0.48 |
| 2.5 | 0.49 |

┤ 보기 ├

ㄱ. $P(\overline{X} \ge 60) = \dfrac{1}{2}$

ㄴ. $P(Y \ge 57) = P(\overline{X} \le 59.9)$

ㄷ. 임의의 양수 $k$에 대하여
$P(60 - k \le X \le 60 + k) > P(60 - k \le \overline{X} \le 60 + k)$

## 45

어떤 제과점에서 만드는 과자 한 개의 무게는 평균이 20g, 표준편차가 2g인 정규분포를 따른다고 한다. 이 제과점에서는 과자 16개를 한 상자에 담아서 판매하는데, 한 상자의 무게가 306.88g 이하이거나 333.12g 이상이면 반품된다고 한다. 어느 날 이 제과점에서 출하한 과자 상자 100개 중에서 반품된 상자가 7개 이하일 확률을 위의 표준정규분포표를 이용하여 구하시오. (단, 상자의 무게는 생각하지 않는다.)

| $z$ | $P(0 \le Z \le z)$ |
|---|---|
| 1.0 | 0.34 |
| 1.64 | 0.45 |

# 11  모평균의 추정

# 11 모평균의 추정

## 1 모평균의 신뢰구간 (1)

정규분포 $N(m, \sigma^2)$을 따르는 모집단에서 크기가 $n$인 표본의 표본평균 $\overline{X}$의 값이 $\overline{x}$일 때, 모평균 $m$의 신뢰구간은

(1) 신뢰도 95 % : $\overline{x} - 1.96 \dfrac{\sigma}{\sqrt{n}} \le m \le \overline{x} + 1.96 \dfrac{\sigma}{\sqrt{n}}$

(2) 신뢰도 99 % : $\overline{x} - 2.58 \dfrac{\sigma}{\sqrt{n}} \le m \le \overline{x} + 2.58 \dfrac{\sigma}{\sqrt{n}}$

개념 플러스

◀ 모평균을 추정할 때, 모표준편차 $\sigma$의 값이 주어지지 않은 경우 표본의 크기 $n$이 충분히 크면($n \ge 30$) 모표준편차 $\sigma$와 표본표준편차의 값 $s$는 큰 차이가 없으므로 $\sigma$ 대신 $s$를 사용한다.

## 2 모평균의 신뢰구간 (2)

정규분포 $N(m, \sigma^2)$을 따르는 모집단에서 크기가 $n$인 표본의 표본평균 $\overline{X}$의 값이 $\overline{x}$이고, $P(-k \le Z \le k) = \dfrac{\alpha}{100}$ 일 때, 신뢰도 $\alpha$ %인 모평균 $m$의 신뢰구간은

$$\overline{x} - k \dfrac{\sigma}{\sqrt{n}} \le m \le \overline{x} + k \dfrac{\sigma}{\sqrt{n}} \ (\text{단, } k > 0)$$

◀ **모평균과 표본평균의 차**

정규분포 $N(m, \sigma^2)$을 따르는 모집단에서 크기가 $n$인 표본을 임의추출하여 신뢰도 $\alpha$ %로 모평균을 추정할 때, 모평균 $m$과 표본평균 $\overline{X}$의 차는

$$|\overline{X} - m| \le k \dfrac{\sigma}{\sqrt{n}} \left( \text{단, } P(|Z| \le k) = \dfrac{\alpha}{100} \right)$$

## 3 신뢰구간의 길이

정규분포 $N(m, \sigma^2)$을 따르는 모집단에서 크기가 $n$인 표본을 임의추출하여 모평균을 추정할 때, 신뢰구간의 길이는

(1) 신뢰도 95 % : $2 \times 1.96 \dfrac{\sigma}{\sqrt{n}}$

(2) 신뢰도 99 % : $2 \times 2.58 \dfrac{\sigma}{\sqrt{n}}$

참고 모평균 $m$을 신뢰도 $\alpha$ %로 추정한 신뢰구간이 $a \le m \le b$일 때,

$$b - a = 2 \times k \dfrac{\sigma}{\sqrt{n}} \left( \text{단, } P(-k \le Z \le k) = \dfrac{\alpha}{100} \right)$$

◀ **신뢰구간의 성질**

(1) 표본의 크기가 일정할 때 ⇨ 신뢰도가 높아지면 신뢰구간의 길이는 길어지고, 신뢰도가 낮아지면 신뢰구간의 길이는 짧아진다.

(2) 신뢰도가 일정할 때 ⇨ 표본의 크기가 커지면 신뢰구간의 길이는 짧아지고, 표본의 크기가 작아지면 신뢰구간의 길이는 길어진다.

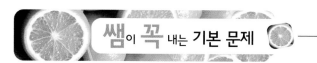

## 01

모평균이 $m$, 모표준편차가 12인 정규분포를 따르는 모집단에서 크기가 36인 표본을 임의추출하여 구한 표본평균이 70이다. 이 표본을 이용하여 얻은 모평균 $m$에 대한 신뢰도 99 %의 신뢰구간을 구하시오. (단, $\mathrm{P}(\,|Z| \le 2.58\,) = 0.99$로 계산한다.)

## 02

어느 과수원에서 재배한 복숭아의 무게는 평균 $m\,\mathrm{g}$, 표준편차 25 g인 정규분포를 따른다고 한다. 이 과수원에서 임의추출한 복숭아 100개의 무게의 합이 42 kg일 때, 이 과수원에서 재배한 복숭아의 무게의 모평균 $m$에 대한 신뢰도 95 %의 신뢰구간은?

(단, $\mathrm{P}(\,0 \le Z \le 2\,) = 0.475$로 계산한다.)

① $400 \le m \le 440$  ② $405 \le m \le 435$  ③ $410 \le m \le 430$
④ $415 \le m \le 425$  ⑤ $417 \le m \le 423$

## 03

어느 고등학교의 3학년 학생 중에서 100명을 임의추출하여 수학 성적을 조사한 결과 평균이 70점, 표준편차가 4점이었다. 이 학교 3학년 전체 학생들의 수학 성적은 정규분포를 따른다고 할 때, 전체 학생들의 수학 성적에 대한 평균 $m$을 신뢰도 95 %로 추정한 신뢰구간을 구하시오.

(단, $\mathrm{P}(\,-1.96 \le Z \le 1.96\,) = 0.95$로 계산한다.)

## 04

어느 고등학교 학생의 수학 점수는 정규분포를 따른다고 한다. 이 학교에서 100명의 학생을 임의추출하여 수학 점수를 조사하였더니 평균이 70점, 표준편차가 15점이었다. 전체 학생들의 수학 점수의 평균 $m$을 신뢰도 99 %, 95 %로 각각 추정할 때, 두 신뢰구간의 길이의 차를 구하시오.

(단, $\mathrm{P}(\,|Z| \le 2\,) = 0.95$, $\mathrm{P}(\,|Z| \le 3\,) = 0.99$로 계산한다.)

## 05

어떤 공장에서 생산된 제품 한 개의 무게는 표준편차가 5 g인 정규분포를 따른다고 한다. 모평균 $m$을 신뢰도 99 %로 추정할 때, 신뢰구간의 길이가 0.3 이하가 되도록 하기 위한 표본의 크기 $n$의 최솟값을 구하시오.

(단, $\mathrm{P}(\,0 \le Z \le 2.58\,) = 0.495$로 계산한다.)

## 06

어느 도시의 고등학교 1학년 남학생의 몸무게는 정규분포를 따른다고 한다. 이 도시의 고등학교 1학년 남학생 $n$명을 임의추출하여 몸무게를 조사하였더니 평균이 56 kg, 표준편차가 5 kg이었다. 이 도시의 고등학교 1학년 남학생 전체에 대한 몸무게의 평균 $m$을 신뢰도 95 %로 추정한 신뢰구간이 $54.6 \le m \le 57.4$일 때, $n$의 값을 구하시오.

(단, $n$은 충분히 큰 수이고, $\mathrm{P}(\,0 \le Z \le 1.96\,) = 0.475$로 계산한다.)

## 07

정규분포 $\mathrm{N}(m,\ \sigma^2)$을 따르는 모집단에서 임의추출한 크기가 $n$인 표본평균 $\overline{X}$에서 모평균 $m$을 신뢰도 $\alpha$ %로 추정할 때, 다음 중 신뢰구간의 길이가 가장 긴 것은?

(단, $\mathrm{P}(\,|Z| \le 1.96\,) = 0.95$, $\mathrm{P}(\,|Z| \le 2.58\,) = 0.99$로 계산한다.)

① $n = 200$, $\alpha = 95$          ② $n = 200$, $\alpha = 99$
③ $n = 250$, $\alpha = 95$          ④ $n = 400$, $\alpha = 95$
⑤ $n = 400$, $\alpha = 99$

유형 1 모평균의 추정 – 모표준편차가 주어진 경우

## 08

육상부의 100 m 달리기 기록은 표준편차가 1.5초인 정규분포를 따른다고 한다. 이 육상부의 25명의 기록을 조사한 결과 그 평균이 15.3초였을 때, 이 육상부의 100 m 달리기 기록의 평균 $m$에 대한 신뢰도 99 %의 신뢰구간은?

(단, $\mathrm{P}(-2.6 \leq Z \leq 2.6) = 0.99$로 계산한다.)

① $12.7 \leq m \leq 17.9$　　　② $13.8 \leq m \leq 16.8$

③ $14.31 \leq m \leq 16.29$　　④ $14.52 \leq m \leq 16.08$

⑤ $15 \leq m \leq 15.7$

## 09

어느 지역에서 생산되는 귤의 당도는 평균이 $m$이고 표준편차가 1.5인 정규분포를 따른다고 한다. 다음 표는 이 지역에서 생산된 귤 중에서 임의로 9개를 추출하여 당도를 측정한 결과를 나타낸 것이다.

(단위: 브릭스)

| 당도 | 10 | 11 | 12 | 13 | 합계 |
|---|---|---|---|---|---|
| 귤의 개수 | 4 | 2 | 2 | 1 | 9 |

이 결과를 이용하여 이 지역에서 생산되는 귤의 당도의 평균 $m$을 신뢰도 95 %로 추정한 신뢰구간을 구하시오.

(단, $\mathrm{P}(0 \leq Z \leq 1.96) = 0.475$로 계산한다.)

## 10

어느 공장에서 생산되는 제품의 길이는 모표준편차가 $\dfrac{1}{1.96}$ m인 정규분포를 따른다고 한다. 이 공장에서 생산되는 제품 중에서 임의추출한 10개 제품의 길이를 측정하여 표본평균을 구하였다. 이 표본평균을 이용하여 구한 제품의 길이의 모평균에 대한 신뢰도 95 %의 신뢰구간을 $[\alpha, \beta]$라 하자. $\alpha$와 $\beta$가 이차방정식 $10x^2 - 100x + k = 0$의 두 근일 때, 상수 $k$의 값을 구하시오.

(단, $\mathrm{P}(0 \leq Z \leq 1.96) = 0.475$로 계산한다.)

유형 2 모평균의 추정 – 표본표준편차가 주어진 경우

## 11

어느 공장에서 생산되는 통조림 400개를 임의추출하여 그 무게를 조사하였더니 평균이 200 g, 표준편차가 20 g이었다. 이 공장에서 생산되는 통조림의 무게는 정규분포를 따른다고 할 때, 위의 표준정규분포표를 이용하여 통조림 무게의 평균 $m$을 신뢰도 95 %로 추정한 신뢰구간은?

| $z$ | $\mathrm{P}(0 \leq Z \leq z)$ |
|---|---|
| 1.64 | 0.450 |
| 1.96 | 0.475 |

① $198.04 \leq m \leq 201.96$　　② $196.08 \leq m \leq 203.92$

③ $195.42 \leq m \leq 204.58$　　④ $194.48 \leq m \leq 205.52$

⑤ $193.64 \leq m \leq 206.34$

## 12

어느 지역의 고등학생의 몸무게는 정규분포를 따른다고 한다. 이 지역 고등학생 81명을 임의추출하여 몸무게를 조사하였더니 평균이 56.5 kg, 표준편차가 9 kg이었다. 이 지역 고등학생의 몸무게의 평균 $m$에 대한 신뢰도 99 %의 신뢰구간을 구하시오.

(단, $\mathrm{P}(|Z| \leq 2.58) = 0.99$로 계산한다.)

## 13

S공장에서 생산된 치약의 무게는 정규분포를 따른다고 한다. 이 공장에서 생산된 치약 중에서 100개를 임의추출하여 무게를 잰 결과 평균이 80 g, 표준편차가 20 g이었다. 위의 표준정규분포표를 이용하여 이 공장에서 생산된 치약의 무게의 평균 $m$을 신뢰도 97 %로 추정한 신뢰구간이 $k_1 \leq m \leq k_2$일 때, $k_2$의 값을 구하시오.

| $z$ | $\mathrm{P}(0 \leq Z \leq z)$ |
|---|---|
| 1.82 | 0.4656 |
| 1.96 | 0.4750 |
| 2.17 | 0.4850 |
| 2.58 | 0.4951 |

## 유형 3  신뢰도에 따른 신뢰구간의 길이

### 14

어느 고등학교 학생 전체에서 100명을 추출하여 성적을 조사하였더니 평균이 200점, 표준편차가 50점인 정규분포를 따르고 있었다. 전체 학생의 성적의 평균 $m$을 신뢰도 $a\,\%$로 추정하였더니 신뢰구간이 $190.6 \leq m \leq 209.4$이었을 때, $a$의 값은?

(단, $\mathrm{P}(0 \leq Z \leq 1.88) = 0.47$로 계산한다.)

① 92  　　　　② 94  　　　　③ 95

④ 96  　　　　⑤ 98

### 15

표준편차가 3인 정규분포를 따르는 모집단에서 324개의 표본을 임의추출하여 신뢰도 $a\,\%$로 모평균 $m$을 추정하였더니 신뢰구간의 길이가 0.2이었다. 같은

| $z$ | $\mathrm{P}(0 \leq Z \leq z)$ |
|-----|-------------------------------|
| 0.6 | 0.23 |
| 1.2 | 0.38 |
| 1.8 | 0.46 |
| 2.4 | 0.49 |

표본을 이용하여 신뢰도 $2a\,\%$로 모평균 $m$을 추정할 때, 위의 표준정규분포표를 이용하여 신뢰구간의 길이를 구하시오.

### 16

정규분포 $\mathrm{N}(m,\ \sigma^2)$을 따르는 모집단에서 크기가 $n$인 표본을 임의추출하여 모평균 $m$을 신뢰도 80 %로 추정하였더니 신뢰구간의 길이가 $2k$이었다. 같은

| $z$ | $\mathrm{P}(0 \leq Z \leq z)$ |
|-----|-------------------------------|
| 1.28 | 0.40 |
| 1.34 | 0.41 |
| 2.06 | 0.48 |
| 2.56 | 0.49 |

표본을 이용하여 신뢰도 $a\,\%$로 모평균 $m$을 추정하였더니 신뢰구간의 길이가 $4k$가 되었다. 위의 표준정규분포표를 이용하여 $a$의 값을 구하시오.

## 유형 4  표본의 크기에 따른 신뢰구간의 길이

### 17

어느 고등학교 3학년 학생들의 모의고사 점수는 표준편차가 40점인 정규분포를 따른다고 한다. 이 고등학교 3학년 학생들의 모의고사 점수의 평균을 신뢰도 95 %로 추정한 신뢰구간의 길이가 4가 되도록 하려면 몇 명의 성적을 조사해야 하는지 구하시오.

(단, $\mathrm{P}(|Z| \leq 2) = 0.95$로 계산한다.)

### 18

정규분포를 따르는 모집단에서 크기가 $n$인 표본을 임의추출하여 신뢰도 95 %로 모평균을 추정하였더니 신뢰구간의 길이가 $2l$이었다. 표본의 크기를 $4n$으로 하여 신뢰도 99 %로 모평균을 추정할 때, 신뢰구간의 길이는?

(단, $\mathrm{P}(|Z| \leq 2) = 0.95$, $\mathrm{P}(|Z| \leq 3) = 0.99$로 계산한다.)

① $l$  　　　　② $\dfrac{3}{2}l$  　　　　③ $2l$

④ $\dfrac{5}{2}l$  　　　　⑤ $3l$

### 19

표준편차가 5인 정규분포를 따르는 모집단에서 100개의 표본을 임의추출하여 모평균을 추정하였더니 신뢰구간의 길이가 3이었다. 같은 모집단에서 새로운 표본을 임의추출하여 같은 신뢰도로 모평균을 추정할 때, 신뢰구간의 길이가 2가 되도록 하는 표본의 크기를 구하시오.

유형 **5** 모평균과 표본평균의 차

**20**

모표준편차가 15인 정규분포를 따르는 모집단의 평균을 신뢰도 99 %로 추정할 때, 모평균과 표본평균의 차를 3 이하로 하려면 표본의 크기를 얼마 이상으로 해야 하는지 구하시오.

(단, $P(|Z| \leq 3) = 0.99$로 계산한다.)

**21**

우리나라 신생아들의 몸무게는 표준편차가 0.4 kg인 정규분포를 따른다고 한다. 전체 신생아의 몸무게의 평균 $m$을 신뢰도 95 %로 추정할 때, 모평균 $m$과 표본평균 $\overline{X}$의 값 $\overline{x}$의 차가 0.05 이하가 되도록 하려면 적어도 몇 명의 몸무게를 조사해야 하는가?

(단, $P(|Z| \leq 1.96) = 0.95$로 계산한다.)

① 242명 　　 ② 244명 　　 ③ 246명
④ 248명 　　 ⑤ 250명

**22**

어느 도시에 거주하는 고등학교 3학년 남학생의 몸무게의 분포는 표준편차가 4 kg인 정규분포를 따른다고 한다. 이 도시의 고등학교 3학년 남학생의 몸무게의 평균을 신뢰도 99 %로 추정할 때, 표본평균 $\overline{X}$의 값 $\overline{x}$와 모평균 $m$의 차를 1 kg 이하로 하려면 표본의 크기를 최소한 몇 명으로 해야 하는지 구하시오.

(단, $P(|Z| \leq 3) = 0.99$로 계산한다.)

유형 **6** 신뢰구간의 성질

**23**

A, B, C, D 네 도시의 기혼 남성의 결혼 연령을 조사하기 위하여 각 도시에서 표본을 추출하여 조사한 자료가 다음과 같았다.

|  | A | B | C | D |
|---|---|---|---|---|
| 표본평균 | 33 | 29 | 33 | 29 |
| 표준편차 | 3 | 2 | 2 | 3 |
| 표본의 크기 | 100 | 256 | 256 | 100 |

각 도시 기혼 남성의 결혼 연령의 분포는 정규분포를 따른다고 할 때, 모평균의 신뢰구간에 대한 〈보기〉의 설명 중에서 옳은 것만을 있는 대로 고르시오. (단, $P(0 \leq Z \leq 1.96) = 0.475$, $P(0 \leq Z \leq 2.58) = 0.495$로 계산한다.)

┤ 보 기 ├

ㄱ. 신뢰도 95 %로 추정한 B와 C의 신뢰구간의 길이는 같다.
ㄴ. 신뢰도 95 %로 추정한 A의 신뢰구간의 길이가 신뢰도 99 %로 추정한 C의 신뢰구간의 길이보다 길다.
ㄷ. 신뢰도 95 %로 추정한 B의 신뢰구간의 길이가 신뢰도 95 %로 추정한 D의 신뢰구간의 길이보다 짧다.

**24**

표준편차가 5인 모집단에서 A, B 두 사람이 각각 다음과 같은 방법으로 모평균 $m$을 추정하려고 한다.

A : 표본의 크기가 $n_1$이고 신뢰도가 $\alpha_1$ %이다.
B : 표본의 크기가 $n_2$이고 신뢰도가 $\alpha_2$ %이다.

A가 추정한 신뢰구간을 $a \leq m \leq b$, B가 추정한 신뢰구간을 $c \leq m \leq d$라 할 때, 〈보기〉에서 옳은 것만을 있는 대로 고른 것은?

┤ 보 기 ├

ㄱ. $n_1 = n_2$이고 $\alpha_1 < \alpha_2$이면 $b - a < d - c$이다.
ㄴ. $n_1 < n_2$이고 $\alpha_1 = \alpha_2$이면 $a < c$, $d < b$이다.
ㄷ. $n_1 < n_2$이고 $\alpha_1 < \alpha_2$이면 $b - a < d - c$이다.

① ㄱ 　　 ② ㄴ 　　 ③ ㄷ
④ ㄱ, ㄴ 　　 ⑤ ㄱ, ㄷ

## 25

정규분포 $N(m, 10^2)$을 따르는 어느 모집단에서 25개의 표본 $x_1, x_2, \cdots, x_{25}$를 임의추출하였더니 $\sum_{k=1}^{25} x_k = 375$이었다. 모평균 $m$에 대한 신뢰도 95 %의 신뢰구간을 구하시오.

(단, $P(0 \leq Z \leq 2) = 0.475$로 계산한다.)

## 26

어느 공장에서 생산하는 제품의 무게는 모평균이 $m$, 모표준편차가 $\frac{1}{2}$인 정규분포를 따른다고 한다. 이 공장에서 생산한 제품 중에서 25개를 임의추출하여 신뢰도 95 %로 추정한 모평균 $m$에 대한 신뢰구간이 $[a, b]$일 때, $P(|Z| \leq c) = 0.95$를 만족시키는 $c$를 $a$, $b$로 나타낸 것은?

(단, 무게의 단위는 g이고, 확률변수 $Z$는 표준정규분포를 따른다.)

① $3(b-a)$    ② $\frac{7}{2}(b-a)$    ③ $4(b-a)$

④ $\frac{9}{2}(b-a)$    ⑤ $5(b-a)$

## 27

표준편차가 $\sigma$로 알려진 정규분포를 따르는 모집단에서 크기가 $n$인 표본을 임의추출하여 얻은 모평균 $m$에 대한 신뢰도 80 %의 신뢰구간이 $[107.2, 132.8]$이었다. 같은 표본을 이용하여 얻은 모평균 $m$에 대한 신뢰도 96 %의 신뢰구간에 속하는 자연수의 개수를 위의 표준정규분포표를 이용하여 구하시오.

| $z$ | $P(0 \leq Z \leq z)$ |
|---|---|
| 1.28 | 0.40 |
| 2.06 | 0.48 |
| 2.56 | 0.49 |

## 28

어느 공장에서 생산되는 컬링 스톤을 일정한 세기로 빙판 위에 던질 때, 미끄러지는 거리는 정규분포를 따른다고 한다. 이 공장에서 생산된 컬링 스톤 중에서 임의추출한 $n$개에 대하여 미끄러지는 거리를 측정하였더니 평균이 $\overline{x}$ m, 표준편차가 13 m이었다. 이를 이용하여 이 공장에서 생산되는 컬링 스톤 전체의 미끄러지는 거리의 평균을 신뢰도 95 %로 추정한 신뢰구간이 $[119.04, 122.96]$일 때, $n + \overline{x}$의 값을 구하시오. (단, $n$은 충분히 큰 수이고, $P(0 \leq Z \leq 1.96) = 0.475$로 계산한다.)

## 29

정규분포 $N(m, 3^2)$을 따르는 모집단에서 크기가 $n(n+1)$인 표본을 임의추출하여 신뢰도 95 %로 모평균을 추정하였을 때, 그 신뢰구간의 길이를 $l_n$이라고 한다. $\sum_{n=1}^{15} l_n^2$의 값을 구하시오.

(단, $P(|Z| \leq 2) = 0.95$로 계산한다.)

## 30

정규분포 $N(m, 3^2)$을 따르는 모집단에서 임의추출한 크기 12인 표본과 크기 7인 표본의 표본평균을 각각 $\overline{X_A}$, $\overline{X_B}$라 하고, $\overline{X_A}$와 $\overline{X_B}$의 분포를 이용하여 추정한 모평균 $m$에 대한 신뢰도 95 %의 신뢰구간을 각각 $[a, b]$, $[c, d]$라 하자. 〈보기〉에서 옳은 것만을 있는 대로 고른 것은?

┌ 보기 ├─
ㄱ. $V(\overline{X_A}) < V(\overline{X_B})$
ㄴ. $P(\overline{X_A} \leq m+2) > P(\overline{X_B} \leq m+2)$
ㄷ. $a+d > b+c$
└─

① ㄱ    ② ㄷ    ③ ㄱ, ㄴ
④ ㄴ, ㄷ    ⑤ ㄱ, ㄴ, ㄷ

## 31

정규분포 $N(m, \sigma^2)$을 따르는 모집단에서 크기가 $n$인 표본을 임의추출하여 신뢰도 95 %로 모평균을 추정할 때의 신뢰구간의 길이를 $l$이라 하자. 같은 신뢰도로 모평균을 추정할 때의 신뢰구간의 길이를 $\dfrac{l}{k}$로 하기 위한 표본의 크기를 $f(k)$라 할 때,

$f(1)+f(2)+f(3)+\cdots+f(20)$의 값은?

(단, $P(|Z|\leq 1.96)=0.95$로 계산한다.)

① $2790n$     ② $2810n$     ③ $2830n$

④ $2850n$     ⑤ $2870n$

## 32

정규분포 $N(m, \sigma^2)$을 따르는 모집단에서 크기가 $n$인 표본을 임의추출하여 모평균을 추정하려고 한다. 신뢰도 95 %로 추정한 신뢰구간의 길이를 $l$이라 할 때, 〈보기〉에서 옳은 것만을 있는 대로 고른 것은?

(단, $P(0\leq Z\leq 2)=0.475$, $P(0\leq Z\leq 3)=0.495$로 계산한다.)

┌─ 보기 ┐

ㄱ. $l=\dfrac{4\sigma}{\sqrt{n}}$

ㄴ. 신뢰도 99 %로 추정한 신뢰구간의 길이는 $\dfrac{3}{2}l$이다.

ㄷ. 신뢰도 99 %로 추정할 때, 신뢰구간의 길이가 $3l$이 되려면 표본의 크기는 $6n$이어야 한다.

└──────┘

① ㄱ     ② ㄷ     ③ ㄱ, ㄴ

④ ㄴ, ㄷ     ⑤ ㄱ, ㄴ, ㄷ

 **최고난도 문제**

## 33

정규분포 $N(m, \sigma^2)$을 따르는 모집단에서 임의추출한 크기가 $n$인 표본의 표본평균 $\overline{X}$의 값이

| $z$ | $P(0\leq Z\leq z)$ |
|---|---|
| 1.28 | 0.40 |
| 1.92 | 0.47 |

$\overline{x}$일 때, 신뢰도 80 %의 신뢰구간 $\overline{x}-k\dfrac{\sigma}{\sqrt{n}}\leq m\leq\overline{x}+k\dfrac{\sigma}{\sqrt{n}}$ 내에 모평균 $m$이 포함되는지를 확인하는 실험을 50회 반복한 결과 40회 포함되었다. 표본의 크기 $n$은 변함없이 구간의 길이를 $\dfrac{3}{2}$배 늘여 늘어난 구간 내에 모평균 $m$이 몇 회나 포함되는지 확인하는 실험을 100회 반복한다고 할 때, 모평균 $m$이 늘어난 구간 내에 몇 회 속하는지를 위의 표준정규분포표를 이용하여 구하시오. (단, $k$는 상수이다.)

## 34

모집단 A는 정규분포 $N(m_1, \sigma^2)$을 따르고, 모집단 B는 정규분포 $N\left(m_2, \left(\dfrac{\sigma}{2}\right)^2\right)$을 따른다. 모집단 A에서 크기가 $n_1$, 모집단 B에서 크기가 $n_2$인 표본을 각각 임의추출할 때의 표본평균을 각각 $\overline{X_A}$, $\overline{X_B}$라 하자. 〈보기〉에서 옳은 것만을 있는 대로 고른 것은?

(단, $n_1$, $n_2$는 1보다 큰 자연수, $P(|Z|\leq 1.96)=0.95$로 계산한다.)

┌─ 보기 ┐

ㄱ. $m_1=m_2$이면 $E(\overline{X_A})=E(\overline{X_B})$이다.

ㄴ. 표본평균 $\overline{X_B}$는 정규분포 $N\left(m_2, \left(\dfrac{\sigma}{2}\right)^2\right)$를 따른다.

ㄷ. $n_1=4n_2$일 때, $m_1$에 대한 신뢰도 95 %의 신뢰구간이 $a\leq m_1\leq b$이고, $m_2$에 대한 신뢰도 95 %의 신뢰구간이 $c\leq m_2\leq d$이면 $b-a=d-c$이다.

└──────┘

① ㄱ     ② ㄷ     ③ ㄱ, ㄷ

④ ㄴ, ㄷ     ⑤ ㄱ, ㄴ, ㄷ

# 빠른 정답 확인

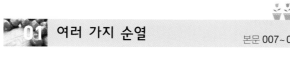

## 01 여러 가지 순열
본문 007~014쪽

| | | |
|---|---|---|
| 01 ④ | 02 366 | 03 30 |
| 04 64 | 05 84 | 06 30 |
| 07 86 | 08 ③ | |
| 09 ① | 10 144 | 11 144 |
| 12 $\frac{1}{2}$ | 13 ② | 14 4 |
| 15 126 | 16 20 | 17 ① |
| 18 ① | 19 16 | 20 63 |
| 21 80 | 22 228 | 23 ③ |
| 24 ⑤ | 25 825 | 26 ⑤ |
| 27 ⑤ | 28 144 | 29 600 |
| 30 ④ | 31 10 | 32 14 |
| 33 40 | 34 102 | 35 25 |
| 36 240 | 37 64 | 38 ④ |
| 39 ② | 40 180 | 41 180 |
| 42 ④ | 43 120 | 44 72 |
| 45 296 | 46 31 | |
| 47 36 | 48 100 | |

## 02 중복조합과 이항정리
본문 017~026쪽

| | | |
|---|---|---|
| 01 ② | 02 18 | 03 60 |
| 04 18 | 05 ④ | 06 258 |
| 07 80 | 08 ② | |
| 09 ③ | 10 20 | 11 20 |
| 12 ③ | 13 20 | 14 210 |
| 15 ⑤ | 16 18 | 17 70 |
| 18 120 | 19 36 | 20 210 |
| 21 ⑤ | 22 84 | 23 104 |
| 24 ③ | 25 5 | 26 10 |
| 27 ④ | 28 165 | 29 5 |
| 30 ② | 31 64 | 32 360 |
| 33 ② | 34 55 | 35 ⑤ |
| 36 ① | 37 ⑤ | 38 ③ |
| 39 14 | 40 ③ | 41 10 |
| 42 ⑤ | 43 ④ | 44 379 |
| 45 6 | 46 5 | 47 ⑤ |
| 48 75 | 49 ② | 50 40 |
| 51 34 | 52 32 | 53 144 |
| 54 37 | 55 126 | 56 462 |
| 57 12 | 58 ⑤ | 59 ④ |
| 60 20 | 61 ③ | |

## 03 확률의 뜻과 성질
본문 029~038쪽

| | | |
|---|---|---|
| 01 $\frac{1}{6}$ | 02 (1) $\frac{1}{10}$ (2) $\frac{1}{5}$ (3) $\frac{2}{5}$ (4) $\frac{1}{5}$ | |
| 03 ① | 04 $\frac{1}{3}$ | 05 ③ |
| 06 $\frac{2}{5}$ | 07 $\frac{42}{143}$ | 08 $\frac{2}{25}$ |
| 09 ④ | 10 8 | 11 $\frac{1}{6}$ |
| 12 ① | 13 $\frac{1}{4}$ | 14 $\frac{7}{18}$ |
| 15 ④ | 16 $\frac{2}{9}$ | 17 $\frac{1}{5}$ |
| 18 ③ | 19 $\frac{4}{105}$ | 20 $\frac{1}{3}$ |
| 21 ② | 22 $\frac{3}{8}$ | 23 $\frac{66}{125}$ |
| 24 $\frac{1}{35}$ | 25 53 | 26 13 |
| 27 ② | 28 $\frac{2}{3}$ | 29 6 |
| 30 $\frac{3}{7}$ | 31 $\frac{11}{60}$ | 32 ③ |
| 33 ⑤ | 34 $\frac{5}{143}$ | 35 27 |
| 36 ③ | 37 $\frac{1}{16}$ | 38 32 |
| 39 ① | 40 55 | 41 35 |
| 42 ③ | 43 $\frac{7}{3}$ | |
| 44 ③ | 45 $\frac{1}{2}$ | 46 $\frac{2}{3}$ |
| 47 ③ | 48 $\frac{1}{6}$ | 49 33 |
| 50 $\frac{15}{512}$ | 51 $\frac{1}{10}$ | 52 $\frac{2}{9}$ |
| 53 ④ | 54 $\frac{27}{10}$ | 55 12 |
| 56 ③ | 57 $\frac{1}{125}$ | |
| 58 ③ | 59 $\frac{3}{14}$ | |

## 04 덧셈정리와 조건부확률
본문 041~050쪽

01 ④    02 $\frac{1}{2}$    03 $\frac{2}{3}$

04 ④    05 ①    06 $\frac{3}{4}$

07 $\frac{2}{3}$    08 $\frac{3}{10}$

09 ③    10 $\frac{1}{2}$    11 $\frac{5}{12}$

12 $\frac{11}{12}$    13 50 %    14 ④

15 $\frac{1}{3}$    16 $\frac{9}{25}$    17 ③

18 ②    19 73    20 $\frac{13}{25}$

21 $\frac{9}{14}$    22 ④    23 2

24 ④    25 $\frac{13}{25}$    26 $\frac{5}{6}$

27 ③    28 $\frac{5}{8}$    29 $\frac{1}{3}$

30 $\frac{49}{40}$    31 ②    32 $\frac{2}{9}$

33 $\frac{21}{41}$    34 $\frac{6}{19}$    35 ③

36 73    37 ①    38 $\frac{1}{4}$

39 ①    40 0.49    41 ②

42 4    43 $\frac{14}{17}$

44 $\frac{1}{10}$    45 $\frac{8}{21}$    46 ④

47 31    48 47    49 ②

50 $\frac{4}{125}$    51 $\frac{2}{3}$    52 79

53 ④    54 $\frac{6}{13}$    55 ②

56 35

57 $\frac{16}{25}$    58 ③

## 05 독립과 독립시행의 확률
본문 053~060쪽

01 ②    02 ⑤    03 ㄴ

04 $\frac{1}{8}$    05 $\frac{19}{25}$    06 ②

07 ②    08 249

09 ⑤    10 $\frac{4}{7}$    11 $\frac{1}{8}$

12 ③    13 ②    14 ②

15 ④    16 ②    17 ④

18 11    19 13    20 ①

21 0.976    22 160    23 19

24 283    25 ③    26 $\frac{3}{16}$

27 $\frac{61}{125}$    28 ③    29 $\frac{8}{27}$

30 $\frac{11}{32}$    31 $\frac{81}{125}$    32 ④

33 $\frac{47}{128}$    34 $\frac{3}{16}$    35 ⑤

36 $\frac{1}{4}$    37 0.3    38 ④

39 ⑤    40 ③    41 $\frac{1}{3}$

42 ④    43 3

44 27    45 $\frac{3}{32}$

## 06 확률변수와 확률분포
본문 063~068쪽

01 3    02 $-\frac{1}{8}$    03 ⑤

04 $\frac{6}{11}$    05 ⑤    06 $\frac{4}{5}$

07 $\frac{1}{2}$    08 $\frac{5}{9}$

09 ①    10 $\frac{1}{2}$    11 1

12 ⑤    13 $\frac{7}{9}$    14 $\frac{5}{12}$

15 $\frac{5}{24}$    16 ④    17 $\frac{3}{5}$

18 ①    19 $\frac{3}{5}$    20 $\frac{11}{36}$

21 ③    22 1    23 $\frac{5}{6}$

24 ②    25 $\frac{1}{7}$    26 1

27 $\frac{3}{4}$    28 ②    29 $\frac{3}{4}$

30 $\frac{3\sqrt{2}}{4}$    31 ③    32 $\frac{7}{12}$

33 ③    34 $\frac{7}{9}$    35 $\frac{1}{7}$

36 125    37 ㄱ, ㄷ

38 ㄱ, ㄷ

## 07 이산확률변수의 평균과 표준편차
본문 071~078쪽

| | | |
|---|---|---|
| 01 $\frac{7}{2}$ | 02 1 | 03 $\frac{6}{5}$ |
| 04 ④ | 05 5 | 06 2 |
| 07 $6\sqrt{5}$ | 08 ④ | |
| 09 ③ | 10 14 | 11 55 |
| 12 ③ | 13 $\frac{5}{4}$ | 14 3000원 |
| 15 $\frac{\sqrt{11}}{2}$ | 16 ② | 17 $\frac{3}{2}$ |
| 18 ① | 19 5 | 20 $\frac{9}{25}$ |
| 21 $\frac{2\sqrt{6}}{7}$ | 22 $\frac{\sqrt{10}}{3}$ | 23 ④ |
| 24 ③ | 25 2 | 26 14 |
| 27 ④ | 28 13 | 29 14 |
| 30 ③ | 31 105 | 32 $\frac{117}{4}$ |
| 33 ⑤ | 34 8 | 35 ㄱ, ㄴ |
| 36 ④ | 37 4 | 38 $\frac{1}{4}$ |
| 39 $\frac{28}{27}$ | 40 $\frac{19}{16}$ | 41 ③ |
| 42 20 | 43 15 | 44 ② |
| 45 $3\sqrt{2}$ | 46 250 | |
| 47 3 | 48 4 | |

## 09 정규분포
본문 089~096쪽

| | | |
|---|---|---|
| 01 15 | 02 ⑤ | 03 0.8185 |
| 04 $\frac{2}{5}$ | 05 0.6826 | 06 364 |
| 07 ⑤ | 08 0.4772 | |
| 09 ㄱ, ㄴ | 10 ② | 11 ③ |
| 12 14 | 13 ④ | 14 74 |
| 15 110 | 16 ③ | 17 ② |
| 18 65 | 19 0.86 | 20 ④ |
| 21 ② | 22 82% | 23 0.82 |
| 24 365개 | 25 70등 | 26 28 |
| 27 ② | 28 91 | 29 ④ |
| 30 0.84 | 31 0.9938 | 32 0.1574 |
| 33 0.1587 | 34 0.8413 | 35 30 |
| 36 ⑤ | 37 0.16 | |
| 38 $\frac{247}{256}$ | 39 0.9772 | 40 ③ |
| 41 ㄱ, ㄴ | 42 ㄱ, ㄴ | 43 64 |
| 44 $\frac{4}{9}$ | 45 ㄱ, ㄷ | 46 0.16 |
| 47 55 | 48 ④ | |

## 08 이항분포
본문 081~086쪽

| | | |
|---|---|---|
| 01 29 | 02 101 | 03 ③ |
| 04 $\frac{11}{16}$ | 05 100 | 06 ③ |
| 07 20 | 08 320 | |
| 09 24 | 10 ④ | 11 30 |
| 12 20 | 13 ④ | 14 5 |
| 15 12 | 16 5 | 17 ④ |
| 18 ③ | 19 17 | 20 910 |
| 21 ② | 22 139 | 23 103 |
| 24 3642 | 25 33 | 26 ① |
| 27 ⑤ | 28 ② | 29 1770 |
| 30 ③ | 31 ④ | |
| 32 281 | 33 ④ | 34 412 |
| 35 $\frac{27}{5}$ | 36 16 | |
| 37 227 | | |

## 10 표본평균의 분포
본문 099~106쪽

| | | |
|---|---|---|
| 01 (1) 16 (2) 12 (3) 6 | | 02 75 |
| 03 $\frac{5}{12}$ | 04 ③ | 05 400 |
| 06 ④ | 07 0.16 | 08 0.0228 |
| 09 ③ | 10 80 | 11 45 |
| 12 $\frac{9}{4}$ | 13 ② | 14 12 |
| 15 $\frac{29}{192}$ | 16 ⑤ | 17 ④ |
| 18 121 | 19 3 | 20 ① |
| 21 $\frac{21}{50}$ | 22 3 | 23 ⑤ |
| 24 ⑤ | 25 ① | 26 0.84 |
| 27 0.1359 | 28 0.1587 | 29 ③ |
| 30 124 | 31 62 | 32 1319.4 g |
| 33 36 | 34 ③ | 35 36 |
| 36 ① | 37 4 | 38 ② |
| 39 $\frac{41}{100}$ | 40 0.0498 | 41 ㄱ, ㄴ |
| 42 ㄱ, ㄴ, ㄷ | 43 ㄱ, ㄷ | |
| 44 ㄱ, ㄴ | 45 0.16 | |

| | | |
|---|---|---|
| **01** $64.84 \leq m \leq 75.16$ | | **02** ④ |
| **03** $69.216 \leq m \leq 70.784$ | | **04** 3 |
| **05** 7396 | **06** 49 | **07** ② |
| **08** ④ | **09** $10.02 \leq m \leq 11.98$ | |
| **10** 249 | **11** ① | **12** $53.92 \leq m \leq 59.08$ |
| **13** 84.34 | **14** ② | **15** 0.6 |
| **16** 98 | **17** 1600명 | **18** ② |
| **19** 225 | **20** 225 | **21** ③ |
| **22** 144명 | **23** ㄱ, ㄴ, ㄷ | **24** ① |
| **25** $11 \leq m \leq 19$ | **26** ⑤ | **27** 41 |
| **28** 290 | **29** 135 | **30** ⑤ |
| **31** ⑤ | **32** ③ | |
| **33** 94회 | **34** ③ | |

$f(z) = \frac{1}{\sqrt{2\pi}} e^{-\frac{z^2}{2}}$

# 표준정규분포표

$P(0 \leq Z \leq z)$는 왼쪽 그림에서 색칠한 부분의 넓이이다.

| z | 0.00 | 0.01 | 0.02 | 0.03 | 0.04 | 0.05 | 0.06 | 0.07 | 0.08 | 0.09 |
|------|-------|-------|-------|-------|-------|-------|-------|-------|-------|-------|
| 0.0 | .0000 | .0040 | .0080 | .0120 | .0160 | .0199 | .0239 | .0279 | .0319 | .0359 |
| 0.1 | .0398 | .0438 | .0478 | .0517 | .0557 | .0596 | .0636 | .0675 | .0714 | .0753 |
| 0.2 | .0793 | .0832 | .0871 | .0910 | .0948 | .0987 | .1026 | .1064 | .1103 | .1141 |
| 0.3 | .1179 | .1217 | .1255 | .1293 | .1331 | .1368 | .1406 | .1443 | .1480 | .1517 |
| 0.4 | .1554 | .1591 | .1628 | .1664 | .1700 | .1736 | .1772 | .1808 | .1844 | .1879 |
| 0.5 | .1915 | .1950 | .1985 | .2019 | .2054 | .2088 | .2123 | .2157 | .2190 | .2224 |
| 0.6 | .2257 | .2291 | .2324 | .2357 | .2389 | .2422 | .2454 | .2486 | .2517 | .2549 |
| 0.7 | .2580 | .2611 | .2642 | .2673 | .2704 | .2734 | .2764 | .2794 | .2823 | .2852 |
| 0.8 | .2881 | .2910 | .2939 | .2967 | .2995 | .3023 | .3051 | .3078 | .3106 | .3133 |
| 0.9 | .3159 | .3186 | .3212 | .3238 | .3264 | .3289 | .3315 | .3340 | .3365 | .3389 |
| 1.0 | .3413 | .3438 | .3461 | .3485 | .3508 | .3531 | .3554 | .3577 | .3599 | .3621 |
| 1.1 | .3643 | .3665 | .3686 | .3708 | .3729 | .3749 | .3770 | .3790 | .3810 | .3830 |
| 1.2 | .3849 | .3869 | .3888 | .3907 | .3925 | .3944 | .3962 | .3980 | .3997 | .4015 |
| 1.3 | .4032 | .4049 | .4066 | .4082 | .4099 | .4115 | .4131 | .4147 | .4162 | .4177 |
| 1.4 | .4192 | .4207 | .4222 | .4236 | .4251 | .4265 | .4279 | .4292 | .4306 | .4319 |
| 1.5 | .4332 | .4345 | .4357 | .4370 | .4382 | .4394 | .4406 | .4418 | .4429 | .4441 |
| 1.6 | .4452 | .4463 | .4474 | .4484 | .4495 | .4505 | .4515 | .4525 | .4535 | .4545 |
| 1.7 | .4554 | .4564 | .4573 | .4582 | .4591 | .4599 | .4608 | .4616 | .4625 | .4633 |
| 1.8 | .4641 | .4649 | .4656 | .4664 | .4671 | .4678 | .4686 | .4693 | .4699 | .4706 |
| 1.9 | .4713 | .4719 | .4726 | .4732 | .4738 | .4744 | .4750 | .4756 | .4761 | .4767 |
| 2.0 | .4772 | .4778 | .4783 | .4788 | .4793 | .4798 | .4803 | .4808 | .4812 | .4817 |
| 2.1 | .4821 | .4826 | .4830 | .4834 | .4838 | .4842 | .4846 | .4850 | .4854 | .4857 |
| 2.2 | .4861 | .4864 | .4868 | .4871 | .4875 | .4878 | .4881 | .4884 | .4887 | .4890 |
| 2.3 | .4893 | .4896 | .4898 | .4901 | .4904 | .4906 | .4909 | .4911 | .4913 | .4916 |
| 2.4 | .4918 | .4920 | .4922 | .4925 | .4927 | .4929 | .4931 | .4932 | .4934 | .4936 |
| 2.5 | .4938 | .4940 | .4941 | .4943 | .4945 | .4946 | .4948 | .4949 | .4951 | .4952 |
| 2.6 | .4953 | .4955 | .4956 | .4957 | .4959 | .4960 | .4961 | .4962 | .4963 | .4964 |
| 2.7 | .4965 | .4966 | .4967 | .4968 | .4969 | .4970 | .4971 | .4972 | .4973 | .4974 |
| 2.8 | .4974 | .4975 | .4976 | .4977 | .4977 | .4978 | .4979 | .4979 | .4980 | .4981 |
| 2.9 | .4981 | .4982 | .4982 | .4983 | .4984 | .4984 | .4985 | .4985 | .4986 | .4986 |
| 3.0 | .4987 | .4987 | .4987 | .4988 | .4988 | .4989 | .4989 | .4989 | .4990 | .4990 |
| 3.1 | .4990 | .4991 | .4991 | .4991 | .4992 | .4992 | .4992 | .4992 | .4993 | .4993 |
| 3.2 | .4993 | .4993 | .4994 | .4994 | .4994 | .4994 | .4994 | .4995 | .4995 | .4995 |
| 3.3 | .4995 | .4995 | .4995 | .4996 | .4996 | .4996 | .4996 | .4996 | .4996 | .4997 |
| 3.4 | .4997 | .4997 | .4997 | .4997 | .4997 | .4997 | .4997 | .4997 | .4997 | .4998 |

"대박! 수능과 정말 똑같아!!!"

EBS
연계율 70% vs 짱 적중률 87%

수포자도
4등급은 기본,
3등급까지

2등급은 기본,
1등급까지

만점 도전자의
필수 교재

기본+기출+예상의 수준별 · 유형별 수능 기출문제집!

짱 쉬운, 중요한, 어려운 유형

[수준별 5권] 수학Ⅰ, 수학Ⅱ, 확률과 통계, 미적분, 기하

짱시리즈의 완결판!

# 짱 Final 실전모의고사

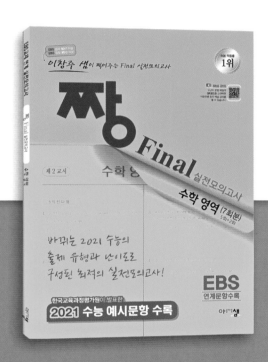

짱 시리즈는 연계가 아니라 적중입니다!!!

수능 문제지와
가장 유사한
난이도와 문제로 구성된
실전 모의고사 7회

EBS교재
연계 문항을 수록한
실전 모의고사 교재

최상위권 유형별
문제기본서 하이 하이

# Hi High

## 확률과 통계

정답 및 해설

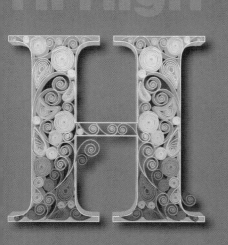

최상위권 유형별

아름다운샘

아름다운 샘과 함께
수학의 자신감과 최고 실력을 완성!!!

아름다운 샘과 함께
수학의 자신감과 최고 실력을 완성!!!

# Hi High
## 확률과 통계

정답 및 해설

**01** 특정한 세 명을 묶어서 1명으로 생각하면 6명이 원형 탁자에 둘러앉는 방법의 수는 $(6-1)!=5!$
특정한 세 명끼리 자리를 바꾸는 방법의 수는 $3!$
따라서 구하는 방법의 수는
$5! \times 3! = 720$ ▤ ④

**02** (ⅰ) A식탁에 4명의 학생을 앉힐 때, 구하는 방법의 수는 4명을 원형으로 앉히는 방법의 수와 같으므로 $(4-1)!=3!=6$
(ⅱ) B식탁에 6명의 학생을 앉힐 때, 6명을 원형으로 앉히는 방법의 수는 $(6-1)!=5!$
B식탁에서는 원형으로 앉는 한 가지 방법에 대하여 그림과 같이 3가지의 서로 다른 경우가 있다.

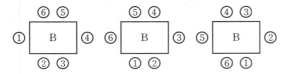

즉, 구하는 방법의 수는
$5! \times 3 = 360$
(ⅰ), (ⅱ)에서 $a=6$, $b=360$이므로
$a+b=366$ ▤ 366

**03** A를 칠하는 방법의 수는 5이고 그 각각에 대하여 나머지 네 부분을 칠하는 방법의 수는 A에 칠한 색을 제외한 4가지의 색을 원형으로 배열하는 원순열의 수이므로
$(4-1)!=3!$
따라서 구하는 방법의 수는
$5 \times 3! = 30$ ▤ 30

**04** 합격, 불합격의 판정이 중복이 가능하므로 서로 다른 2가지 판정에서 6가지를 택하는 중복순열이다.
$\therefore {}_2\Pi_6 = 2^6 = 64$ ▤ 64

**05** (ⅰ) 한 자리 자연수
일의 자리에 1, 2, 3, 4가 모두 올 수 있으므로 그 개수는 4
(ⅱ) 두 자리 자연수
십의 자리, 일의 자리에 1, 2, 3, 4가 모두 중복하여 올 수 있으므로 그 개수는 ${}_4\Pi_2 = 4^2 = 16$
(ⅲ) 세 자리 자연수
백의 자리, 십의 자리, 일의 자리에 1, 2, 3, 4가 모두 중복하여 올 수 있으므로 그 개수는 ${}_4\Pi_3 = 4^3 = 64$
(ⅰ), (ⅱ), (ⅲ)에서 구하는 자연수의 개수는
$4+16+64=84$ ▤ 84

**06** 구하는 자연수의 개수는 2가 2개, 3이 2개, 5가 1개인 5개의 숫자를 일렬로 배열하는 경우의 수와 같으므로
$\dfrac{5!}{2!2!} = 30$ ▤ 30

**07** A지점에서 P지점을 지나지 않고 B지점으로 가는 최단 경로의 수는 (전체 최단 경로의 수)$-$(P지점을 지나는 최단 경로의 수)
A지점에서 B지점으로 가는 최단 경로의 수는
$\dfrac{9!}{5!4!} = 126$
A지점에서 P지점을 지나 B지점으로 가는 최단 경로의 수는
$\dfrac{4!}{3!} \times \dfrac{5!}{2!3!} = 40$
따라서 구하는 최단 경로의 수는
$126-40=86$ ▤ 86

**08** $A=\{2, 4, 6, 8, 10\}$, $B=\{1, 2, 5, 10\}$이므로 구하는 함수의 개수는 집합 $B$의 원소 1, 2, 5, 10에서 중복을 허용하여 5개(집합 $A$의 원소의 개수)를 택하는 중복순열의 수와 같으므로
${}_4\Pi_5 = 4^5$ ▤ ③

**09** 특정한 구슬 2개씩을 묶어서 하나로 생각하면 4개의 구슬을 원형으로 배열하는 방법의 수는
$(4-1)!=3!$
각 묶음마다 2개의 구슬이 서로 자리를 바꾸는 방법의 수는
$2 \times 2 \times 2 \times 2 = 2^4$
따라서 구하는 방법의 수는
$3! \times 2^4$ ▤ ①

**10** 남자 회원 4명이 원형 탁자에 둘러앉는 방법의 수는
$(4-1)!=3!$
여자 회원 4명은 남자 회원 사이사이의 4개의 자리에 앉으면 되므로 그 방법의 수는 ${}_4P_4 = 4!$
따라서 구하는 방법의 수는
$3! \times 4! = 144$ ▤ 144

**11**

초등학생 2명을 묶어서 한 명으로 생각하면 고등학생 3명을 포함하여 4명이 원형 탁자에 둘러앉는 방법의 수는
$(4-1)!=3!$
초등학생끼리 자리를 바꾸는 방법의 수는 2
중학생 2명은 초등학생과 고등학생 사이사이의 4개의 자리 중에서 2개의 자리에 앉으면 되므로 그 방법의 수는 ${}_4P_2$
따라서 구하는 방법의 수는
$3! \times 2 \times {}_4P_2 = 144$ ▤ 144

**12** 12명을 원형으로 앉히는 방법의 수는
$(12-1)!=11!$
주어진 정육각형 모양의 탁자에서는 원형으로 앉는 한 가지 방법에 대하여 그림과 같이 6가지의 서로 다른 경우가 있다.

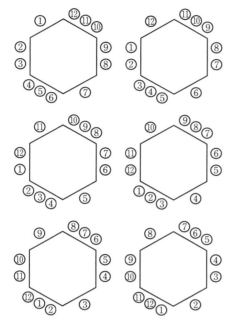

즉, 구하는 방법의 수는
$11!\times 6=\dfrac{1}{2}\times 12!$    $\therefore a=\dfrac{1}{2}$    🔑 $\dfrac{1}{2}$

**13** 먼저 남학생 4명을 앉히는 방법의 수는
$(4-1)!=3!$
나머지 의자에 여학생 4명을 앉히는 방법의 수는
$4!$
붙어 있는 의자에서 남녀가 자리를 바꾸는 방법의 수는
$2\times2\times2\times2=16$
따라서 구하는 방법의 수는
$3!\times4!\times16=2304$    🔑 ②

**14** 방송반, 신문반, 사진반, 미술반, 연극반, 합창반 반장들을 각각 A, B, C, D, E, F라 하자.

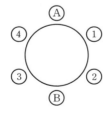

그림과 같이 A를 한 자리에 앉히면 맞은편 자리에는 B가 앉아야 하고, F는 1번 또는 4번 자리에 앉아야 하므로 방법의 수는 2
또 F의 자리가 정해지면 그 맞은편 자리에 E가 앉아야 하고, 나머지 두 자리에 C, D가 앉으면 되므로 방법의 수는 2
따라서 구하는 방법의 수는
$2\times2=4$    🔑 4

**15** 가운데 정사각형을 칠하는 방법의 수는 9이고 그 각각에 대하여 나머지 8개의 정사각형을 칠하는 방법의 수는 가운데 정사

각형에 칠한 색을 제외한 8가지의 색을 원형으로 배열하는 원순열의 수이므로 $(8-1)!=7!$
바깥의 8개의 정사각형을 칠하는 한 가지 방법에 대하여 2가지의 서로 다른 경우가 있으므로 구하는 방법의 수는
$9\times7!\times2=126\times6!$
$\therefore a=126$    🔑 126

**16** 정삼각기둥의 두 밑면은 서로 구분이 되지 않으므로 두 밑면을 칠하는 방법의 수는 $5\times4\times\dfrac{1}{2}=10$
옆면에 색을 칠하는 방법의 수는 $(3-1)!=2!$
따라서 구하는 방법의 수는
$10\times2!=20$    🔑 20
참고
두 밑면을 칠하는 방법의 수는 $_5C_2=10$으로 구할 수도 있다.

**17** 안쪽의 4개의 직각삼각형에 칠하는 방법의 수는 8가지의 색 중에서 4가지의 색을 택하여 원형으로 배열하는 원순열의 수이므로
$\dfrac{_8P_4}{4}$
그 각각에 대하여 나머지 4가지의 색을 바깥쪽의 4개의 직각삼각형에 칠하는 방법의 수는 4!
따라서 구하는 방법의 수는
$\dfrac{_8P_4}{4}\times4!=420\times24=10080$    🔑 ①
참고
서로 다른 $n$개에서 $r$개를 택하여 원형으로 배열하는 원순열의 수
➡ $\dfrac{_nP_r}{r}$

**18** 서로 다른 종류의 연필 5자루를 4명의 학생 A, B, C, D에게 남김없이 나누어 주는 방법의 수는 A, B, C, D에서 중복을 허락하여 5개를 택하는 중복순열의 수이므로
$_4\Pi_5=4^5=1024$    🔑 ①

**19** 두 문자 D, G가 중복이 가능하므로 2개의 문자에서 4개를 택하는 중복순열이다.
$\therefore {_2\Pi_4}=2^4=16$    🔑 16

**20** 각각의 점은 튀어나오거나 그렇지 않은 2가지 경우가 있으므로 서로 다른 2가지에서 6가지를 택하는 중복순열이다.
$\therefore {_2\Pi_6}=2^6=64$
모든 점이 튀어나오지 않는 경우는 제외되므로 구하는 문자의 개수는 $64-1=63$    🔑 63

**21** 서로 다른 과일 5개 중에서 그릇 A에 2개를 담는 방법의 수는
$_5C_2=\dfrac{5\times4}{2\times1}=10$
이 각각에 대하여 나머지 3개의 과일을 두 개의 그릇 B, C에 담는 방법의 수는 $_2\Pi_3=2^3=8$
따라서 구하는 방법의 수는
$10\times8=80$    🔑 80

**22** 3개의 상자 A, B, C에 서로 다른 5개의 공을 임의로 넣는 경우는 3개의 상자에서 5개를 택하는 중복순열이므로

$_3\Pi_5=3^5=243$

상자에 있는 공에 적힌 숫자의 합이 13 이상인 상자가 존재하는 방법의 수는 다음과 같다.

(ⅰ) 세 상자 중에서 어느 한 상자에 1, 3, 4, 5가 들어가고 2는 나머지 두 상자 중에서 어느 하나에 들어가는 방법의 수는

$3\times2=6$

(ⅱ) 세 상자 중에서 어느 한 상자에 2, 3, 4, 5가 들어가고 1은 나머지 두 상자 중에서 어느 하나에 들어가는 방법의 수는

$3\times2=6$

(ⅲ) 세 상자 중에서 어느 한 상자에 1, 2, 3, 4, 5가 들어가는 방법의 수는 3

따라서 구하는 방법의 수는

$243-(6+6+3)=228$ ▣ **228**

**23** 1개를 사용하여 만들 수 있는 신호의 개수는

$_2\Pi_1=2^1=2$

2개를 사용하여 만들 수 있는 신호의 개수는

$_2\Pi_2=2^2=4$

3개를 사용하여 만들 수 있는 신호의 개수는

$_2\Pi_3=2^3=8$

$\vdots$

$n$개를 사용하여 만들 수 있는 신호의 개수는

$_2\Pi_n=2^n$

즉, $n$개까지 사용하여 만들 수 있는 신호의 개수는

$2+4+8+\cdots+2^n=\dfrac{2(2^n-1)}{2-1}=2^{n+1}-2$

한편, 500가지의 서로 다른 신호를 만들어야 하므로

$2^{n+1}-2\geq500$   $\therefore 2^{n+1}\geq502$

$2^8=256,\ 2^9=512$이므로

$n+1\geq9$   $\therefore n\geq8$

따라서 두 부호를 합쳐서 최소한 8개를 사용해야 한다.

▣ ③

**24** 천의 자리에는 0을 제외한 1, 2, 3, 4가 올 수 있고, 일의 자리에는 1, 3이 올 수 있으므로 그 경우의 수는

$4\times2=8$

이들 각각에 대하여 백의 자리, 십의 자리에는 0, 1, 2, 3, 4가 모두 중복하여 올 수 있으므로 그 경우의 수는

$_5\Pi_2=5^2=25$

따라서 구하는 홀수의 개수는

$8\times25=200$ ▣ ⑤

**25** 1, 2, 3, 4, 5 중에서 중복을 허용하여 만들 수 있는 두 자리 자연수의 개수는 $_5\Pi_2=5^2=25$

주어진 다섯 개의 숫자는 모두 일의 자리와 십의 자리에 각각 5번씩 들어간다.

따라서 25개의 두 자리 자연수를 모두 합하면

$(1+2+3+4+5)\times5\times10+(1+2+3+4+5)\times5$

$=(1+2+3+4+5)\times55$

$=825$ ▣ **825**

**26** 0, 1, 2, 3, 4, 5 중에서 중복을 허용하여 만들 수 있는 네 자리 자연수를 크기가 작은 것부터 나열하면

(ⅰ) 1□□□, 2□□□ 꼴

$2\times_6\Pi_3=2\times6^3=432$

(ⅱ) 30□□ 꼴

$_6\Pi_2=6^2=36$

(ⅲ) 310□, 311□, 312□, 313□, 314□ 꼴

$5\times_6\Pi_1=30$

(ⅳ) 3150의 1개

(ⅰ)~(ⅳ)에서 $432+36+30+1=499$이므로

500번째에 나열되는 수는 3151이다. ▣ ⑤

**27** (ⅰ) 일의 자리에 0이 오는 경우의 수는

$\dfrac{6!}{3!2!}=60$

(ⅱ) 일의 자리에 2가 오는 경우의 수는 맨 앞자리에 0이 오는 경우의 수를 빼야 하므로

$\dfrac{6!}{3!2!}-\dfrac{5!}{3!2!}=60-10=50$

(ⅰ), (ⅱ)에서 구하는 짝수의 개수는

$60+50=110$ ▣ ⑤

**28** 4개의 문자 N, E, E, D를 일렬로 배열하는 경우의 수는

$\dfrac{4!}{2!}=12$

4개의 숫자 2, 2, 4, 4를 일렬로 배열하는 경우의 수는

$\dfrac{4!}{2!2!}=6$

문자와 숫자가 교대로 오도록 배열하려면 문자를 일렬로 배열한 후 그 사이사이에 숫자를 배열하면 되는데 맨 앞에 문자가 올 경우와 숫자가 올 경우 2가지가 있으므로 구하는 경우의 수는

$2\times12\times6=144$ ▣ **144**

**29** (ⅰ) a끼리 이웃하는 경우의 수는 a, a를 묶어서 A로 생각하여 A, b, b, c, d, e를 일렬로 배열하면 되므로 $\dfrac{6!}{2!}=360$

(ⅱ) b끼리 이웃하는 경우의 수는 b, b를 묶어서 B로 생각하여 a, a, B, c, d, e를 일렬로 배열하면 되므로 $\dfrac{6!}{2!}=360$

(ⅲ) a끼리 이웃하고, b끼리 이웃하는 경우의 수는 a, a를 묶어서 A로, b, b를 묶어서 B로 생각하여 A, B, c, d, e를 일렬로 배열하면 되므로 $5!=120$

(ⅰ), (ⅱ), (ⅲ)에서 구하는 경우의 수는

$360+360-120=600$ ▣ **600**

**30** 자음은 S, T, D, N, T이므로 양 끝에 자음이 오는 경우의 수는 다음과 같다.

(ⅰ) 양 끝에 모두 T가 오는 경우의 수는

$5!=120$

(ⅱ) 한쪽 끝에만 T가 오는 경우의 수는

$2\times_3C_1\times5!=720$

(ⅲ) 양 끝에 T가 오지 않는 경우의 수는

$$_3P_2 \times \frac{5!}{2!} = 360$$

(i), (ii), (iii)에서 구하는 경우의 수는
$120 + 720 + 360 = 1200$　　　　　　　　　📖 ④

**31** a, b, c와 e, d의 순서가 정해져 있으므로 a, b, c와 e, d를 각각 X, Y로 생각하여 5개의 문자 X, X, X, Y, Y를 일렬로 배열한 후 첫 번째 X는 a, 두 번째 X는 b, 세 번째 X는 c, 첫 번째 Y는 e, 두 번째 Y는 d로 바꾸면 된다.
따라서 구하는 경우의 수는
$$\frac{5!}{3!2!} = 10$$　　　　　　　　　📖 10

**32**

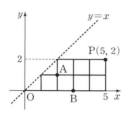

점 P가 이동할 수 있는 경로는 그림과 같은 도로망이고, 주어진 규칙대로 움직이면 점 P는 점 (5, 2)까지 최단 경로로 움직이게 된다.
점 P가 이동할 수 있는 경로의 수는
(i) $O \to A \to P : 2 \times \frac{4!}{3!} = 8$

(ii) $O \to B \to P : 1 \times \frac{4!}{2!2!} = 6$

(i), (ii)에서 구하는 경로의 수는
$8 + 6 = 14$　　　　　　　　　📖 14

**33** A지점에서 C지점까지 최단 거리로 가는 방법의 수는
$$\frac{5!}{3!2!} = 10$$
C지점에서 B지점까지 최단 거리로 가는 방법의 수는
$$\frac{5!}{3!2!} = 10$$
C지점에서 D지점을 지나 B지점까지 최단 거리로 가는 방법의 수는
$$2! \times \frac{3!}{2!} = 6$$
따라서 구하는 방법의 수는
$10 \times (10 - 6) = 40$　　　　　　　　　📖 40

**34**

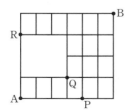

A지점에서 B지점으로 가는 최단 경로의 수는 다음과 같이 3가지의 경우로 나누어 생각할 수 있다.

(i) $A \to P \to B : 1 \times \frac{6!}{2!4!} = 15$

(ii) $A \to Q \to B : \frac{4!}{3!} \times \frac{6!}{3!3!} = 80$

(iii) $A \to R \to B : 1 \times \frac{7!}{6!} = 7$

(i), (ii), (iii)에서 구하는 최단 경로의 수는
$15 + 80 + 7 = 102$　　　　　　　　　📖 102

**35**

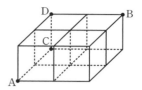

그림과 같이 정육면체 4개를 붙인 경우 꼭짓점 A에서 꼭짓점 B까지 최단 경로로 이동하려면 가로, 세로, 높이의 방향으로 각각 2번, 2번, 1번 이동해야 한다.
$$\therefore \frac{5!}{2!2!} = 30$$
구하는 최단 경로의 수는 꼭짓점 A에서 꼭짓점 C 또는 꼭짓점 D를 거쳐 꼭짓점 B로 가는 최단 경로의 수를 빼면 된다.
$A \to C \to B$, $A \to D \to B$로 가는 최단 경로의 수는 각각
$$\frac{3!}{2!} = 3$$
또 두 꼭짓점 C, D를 모두 거쳐 가는 경우의 1가지가 중복되므로 구하는 최단 경로의 수는
$30 - (3 + 3 - 1) = 25$　　　　　　　　　📖 25

**36** 치역의 모든 원소의 곱이 짝수이기 위해서는 치역에 적어도 하나의 짝수가 존재해야 한다.
집합 $A$에서 집합 $A$로의 모든 함수의 개수는
$$_4\Pi_4 = 4^4 = 256$$
집합 $A$에서 집합 $\{1, 3\}$으로의 함수의 개수는
$$_2\Pi_4 = 2^4 = 16$$
따라서 구하는 함수의 개수는
$256 - 16 = 240$　　　　　　　　　📖 240

**37** $X = \{2, 3, 5, 7\}$, $Y = \{1, 2, 5, 10\}$이므로
$f(2)f(3) = 10$이 되는 경우는
$f(2) = 1$, $f(3) = 10$ 또는
$f(2) = 2$, $f(3) = 5$ 또는
$f(2) = 5$, $f(3) = 2$ 또는
$f(2) = 10$, $f(3) = 1$
$X$의 나머지 원소 5, 7에 대응할 수 있는 $Y$의 원소의 개수는 서로 다른 4개에서 중복을 허용하여 2개를 택하는 중복순열의 수와 같으므로
$$_4\Pi_2 = 4^2 = 16$$
따라서 구하는 함수 $f$의 개수는
$4 \times 16 = 64$　　　　　　　　　📖 64

**38** $Y = \{1, 2, 3, 6, 9, 18\}$이므로 $f(1) + f(3)$의 값이 홀수인 경우는 다음과 같다.
(i) $f(1) = (짝수)$, $f(3) = (홀수)$
$f(1)$의 값이 될 수 있는 것은 2, 6, 18
$f(3)$의 값이 될 수 있는 것은 1, 3, 9

이므로 그 경우의 수는

$3 \times 3 = 9$

$X$의 나머지 원소 2, 4, 5에 대응할 수 있는 $Y$의 원소의 개수는 서로 다른 6개에서 중복을 허용하여 3개를 택하는 중복순열의 수와 같으므로

$_6\Pi_3 = 6^3 = 216$

$\therefore 9 \times 216 = 1944$

(ii) $f(1) = (홀수)$, $f(3) = (짝수)$

(i)과 마찬가지 방법으로 구하면

$9 \times 216 = 1944$

(i), (ii)에서 구하는 함수 $f$의 개수는

$1944 + 1944 = 3888$

답 ④

**39** 조건 ㈎에 의하여 C, D가 앉을 수 있는 경우는 그림과 같고, 그 각각에 대하여 C, D가 자리를 바꿀 수 있으므로 C, D가 앉는 방법의 수는 $4 \times 2 = 8$

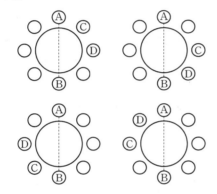

위의 각각의 경우에 대하여 조건 ㈏, ㈐에 의하여 C, D가 앉는 맞은편의 세 자리에 E, G, F 또는 E, H, F가 이 순서대로 앉아야 하고, 그 각각에 대하여 E, F가 자리를 바꿀 수 있으므로 E, F, G, H가 앉는 방법의 수는 $2 \times 2 = 4$

따라서 구하는 방법의 수는

$8 \times 4 = 32$

답 ②

참고

위 그림의 한 가지 경우에 대하여 E, F, G, H가 앉는 방법은 그림과 같이 4가지가 있다.

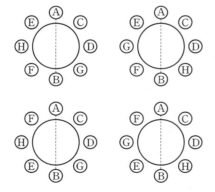

**40** 직육면체의 두 밑면은 서로 구분이 되지 않으므로 두 밑면을 칠하는 방법의 수는

$6 \times 5 \times \dfrac{1}{2} = 15$

나머지 4개의 옆면을 칠하는 방법의 수는 원순열의 수에서 서로 다른 2가지의 경우가 있으므로

$(4-1)! \times 2 = 12$

따라서 구하는 방법의 수는

$15 \times 12 = 180$

답 180

**41** 주어진 원의 각 부분에 5가지의 색을 모두 칠하려면 어느 두 부분에는 반드시 같은 색을 칠해야 하므로 그림과 같이 2가지의 경우가 있다.

[그림1]          [그림2]

(i) [그림1]의 경우

같은 색을 두 부분에 칠하는 방법의 수는 5

그 각각에 대하여 나머지 네 부분을 칠하는 방법의 수는 나머지 4가지의 색을 원형으로 배열하는 방법의 수와 같으므로

$(4-1)! = 3!$

4가지의 색을 원형으로 칠하는 한 가지 방법에 대하여 2가지의 서로 다른 경우가 있으므로 구하는 방법의 수는

$5 \times 3! \times 2 = 60$

(ii) [그림2]의 경우

같은 색을 두 부분에 칠하는 방법의 수는 5

그 각각에 대하여 나머지 네 부분을 칠하는 방법의 수는 나머지 4가지의 색을 원형으로 배열하는 방법의 수와 같으므로

$(4-1)! = 3!$

4가지의 색을 원형으로 칠하는 한 가지 방법에 대하여 4가지의 서로 다른 경우가 있으므로 구하는 방법의 수는

$5 \times 3! \times 4 = 120$

(i), (ii)에서 구하는 방법의 수는

$60 + 120 = 180$

답 180

**42** 두 문자 ㄱ, ㄴ을 중복을 허용하여 20번 이하로 사용할 때, 만들 수 있는 서로 다른 기호의 개수는 중복순열의 수를 이용하여 구할 수 있다.

1번 사용하여 만들 수 있는 기호의 개수는 $_2\Pi_1 = 2$

2번 사용하여 만들 수 있는 기호의 개수는 $_2\Pi_2 = 2^2$

3번 사용하여 만들 수 있는 기호의 개수는 $_2\Pi_3 = 2^3$

$\vdots$

20번 사용하여 만들 수 있는 기호의 개수는 $_2\Pi_{20} = 2^{20}$

따라서 구하는 기호의 개수는

$2 + 2^2 + 2^3 + \cdots + 2^{20} = \dfrac{2(2^{20}-1)}{2-1} = 2(2^{20}-1)$

답 ④

**43** C와 c를 양 끝에 나열하는 경우의 수는 2

한편, A, a와 B, b의 순서가 정해져 있으므로 A, a와 B, b를 각각 X, Y로 생각하고, D, d는 이웃하므로 묶어서 한 문자 Z로 생각하여 X, X, Y, Y, Z를 일렬로 나열한 후, 첫 번째 X는 A, 두 번째 X는 a, 첫 번째 Y는 b, 두 번째 Y는 B로 바꾸면 된다.

$\therefore \dfrac{5!}{2!2!} = 30$

D와 d의 자리를 바꾸는 경우의 수는 2

따라서 구하는 경우의 수는

$2 \times 30 \times 2 = 120$

**目** 120

**44** 6개의 숫자로 여섯 자리 자연수를 만드는 경우의 수는 맨 앞자리에 0이 오는 경우의 수를 **빼야** 하므로

$$\frac{6!}{2!2!} - \frac{5!}{2!2!} = 180 - 30 = 150$$

2끼리 이웃하는 경우의 수는

$$\frac{5!}{2!} - \frac{4!}{2!} = 60 - 12 = 48$$

6끼리 이웃하는 경우의 수는

$$\frac{5!}{2!} - \frac{4!}{2!} = 60 - 12 = 48$$

2끼리 이웃하고, 6끼리 이웃하는 경우의 수는

$4! - 3! = 24 - 6 = 18$

따라서 같은 숫자가 서로 이웃하지 않는 자연수의 개수는

$150 - (48 + 48 - 18) = 72$

**目** 72

**45**

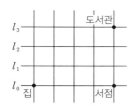

철수가 집에서 서점까지 갈 수 있는 경우는 다음의 네 가지 경우가 있다.

(i) 연락받은 교차로가 $l_0$에 있는 경우: 1(가지)

(ii) 연락받은 교차로가 $l_1$에 있는 경우: $\dfrac{6!}{4!2!} = 15$(가지)

(iii) 연락받은 교차로가 $l_2$에 있는 경우: $\dfrac{8!}{4!4!} = 70$(가지)

(iv) 연락받은 교차로가 $l_3$에 있는 경우: $\dfrac{10!}{4!6!} = 210$(가지)

(i)~(iv)에서 구하는 경로의 수는

$1 + 15 + 70 + 210 = 296$

**目** 296

**46** $f(a) + f(b) + f(c) + f(d) = 8$이므로 집합 $B$의 원소인 1, 2, 3, 4에서 중복을 허용하여 4개를 택하여 그 합이 8이 되도록 만드는 방법은 다음과 같다.

$(1, 1, 2, 4), (1, 1, 3, 3), (1, 2, 2, 3), (2, 2, 2, 2)$

따라서 함수 $f$의 개수는

$$\frac{4!}{2!} + \frac{4!}{2!2!} + \frac{4!}{2!} + \frac{4!}{4!} = 12 + 6 + 12 + 1 = 31$$

**目** 31

**47** 조건 ㈎에서 함수 $f$의 치역의 원소의 개수는 2이므로
집합 {1, 2, 3, 4}에서 뽑은 치역의 원소를 각각 $a$, $b$라 하면 치역이 될 수 있는 집합의 개수는

$_4C_2 = 6$

조건 ㈏에서 합성함수 $f \circ f$의 치역의 원소의 개수가 1이므로 정의역을 $\{a, b, c, d\}$라 하면

$f(a) = a, f(b) = a$ 또는 $f(a) = b, f(b) = b$이어야 한다.

(i) $f(a) = a, f(b) = a$인 경우

$a$, $b$를 제외한 나머지 두 원소 중에서 적어도 하나는 치역의 원소 $b$에 대응되어야 하므로

$_2\Pi_2 - 1 = 2^2 - 1 = 3$

(ii) $f(a) = b, f(b) = b$인 경우

(i)과 마찬가지 방법으로 구하면

$_2\Pi_2 - 1 = 2^2 - 1 = 3$

따라서 구하는 함수 $f$의 개수는

$6 \times (3 + 3) = 36$

**目** 36

**48**

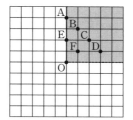

O지점을 출발한 로봇이 전체의 $\dfrac{1}{4}$인 어두운 부분에서 4번 이동해서 도착할 수 있는 지점은 A, B, C, D, E, F이므로 구하는 경로의 수는 A, B, C, D, E, F에 도착하는 경로의 수에 4배를 하면 된다.

(i) A에 도착하는 경우: 1가지

(ii) B에 도착하는 경우: $\dfrac{4!}{3!} = 4$(가지)

(iii) C에 도착하는 경우: $\dfrac{4!}{2!2!} = 6$(가지)

(iv) D에 도착하는 경우: $\dfrac{4!}{3!} = 4$(가지)

(v) E에 도착하는 경우:

① ↑→↑← ② →↑←↑ ③ →↑↑← ④ ↑←↑→
⑤ ←↑→↑ ⑥ ←↑↑→

의 6가지

(vi) F에 도착하는 경우:

① →→↑← ② ↓→↑↑ ③ ←↑→→ ④ ↑↑→↓

의 4가지

(i)~(vi)에서 구하는 경로의 수는

$(1 + 4 + 6 + 4 + 6 + 4) \times 4 = 100$

**目** 100

**다른 풀이**

로봇이 O지점에서 →, ←, ↑, ↓의 4가지 방향으로 이동할 수 있으므로 첫 번째로 이동할 수 있는 경로는 4가지이고, 두 번째로 이동할 수 있는 경로는 방금 통과한 지점을 다시 지나지 않도록 첫 번째 이동한 방향과 반대 방향의 경로를 제외한 3가지이다.

마찬가지 방법으로 로봇이 세 번째, 네 번째 이동할 수 있는 경로도 각각 3가지이다. 즉, 로봇이 4번 이동하는 경로의 수는

$4 \times 3 \times 3 \times 3 = 108$

또 출발점과 도착점이 일치하는 경로는 로봇이 O지점에서 4번만에 다시 O지점으로 돌아오는 경로의 8가지이다.

따라서 구하는 경로의 수는 로봇이 4번 이동하는 경로의 수에서 출발점과 도착점이 일치하는 경로의 수를 **빼면** 되므로

$108 - 8 = 100$

**01** A, B, C의 3명에게 7개의 구슬을 나누어 주는 방법의 수는 서로 다른 3개에서 중복을 허용하여 7개를 택하는 중복조합의 수이므로 $_3H_7=_{3+7-1}C_7=_9C_7=_9C_2=36$ **답** ②

**02** $(a+b+c)^5$의 전개식에서 서로 다른 항의 개수는 $a$, $b$, $c$ 세 문자 중에서 5개를 택하는 중복조합의 수와 같으므로
$_3H_5=_{3+5-1}C_5=_7C_5=_7C_2=21$
그런데 한 문자만 있는 항은 $a^5$, $b^5$, $c^5$의 3개이므로 두 개 이상의 문자가 있는 서로 다른 항의 개수는
$21-3=18$ **답** 18

**03** 함수 $f: A \longrightarrow B$ 중에서 $f(1) \leq f(2) \leq f(3) \leq f(4)$를 만족시키는 순서쌍 $(f(1), f(2), f(3), f(4))$의 개수는 집합 $B$의 원소 3개에서 중복을 허락하여 4개를 뽑는 중복조합의 수와 같다.
$\therefore a=_3H_4=_{3+4-1}C_4=_6C_4=_6C_2=15$
또 함수 $g: B \longrightarrow A$ 중에서 $g(5)<g(6)<g(7)$을 만족시키는 순서쌍 $(g(5), g(6), g(7))$의 개수는 집합 $A$의 원소 4개에서 중복을 허락하지 않고 3개를 뽑는 조합의 수와 같다.
$\therefore b=_4C_3=_4C_1=4$
$\therefore ab=15 \times 4=60$ **답** 60

**04** (i) 음이 아닌 정수해의 개수
　$a$, $b$, $c$에서 중복을 허용하여 6개를 택하는 중복조합의 수와 같으므로
　$_3H_6=_{3+6-1}C_6=_8C_6=_8C_2=28$
(ii) 양의 정수해의 개수
　$a \geq 1$, $b \geq 1$, $c \geq 1$이므로
　$a'$, $b'$, $c'$을 음이 아닌 정수라 하면
　$a=a'+1$, $b=b'+1$, $c=c'+1$
　$\therefore a'+b'+c'=3$
　즉, 구하는 양의 정수해의 개수는 $a'+b'+c'=3$을 만족시키는 음이 아닌 정수해의 개수와 같다.
　따라서 $a'$, $b'$, $c'$에서 중복을 허용하여 3개를 택하는 중복조합의 수와 같으므로
　$_3H_3=_{3+3-1}C_3=_5C_3=_5C_2=10$
(i), (ii)에서 $x=28$, $y=10$이므로
$x-y=18$ **답** 18

**05** $x+y+z=n$을 만족시키는 음이 아닌 정수해의 개수는 $x$, $y$, $z$에서 중복을 허용하여 $n$개를 택하는 중복조합의 수와 같으므로
$_3H_n$
즉, $a_n=_3H_n$이므로
$a_1+a_2+a_3=_3H_1+_3H_2+_3H_3=_3C_1+_4C_2+_5C_3$
$\qquad\qquad =3+6+10=19$ **답** ④

**06** $a_1<a_2<a_3<a_4<a_5$인 경우의 수는 주사위의 6개의 수 1, 2, 3, 4, 5, 6에서 5개를 뽑아 크기 순서로 나열하는 경우의 수와 같으므로
$m=_6C_5=_6C_1=6$

| 1, 2, 3, 4, 5 |
|---|
| 1, 3, 4, 5, 6 |
| 2, 3, 4, 5, 6 |
| ⋮ |

$a_1 \leq a_2 \leq a_3 \leq a_4 \leq a_5$인 경우의 수는 주사위의 6개의 수 1, 2, 3, 4, 5, 6에서 중복을 허용하여 5개를 뽑아 크기 순서로 나열하는 경우의 수와 같으므로

| 1, 1, 1, 1, 1 |
|---|
| 1, 1, 1, 1, 2 |
| 2, 2, 3, 3, 3 |
| ⋮ |

$n=_6H_5=_{6+5-1}C_5=_{10}C_5=252$
$\therefore m+n=6+252=258$ **답** 258

**07** $(x^2+2y)^5$의 전개식의 일반항은
$_5C_r(x^2)^{5-r}(2y)^r=2^r{}_5C_r x^{10-2r}y^r$
$x^{10-2r}y^r=x^4y^3$에서 $r=3$
따라서 $x^4y^3$의 계수는
$2^3{}_5C_3=8 \times {}_5C_2=80$ **답** 80

**08** $(1+x)^{18}=_{18}C_0+_{18}C_1 x+_{18}C_2 x^2+\cdots+_{18}C_{18} x^{18}$의 양변에 $x=1$을 대입하면
$2^{18}=_{18}C_0+_{18}C_1+_{18}C_2+\cdots+_{18}C_{18}$
즉, $N=2^{18}$이므로
$\log_2 \sqrt[3]{N}=\log_2 2^6$
$\qquad\qquad =6\log_2 2=6$ **답** ②

**09** $_{11-r}H_r=_{(11-r)+r-1}C_r=_{10}C_r$
$_{13-r}H_{r-2}=_{(13-r)+(r-2)-1}C_{r-2}=_{10}C_{r-2}$
$\therefore {}_{10}C_r=_{10}C_{r-2}$
$_{10}C_r=_{10}C_{10-r}$이므로
$10-r=r-2$
$2r=12$
$\therefore r=6$ **답** ③

**10** 한 학생에게 적어도 한 개의 초콜릿을 나누어 주어야 하므로 먼저 4명의 학생에게 초콜릿을 한 개씩 나누어 주고 나머지 3개의 초콜릿에서 중복을 허용하여 4명의 학생에게 나누어 주면 된다.
따라서 4명의 학생에서 중복을 허용하여 3명을 택하는 중복조합의 수이므로 구하는 방법의 수는
$_4H_3=_{4+3-1}C_3=_6C_3=20$ **답** 20

**11** 서로 다른 세 종류의 공에서 중복을 허용하여 5개의 공을 꺼내는 방법의 수는
$_3H_5=_{3+5-1}C_5=_7C_5=_7C_2=21$
빨간 공 4개, 파란 공 5개, 노란 공 6개에서 빨간 공 5개를 택하는 1가지 경우는 절대 일어나지 않으므로 구하는 방법의 수는
$21-1=20$ **답** 20

**12** 숫자 1, 2, 4의 개수를 각각 $a$, $b$, $c$라 하자.
(i) 숫자 3을 택하지 않는 경우
　$a+b+c=6$을 만족시키는 음이 아닌 정수 $a$, $b$, $c$의 순서쌍 $(a, b, c)$의 개수와 같으므로
　$_3H_6=_{3+6-1}C_6=_8C_6=_8C_2=28$
(ii) 숫자 3을 1개 택하는 경우
　$a+b+c=5$를 만족시키는 음이 아닌 정수 $a$, $b$, $c$의 순서쌍 $(a, b, c)$의 개수와 같으므로
　$_3H_5=_{3+5-1}C_5=_7C_5=_7C_2=21$

(ⅰ), (ⅱ)에서 구하는 경우의 수는
$28+21=49$ 　　　　　　　　　　　　　　　　　답 ③

**13** 2개의 상자에 각각 적어도 한 개의 사탕과 한 개의 초콜릿을 넣어야 하므로 나머지 사탕 4개와 초콜릿 3개를 2개의 상자에 넣으면 된다.
사탕 4개를 서로 다른 2개의 상자에 넣는 방법의 수는
$_2H_4=_{2+4-1}C_4=_5C_4=_5C_1=5$
초콜릿 3개를 서로 다른 2개의 상자에 넣는 방법의 수는
$_2H_3=_{2+3-1}C_3=_4C_3=_4C_1=4$
따라서 만들 수 있는 상품의 개수는 $5×4=20$ 　　　답 20

**14** 3, 6, 9 중에서 중복을 허락하여 3개를 택하는 경우의 수는
$_3H_3=_{3+3-1}C_3=_5C_3=_5C_2=10$
1, 2, 4, 5, 7, 8 중에서 중복을 허락하여 3개를 택할 때, 1을 적어도 1번 택하는 경우의 수는 먼저 1을 1개 택하고 나머지 2개를 택하면 된다.
$\therefore _6H_2=_{6+2-1}C_2=_7C_2=21$
따라서 구하는 경우의 수는
$10×21=210$ 　　　　　　　　　　　　　　　답 210

**15** $(a+b)^3$의 전개식에서 서로 다른 항의 개수는 서로 다른 2개에서 3개를 택하는 중복조합의 수이므로
$_2H_3=_{2+3-1}C_3=_4C_3=_4C_1=4$
이 각각에 대하여 $(c+d+e)^2$의 전개식에서 서로 다른 항의 개수는 서로 다른 3개에서 2개를 택하는 중복조합의 수이므로
$_3H_2=_{3+2-1}C_2=_4C_2=6$
따라서 구하는 서로 다른 항의 개수는
$4×6=24$ 　　　　　　　　　　　　　　　　　답 ⑤

**16**
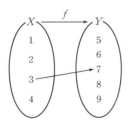
두 조건 ㈎, ㈏에서 $f(1)$, $f(2)$의 값이 될 수 있는 수는 5 또는 6 또는 7이고, $f(1)≤f(2)≤f(3)$이어야 하므로 5, 6, 7의 3개에서 2개를 택하는 중복조합의 수는
$_3H_2=_{3+2-1}C_2=_4C_2=6$
또 $f(4)$의 값이 될 수 있는 수는 7 또는 8 또는 9의 3가지
따라서 구하는 함수 $f$의 개수는 $6×3=18$ 　　　답 18

**17** 함수 $f$ 중에서 $f(1)≤f(2)≤f(3)≤f(4)$를 만족시키는 함수 $f$의 개수는 집합 $B$의 원소에서 중복을 허락하여 4개를 선택한 다음, 작은 것부터 순서대로 1, 2, 3, 4에 대응시키는 경우의 수와 같다.
즉, 서로 다른 6개 중에서 중복을 허락하여 4개를 택하는 중복조합의 수와 같으므로
$_6H_4=_{6+4-1}C_4=_9C_4=126$
같은 방법으로 $f(1)≤f(2)=f(3)≤f(4)$를 만족시키는 함수 $f$의 개수는 서로 다른 6개 중에서 중복을 허락하여 3개를 택

하는 중복조합의 수와 같으므로
$_6H_3=_{6+3-1}C_3=_8C_3=56$
따라서 $f(1)≤f(2)<f(3)≤f(4)$를 만족시키는 함수 $f$의 개수는 $126-56=70$ 　　　　　　　　　　　　답 70

**18** 조건 ㈏에서 $a$, $b$, $c$, $d$는 20 미만이고, 조건 ㈎에서 $a$, $b$, $c$, $d$는 소수이므로 20 미만의 소수는 2, 3, 5, 7, 11, 13, 17, 19의 8개이다.
따라서 조건 ㈏를 만족시키는 경우의 수는 서로 다른 8개에서 중복을 허락하여 3개를 택하는 중복조합의 수와 같으므로
$_8H_3=_{8+3-1}C_3=_{10}C_3=120$ 　　　　　　　　답 120

**19** $x=2l$, $y=2m$, $z=2n$ ($l$, $m$, $n$은 자연수)이라 하면
$x+y+z=2l+2m+2n=20$에서
$l+m+n=10$
따라서 모든 순서쌍 $(x, y, z)$의 개수는 $l$, $m$, $n$에서 중복을 허용하여 10개를 택하는 중복조합의 수와 같고, $l$, $m$, $n$은 자연수이므로
$_3H_7=_{3+7-1}C_7=_9C_7=_9C_2=36$ 　　　　　답 36

**20** 네 자연수 $a$, $b$, $c$, $d$ 중에서 홀수 2개를 정하는 경우의 수는
$_4C_2=6$
$a$, $b$, $c$, $d$ 중에서 두 홀수를 각각 $2x+1$, $2y+1$, 두 짝수를 각각 $2z+2$, $2w+2$라 하자. (단, $x$, $y$, $z$, $w$는 음이 아닌 정수)
$(2x+1)+(2y+1)+(2z+2)+(2w+2)=14$
$\therefore x+y+z+w=4$
즉, $x$, $y$, $z$, $w$에서 중복을 허용하여 4개를 택하는 중복조합의 수이므로
$_4H_4=_{4+4-1}C_4=_7C_4=_7C_3=35$
따라서 모든 순서쌍 $(a, b, c, d)$의 개수는
$6×35=210$ 　　　　　　　　　　　　　　　답 210

**21** 조건 ㈏에서 $2^a×2^b=8$, 즉 $2^{a+b}=2^3$이므로
$a+b=3$ 　　　　　　　　　　　……㉠
조건 ㈎에서
$a+b+c+d+e=7$ 　　　　　……㉡
㉠을 ㉡에 대입하면
$3+c+d+e=7$
$\therefore c+d+e=4$
(ⅰ) 방정식 $a+b=3$을 만족시키는 음이 아닌 정수 $a$, $b$의 모든 순서쌍 $(a, b)$의 개수는 서로 다른 2개에서 중복을 허락하여 3개를 택하는 중복조합의 수와 같으므로
$_2H_3=_{2+3-1}C_3=_4C_3=_4C_1=4$
(ⅱ) 방정식 $c+d+e=4$를 만족시키는 음이 아닌 정수 $c$, $d$, $e$의 모든 순서쌍 $(c, d, e)$의 개수는 서로 다른 3개에서 중복을 허락하여 4개를 택하는 중복조합의 수와 같으므로
$_3H_4=_{3+4-1}C_4=_6C_4=_6C_2=15$
(ⅰ), (ⅱ)에서 구하는 순서쌍 $(a, b, c, d, e)$의 개수는
$4×15=60$ 　　　　　　　　　　　　　　　답 ⑤

**22** $a+b+c≤9$를 만족시키는 자연수해의 개수는
$a=a'+1$, $b=b'+1$, $c=c'+1$로 놓으면

$a'+b'+c'=0,\ a'+b'+c'=1,\ \cdots,\ a'+b'+c'=6$을 각각 만족시키는 모든 음이 아닌 정수해의 개수와 같다.

$a'+b'+c'=n\ (n=0,\ 1,\ 2,\ \cdots,\ 6)$을 만족시키는 음이 아닌 정수해의 개수는

$_3\mathrm{H}_n=_{3+n-1}\mathrm{C}_n=_{n+2}\mathrm{C}_n=_{n+2}\mathrm{C}_2$

따라서 $a'+b'+c'\leq6$을 만족시키는 음이 아닌 정수해의 개수는

$_2\mathrm{C}_2+_3\mathrm{C}_2+_4\mathrm{C}_2+\cdots+_8\mathrm{C}_2=1+3+6+10+15+21+28$
$=84$ **目** 84

**23** 조건 ㈎에서 $d+e=0$이면 $a+b+c=0$이 되어 조건 ㈏를 만족시키지 않는다.

$d+e=1$일 때, $a+b+c=3$이므로 조건 ㈏를 만족시킨다.

$d+e=2$일 때, $a+b+c=6$이므로 조건 ㈏를 만족시킨다.

$d+e\geq3$이면 $a+b+c\geq9$이므로 조건 ㈏를 만족시키지 않는다. 그러므로 각 경우로 나누면 다음과 같다.

( i ) $d+e=1$일 때

$a+b+c=3$

이 방정식을 만족시키는 음이 아닌 정수 $a$, $b$, $c$의 순서쌍 $(a,\ b,\ c)$의 개수는 서로 다른 3개에서 3개를 택하는 중복조합의 수이므로

$_3\mathrm{H}_3=_{3+3-1}\mathrm{C}_3=_5\mathrm{C}_3=_5\mathrm{C}_2=10$

이 각각에 대하여 $d+e=1$을 만족시키는 음이 아닌 정수 $d$, $e$의 순서쌍 $(d,\ e)$의 개수는 2이다.

그러므로 순서쌍 $(a,\ b,\ c,\ d,\ e)$의 개수는

$10\times2=20$

(ii) $d+e=2$일 때

$a+b+c=6$

이 방정식을 만족시키는 음이 아닌 정수 $a$, $b$, $c$의 순서쌍 $(a,\ b,\ c)$의 개수는 서로 다른 3개에서 6개를 택하는 중복조합의 수이므로

$_3\mathrm{H}_6=_{3+6-1}\mathrm{C}_6=_8\mathrm{C}_6=_8\mathrm{C}_2=28$

이 각각에 대하여 $d+e=2$를 만족시키는 음이 아닌 정수 $d$, $e$의 순서쌍 $(d,\ e)$의 개수는 서로 다른 2개에서 2개를 택하는 중복조합의 수이므로

$_2\mathrm{H}_2=_{2+2-1}\mathrm{C}_2=_3\mathrm{C}_2=_3\mathrm{C}_1=3$

그러므로 순서쌍 $(a,\ b,\ c,\ d,\ e)$의 개수는

$28\times3=84$

( i ), (ii)에서 구하는 순서쌍 $(a,\ b,\ c,\ d,\ e)$의 개수는

$20+84=104$ **目** 104

**24** $\left(2x^2-\dfrac{1}{x}\right)^6$의 전개식의 일반항은

$_6\mathrm{C}_r(2x^2)^{6-r}\left(-\dfrac{1}{x}\right)^r=_6\mathrm{C}_r(-1)^r2^{6-r}x^{12-3r}$

상수항은 $12-3r=0$일 때이므로

$r=4$

따라서 상수항은

$_6\mathrm{C}_4\times(-1)^4\times2^2=60$ **目** ③

**25** $(x-a)^5$의 전개식의 일반항은

$_5\mathrm{C}_rx^{5-r}(-a)^r$

( i ) $x^{5-r}=x$에서 $r=4$

즉, $x$의 계수는

$_5\mathrm{C}_4(-a)^4=5a^4$

(ii) 상수항은 $5-r=0$일 때이므로

$r=5$

즉, 상수항은

$_5\mathrm{C}_5(-a)^5=-a^5$

$x$의 계수와 상수항의 합이 0이므로

$5a^4+(-a^5)=0$

$a^4(a-5)=0$

$\therefore a=5\ (\because a>0)$ **目** 5

**26** $(x-y)^7+(2xy-y^2)(x-y)^5$
$=(x-y)^5\{(x-y)^2+(2xy-y^2)\}$
$=x^2(x-y)^5$

$x^2(x-y)^5$의 전개식에서 $x^5y^2$의 계수는 $(x-y)^5$의 전개식에서 $x^3y^2$의 계수와 같다.

$(x-y)^5$의 전개식의 일반항은

$_5\mathrm{C}_rx^{5-r}(-y)^r=_5\mathrm{C}_r(-1)^rx^{5-r}y^r$

$x^{5-r}y^r=x^3y^2$에서 $r=2$

따라서 구하는 $x^5y^2$의 계수는

$_5\mathrm{C}_2(-1)^2=10$ **目** 10

**27** $\left(ax^3+\dfrac{2}{x^2}\right)^4$의 전개식의 일반항은

$_4\mathrm{C}_r(ax^3)^{4-r}\left(\dfrac{2}{x^2}\right)^r=_4\mathrm{C}_r2^ra^{4-r}x^{12-5r}$

$x^{12-5r}=x^2$에서 $r=2$

즉, $x^2$의 계수는 $_4\mathrm{C}_22^2a^2=96$

$a^2=4$

$\therefore a=2\ (\because a>0)$

따라서 $x^7$의 계수는

$x^{12-5r}=x^7$에서 $r=1$이므로

$_4\mathrm{C}_12^12^3=64$ **目** ④

**28** $(x-1)^n$의 전개식의 일반항은

$_n\mathrm{C}_r(-1)^{n-r}x^r$

$x^2$의 계수는 $r=2$일 때이므로

$_n\mathrm{C}_2(-1)^{n-2}=-55$

$\dfrac{n(n-1)}{2}\times(-1)^{n-2}=-55$

$\therefore n=11$

따라서 $x^3$의 계수는

$_{11}\mathrm{C}_3(-1)^{11-3}=165$ **目** 165

**29** $\left(x^2+\dfrac{2}{x^3}\right)^n$의 전개식의 일반항은

$_n\mathrm{C}_r(x^2)^{n-r}\left(\dfrac{2}{x^3}\right)^r=_n\mathrm{C}_r2^rx^{2n-5r}$

상수항은 $2n-5r=0$일 때이고, $n$이 양의 정수이므로 자연수 $r$에 대하여 $2n=5r$를 만족시키는 $n$의 값은 5, 10, 15, $\cdots$이다.

따라서 양의 정수 $n$의 최솟값은 5이다. **目** 5

**30** $(1+3x)^4$의 전개식의 일반항은

$_4\mathrm{C}_r1^{4-r}(3x)^r=_4\mathrm{C}_r3^rx^r$

$(1-2x)^5$의 전개식의 일반항은
$${}_5\mathrm{C}_s 1^{5-s}(-2x)^s = {}_5\mathrm{C}_s(-2)^s x^s$$
즉, $(1+3x)^4(1-2x)^5$의 전개식의 일반항은
$${}_4\mathrm{C}_r \times {}_5\mathrm{C}_s(-2)^s 3^r x^{r+s}$$
$x^{r+s}=x^2$에서 $r+s=2$
(i) $r=0$, $s=2$일 때
$${}_4\mathrm{C}_0 \times {}_5\mathrm{C}_2(-2)^2 3^0 = 40$$
(ii) $r=1$, $s=1$일 때
$${}_4\mathrm{C}_1 \times {}_5\mathrm{C}_1(-2)^1 3^1 = -120$$
(iii) $r=2$, $s=0$일 때
$${}_4\mathrm{C}_2 \times {}_5\mathrm{C}_0(-2)^0 3^2 = 54$$
(i), (ii), (iii)에서 구하는 $x^2$의 계수는
$$40+(-120)+54 = -26$$　　　　　답 ②

**31** $\left(x+\dfrac{1}{x}\right)^5$의 전개식의 일반항은
$${}_5\mathrm{C}_r x^r\left(\dfrac{1}{x}\right)^{5-r} = {}_5\mathrm{C}_r x^{2r-5}$$
$(x^2+1)^3$의 전개식의 일반항은
$${}_3\mathrm{C}_s 1^{3-s}(x^2)^s = {}_3\mathrm{C}_s x^{2s}$$
즉, $\left(x+\dfrac{1}{x}\right)^5(x^2+1)^3$의 전개식의 일반항은
$${}_5\mathrm{C}_r \times {}_3\mathrm{C}_s x^{2r+2s-5}$$
$x^{2r+2s-5}=x^9$에서
$$2r+2s-5=9$$
$$\therefore r+s=7$$
가능한 $(r, s)$의 순서쌍은 $(5, 2)$, $(4, 3)$이므로 $x^9$의 계수는
$$a={}_5\mathrm{C}_5 \times {}_3\mathrm{C}_2 + {}_5\mathrm{C}_4 \times {}_3\mathrm{C}_3 = 3+5 = 8$$
한편, $x^{2r+2s-5}=x$에서
$$2r+2s-5=1$$
$$\therefore r+s=3$$
가능한 $(r, s)$의 순서쌍은 $(0, 3)$, $(1, 2)$, $(2, 1)$, $(3, 0)$이므로 $x$의 계수는
$$b={}_5\mathrm{C}_0 \times {}_3\mathrm{C}_3 + {}_5\mathrm{C}_1 \times {}_3\mathrm{C}_2 + {}_5\mathrm{C}_2 \times {}_3\mathrm{C}_1 + {}_5\mathrm{C}_3 \times {}_3\mathrm{C}_0$$
$$= 1+15+30+10 = 56$$
$$\therefore a+b = 8+56 = 64$$　　　　　답 64

**32** $(a+b-2c)^6 = \{(a+b)-2c\}^6$이므로 $(a+b)$를 한 문자로 생각하면
$\{(a+b)-2c\}^6$의 전개식에서 $c^2$이 나오는 항은
$${}_6\mathrm{C}_2(a+b)^4(-2c)^2 = {}_6\mathrm{C}_2(-2)^2(a+b)^4 c^2$$
또 $(a+b)^4$의 전개식에서 $b^2$이 나오는 항은
$${}_4\mathrm{C}_2 a^2 b^2$$
따라서 $a^2 b^2 c^2$의 계수는
$${}_6\mathrm{C}_2 \times (-2)^2 \times {}_4\mathrm{C}_2 = 360$$　　　　　답 360

다른 풀이
$(a+b-2c)^6$의 전개식의 일반항은
$$\frac{6!}{p!q!r!}a^p b^q(-2c)^r = \frac{6!}{p!q!r!}(-2)^r a^p b^q c^r$$
$$(p+q+r=6,\ p\geq 0,\ q\geq 0,\ r\geq 0)$$
$a^2 b^2 c^2$의 계수는 $p=2$, $q=2$, $r=2$일 때이므로
$$\frac{6!}{2!2!2!}(-2)^2 = 360$$

**33** $(1+x)+(1+x)^2+(1+x)^3+\cdots+(1+x)^{10}$ 　　⋯⋯ ㉠
㉠은 첫째항이 $1+x$, 공비가 $1+x$인 등비수열의 첫째항부터 제10항까지의 합이므로
$$\frac{(1+x)\{(1+x)^{10}-1\}}{(1+x)-1} = \frac{(1+x)^{11}-x-1}{x}$$ 　　⋯⋯ ㉡
㉠의 전개식에서 $x^3$의 계수는 ㉡의 $(1+x)^{11}$의 전개식에서 $x^4$의 계수와 같다.
$(1+x)^{11}$의 전개식의 일반항은
$${}_{11}\mathrm{C}_r 1^{11-r} x^r$$
$x^r = x^4$에서 $r=4$
따라서 구하는 $x^3$의 계수는 ${}_{11}\mathrm{C}_4 = 330$　　　답 ②

**34** $(1+x^2)+(1+x^2)^2+\cdots+(1+x^2)^{10}$
$$= \frac{(1+x^2)\{(1+x^2)^{10}-1\}}{(1+x^2)-1}$$
$$= \frac{(1+x^2)^{11}-x^2-1}{x^2}$$
이므로 이 다항식에서 $x^2$의 계수는 $(1+x^2)^{11}$의 전개식에서 $x^4$의 계수와 같다.
$(1+x^2)^{11}$의 전개식의 일반항은 ${}_{11}\mathrm{C}_r 1^{11-r}(x^2)^r$이므로
$2r=4$에서 $r=2$
따라서 구하는 $x^2$의 계수는 ${}_{11}\mathrm{C}_2 = 55$　　　답 55

**35** $n(1+x)^n$의 전개식의 일반항은 $n\,{}_n\mathrm{C}_r x^r$이므로 $x^2$의 계수는 $n\,{}_n\mathrm{C}_2$이다.
즉, $(1+x)+2(1+x)^2+3(1+x)^3+\cdots+10(1+x)^{10}$의 전개식에서 $x^2$의 계수는
$$\sum_{n=2}^{10} n\,{}_n\mathrm{C}_2 = \sum_{n=2}^{10}\frac{n^2(n-1)}{2} = \sum_{n=2}^{10}\frac{n^3-n^2}{2} = \sum_{n=1}^{10}\frac{n^3-n^2}{2}$$
$$= \frac{1}{2}\left\{\left(\frac{10\times 11}{2}\right)^2 - \frac{10\times 11\times 21}{6}\right\}$$
$$= 1320$$　　　　　답 ⑤

**36** ${}_1\mathrm{C}_0 = {}_2\mathrm{C}_0$이고, ${}_{n-1}\mathrm{C}_{r-1} + {}_{n-1}\mathrm{C}_r = {}_n\mathrm{C}_r$이므로
$${}_1\mathrm{C}_0 + {}_2\mathrm{C}_1 + {}_3\mathrm{C}_2 + {}_4\mathrm{C}_3 + {}_5\mathrm{C}_4 + {}_6\mathrm{C}_5$$
$$= ({}_2\mathrm{C}_0 + {}_2\mathrm{C}_1) + {}_3\mathrm{C}_2 + {}_4\mathrm{C}_3 + {}_5\mathrm{C}_4 + {}_6\mathrm{C}_5$$
$$= ({}_3\mathrm{C}_1 + {}_3\mathrm{C}_2) + {}_4\mathrm{C}_3 + {}_5\mathrm{C}_4 + {}_6\mathrm{C}_5$$
$$= ({}_4\mathrm{C}_2 + {}_4\mathrm{C}_3) + {}_5\mathrm{C}_4 + {}_6\mathrm{C}_5$$
$$= ({}_5\mathrm{C}_3 + {}_5\mathrm{C}_4) + {}_6\mathrm{C}_5$$
$$= {}_6\mathrm{C}_4 + {}_6\mathrm{C}_5$$
$$= {}_7\mathrm{C}_5 = {}_7\mathrm{C}_2$$
$$= 21$$　　　　　답 ①

**37** 주어진 식은 그림의 색칠한 부분의 합이다.

$_2C_2=_3C_3$이고, $_nC_r=_{n-1}C_{r-1}+_{n-1}C_r$이므로
$$_3C_2+_2C_2=_3C_2+_3C_3=_4C_3$$
$$_4C_2+_3C_2+_2C_2=_4C_2+_4C_3=_5C_3$$
$$_5C_2+_4C_2+_3C_2+_2C_2=_5C_2+_5C_3=_6C_3$$
$$\vdots$$
$$_{100}C_2+_{99}C_2+\cdots+_3C_2+_2C_2=_{100}C_2+_{100}C_3=_{101}C_3$$
답 ⑤

**38** $_2C_2=_3C_3$이고, $_nC_r=_{n-1}C_{r-1}+_{n-1}C_r$이므로
$$_2C_2+_3C_2+_4C_2+\cdots+_{20}C_2$$
$$=_3C_3+_3C_2+_4C_2+_5C_2+\cdots+_{20}C_2$$
$$=_4C_3+_4C_2+_5C_2+\cdots+_{20}C_2$$
$$=_5C_3+_5C_2+\cdots+_{20}C_2$$
$$\vdots$$
$$=_{20}C_3+_{20}C_2$$
$$=_{21}C_3=1330$$
답 ③

**39** $_8C_0+_8C_2+_8C_4+_8C_6+_8C_8=2^{8-1}=2^7$
$_8C_1+_8C_3+_8C_5+_8C_7=2^{8-1}=2^7$
즉, $2^7 \times 2^7 = 2^n$ ∴ $n=14$
답 14

**40** $_nC_0-_nC_1+_nC_2-_nC_3+\cdots+(-1)^n\,_nC_n=0$의 양변에
$n=10$을 대입하면
$$_{10}C_0-_{10}C_1+_{10}C_2-_{10}C_3+\cdots+_{10}C_{10}=0$$
∴ $_{10}C_1-_{10}C_2+_{10}C_3-\cdots-_{10}C_{10}=_{10}C_0=1$
답 ③

**41** $_nC_1+2\,_nC_2+3\,_nC_3+\cdots+n\,_nC_n=n\times2^{n-1}$
$n=8$일 때, $8\times2^7=1024$
$n=9$일 때, $9\times2^8=2304$
$n=10$일 때, $10\times2^9=5120$
∴ $n=10$
답 10

참고
$(1+x)^n=_nC_0+_nC_1x+_nC_2x^2+_nC_3x^3+\cdots+_nC_nx^n$
의 양변을 $x$에 대하여 미분하면
$n(1+x)^{n-1}=_nC_1+2\,_nC_2x+3\,_nC_3x^2+\cdots+n\,_nC_nx^{n-1}$
양변에 $x=1$을 대입하면
$_nC_1+2\,_nC_2+3\,_nC_3+\cdots+n\,_nC_n=n\times2^{n-1}$

**42** $(1+x)^n=_nC_0+_nC_1x+_nC_2x^2+\cdots+_nC_nx^n$
ㄱ. $n=10$, $x=1$을 대입하면
　　$2^{10}=_{10}C_0+_{10}C_1+_{10}C_2+\cdots+_{10}C_{10}$ (참)
ㄴ. $_nC_r=_nC_{n-r}$이므로
　　$_7C_0=_7C_7,\ _7C_1=_7C_6,\ _7C_2=_7C_5,\ _7C_3=_7C_4$
　　∴ $_7C_0+_7C_2+_7C_4+_7C_6=_7C_1+_7C_3+_7C_5+_7C_7$ (참)
ㄷ. $n=5$, $x=-1$을 대입하면
　　$0=_5C_0-_5C_1+_5C_2-_5C_3+_5C_4-_5C_5$ (참)
따라서 ㄱ, ㄴ, ㄷ 모두 옳다.
답 ⑤

**43** 집합 $A$의 부분집합 중에서 원소의 개수가 1, 3, 5, 7, 9인 부분
집합의 개수는 각각
$a_1=_9C_1,\ a_3=_9C_3,\ a_5=_9C_5,\ a_7=_9C_7,\ a_9=_9C_9$
∴ $a_1+a_3+a_5+a_7+a_9=_9C_1+_9C_3+_9C_5+_9C_7+_9C_9=2^8$
답 ④

**44** $19^{19}=(20-1)^{19}$이므로 이항정리를 이용하여 전개하면
$$_{19}C_0\,20^{19}(-1)^0+_{19}C_1\,20^{18}(-1)^1+_{19}C_2\,20^{17}(-1)^2+\cdots$$
$$+_{19}C_{17}\,20^2(-1)^{17}+_{19}C_{18}\,20^1(-1)^{18}+_{19}C_{19}\,20^0(-1)^{19}$$
에서 $20^2$, $20^3$, $\cdots$, $20^{19}$은 모두 400의 배수이므로
$$_{19}C_0\,20^{19}(-1)^0+_{19}C_1\,20^{18}(-1)^1+\cdots+_{19}C_{17}\,20^2(-1)^{17}$$
은 400의 배수이다.
따라서 구하는 나머지는
$$_{19}C_{18}\,20^1(-1)^{18}+_{19}C_{19}\,20^0(-1)^{19}$$
$$=380-1=379$$
답 379

**45** 이차방정식의 근과 계수의 관계에 의하여
$$\frac{_{n+1}H_r}{10}=(-5)+6=1$$
즉, $_{n+1}H_r=10$이므로
$$_{n+r}C_r=10 \quad\cdots\cdots ㉠$$
$$\frac{-5\times n!\,_{n+r}C_r}{10}=(-5)\times6=-30$$
즉, $n!\,_{n+r}C_r=60 \quad\cdots\cdots ㉡$
㉠을 ㉡에 대입하면
$n!=6=3\times2\times1$
∴ $n=3$
$n=3$을 ㉠에 대입하면
$_{r+3}C_r=10,\ _{r+3}C_3=10$
$$\frac{(r+3)(r+2)(r+1)}{6}=10$$
$$(r+3)(r+2)(r+1)=60=5\times4\times3$$
∴ $r=2$
∴ $_nH_r=_3H_2=_4C_2=6$
답 6

**46** $a=_nH_3=_{n+2}C_3$
$b=_{n+1}H_2=_{n+2}C_2$
$c=_{n+2}C_1$
$a,\ b,\ c$가 이 순서대로 등차수열을 이루므로
$2b=a+c$
$2\times_{n+2}C_2=_{n+2}C_3+_{n+2}C_1$
$$(n+2)(n+1)=\frac{(n+2)(n+1)n}{6}+n+2$$
양변을 $\dfrac{n+2}{6}$로 나누면
$6(n+1)=n(n+1)+6$
$n^2-5n=0,\ n(n-5)=0$
∴ $n=5$ (∵ $n$은 자연수)
답 5

**47** $(a+b+c)^4$의 전개식에서 항의 개수는
$_3H_4=_6C_4=_6C_2=15$
$(b+c+d)^4$의 전개식에서 항의 개수는
$_3H_4=_6C_4=_6C_2=15$
$(a+b+c)^4$의 전개식에서 항과 $(b+c+d)^4$의 전개식에서 공
통인 항은 $(b+c)^4$의 전개식의 항과 같고, $(b+c)^4$의 전개식에
서 서로 다른 항의 개수는
$_2H_4=_5C_4=_5C_1=5$
따라서 구하는 항의 개수는
$15+15-5=25$
답 ⑤

**48** (ⅰ) $f(2)=2$, $f(5)=6$인 경우

$f(2)\leq f(3)\leq f(4)\leq f(5)$이어야 하므로 $f(3)$과 $f(4)$의 값이 될 수 있는 수는 2 또는 3 또는 4 또는 5 또는 6

2, 3, 4, 5, 6의 5개에서 2개를 택하는 중복조합의 수는

$_5H_2=_6C_2=15$

또 $f(5)\leq f(6)\leq f(7)$이어야 하므로 $f(6)$과 $f(7)$의 값이 될 수 있는 수는 6 또는 7

6, 7의 2개에서 2개를 택하는 중복조합의 수는

$_2H_2=_3C_2=3$

즉, $f(2)=2$, $f(5)=6$인 함수 $f$의 개수는

$15\times3=45$

(ⅱ) $f(2)=3$, $f(5)=4$인 경우

$f(2)\leq f(3)\leq f(4)\leq f(5)$이어야 하므로 $f(3)$과 $f(4)$의 값이 될 수 있는 수는 3 또는 4

3, 4의 2개에서 2개를 택하는 중복조합의 수는

$_2H_2=_3C_2=3$

또 $f(5)\leq f(6)\leq f(7)$이어야 하므로 $f(6)$과 $f(7)$의 값이 될 수 있는 수는 4 또는 5 또는 6 또는 7

4, 5, 6, 7의 4개에서 2개를 택하는 중복조합의 수는

$_4H_2=_5C_2=10$

즉, $f(2)=3$, $f(5)=4$인 함수 $f$의 개수는

$3\times10=30$

(ⅰ), (ⅱ)에서 구하는 함수의 개수는

$45+30=75$ 🔲 75

**49** $f(4)=4$이면 $f(f(4))=f(4)$이므로 조건 ㈎를 만족시키지 않는다.

$\therefore f(4)\neq4$

(ⅰ) $f(4)=1$일 때

조건 ㈎에서 $f(1)\neq1$이므로 조건 ㈏를 만족시키지 않는다.

(ⅱ) $f(4)=2$일 때

조건 ㈎에서 $f(2)\neq2$이므로 조건 ㈏에서 $f(1)=f(2)=1$이고, $f(3)$의 값은 1 또는 2이다.

따라서 함수 $f$의 개수는

$1\times1\times2\times5=10$

(ⅲ) $f(4)=3$일 때

조건 ㈎에서 $f(3)\neq3$이므로 조건 ㈏에서 $f(1)$, $f(2)$, $f(3)$의 값은 1 또는 2이다.

따라서 함수 $f$의 개수는

$_2H_3\times5=_4C_3\times5=4\times5=20$

(ⅳ) $f(4)=5$일 때

조건 ㈎에서 $f(5)\neq5$이므로 조건 ㈏에서 $f(1)$, $f(2)$, $f(3)$의 값은 1 또는 2 또는 3 또는 4 또는 5이다.

따라서 함수 $f$의 개수는

$_5H_3\times4=_7C_3\times4=35\times4=140$

(ⅰ)~(ⅳ)에서 구하는 함수 $f$의 개수는

$10+20+140=170$ 🔲 ②

**50** 각 주머니에 넣는 공의 개수를 $x$, $y$, $z$, $w$라 하면 적어도 한 개 이상의 공을 넣어야 하므로

$x+y+z+w=9$ (단, $x\geq1$, $y\geq1$, $z\geq1$, $w\geq1$)

$x=x'+1$, $y=y'+1$, $z=z'+1$, $w=w'+1$이라 하면

---

$x'+y'+z'+w'=5$ (단, $x'\geq0$, $y'\geq0$, $z'\geq0$, $w'\geq0$)

이 방정식을 만족시키는 음이 아닌 정수 $x'$, $y'$, $z'$, $w'$의 모든 순서쌍 $(x', y', z', w')$의 개수는

$_4H_5=_8C_5=_8C_3=56$

각 주머니에 넣는 공의 개수의 최댓값은 4이므로

$x'\leq3$, $y'\leq3$, $z'\leq3$, $w'\leq3$

즉, $x'$, $y'$, $z'$, $w'$ 중에서 어느 하나라도 4 이상인 경우는 제외해야 한다.

$x'$이 4 이상인 경우의 순서쌍 $(x', y', z', w')$은

$(4, 1, 0, 0)$, $(4, 0, 1, 0)$, $(4, 0, 0, 1)$, $(5, 0, 0, 0)$의 4가지이고, $y'$, $z'$, $w'$의 경우도 마찬가지이므로

$4\times4=16$

따라서 각 주머니에 4개 이하의 공이 들어가도록 넣는 방법의 수는 $56-16=40$ 🔲 40

다른 풀이

같은 종류의 공 9개를 4 이하의 개수로 서로 다른 4개의 주머니에 빈 주머니가 없도록 나누어 넣는 경우는 다음과 같다.

(4개, 3개, 1개, 1개)인 경우의 수는 $\dfrac{4!}{2!}=12$

(4개, 2개, 2개, 1개)인 경우의 수는 $\dfrac{4!}{2!}=12$

(3개, 3개, 2개, 1개)인 경우의 수는 $\dfrac{4!}{2!}=12$

(3개, 2개, 2개, 2개)인 경우의 수는 $\dfrac{4!}{3!}=4$

따라서 구하는 경우의 수는

$12+12+12+4=40$

**51** 연립방정식 $\begin{cases}a+b+c+d=11\\d-2e=1\end{cases}$ 은 $\begin{cases}a+b+c+d=11\\d=2e+1\end{cases}$ 이다.

주어진 다섯 개의 자연수 $a$, $b$, $c$, $d$, $e$의 순서쌍 $(a, b, c, d, e)$의 개수는 $e$의 값에 따라 각각의 경우로 나누면 다음과 같다.

(ⅰ) $e=1$일 때, $d=3$이므로

$a+b+c=8$

즉, 세 자연수 $a$, $b$, $c$의 모든 순서쌍 $(a, b, c)$의 개수는

$_3H_5=_7C_5=_7C_2=21$

(ⅱ) $e=2$일 때, $d=5$이므로

$a+b+c=6$

즉, 세 자연수 $a$, $b$, $c$의 모든 순서쌍 $(a, b, c)$의 개수는

$_3H_3=_5C_3=_5C_2=10$

(ⅲ) $e=3$일 때, $d=7$이므로

$a+b+c=4$

즉, 세 자연수 $a$, $b$, $c$의 모든 순서쌍 $(a, b, c)$의 개수는

$_3H_1=_3C_1=3$

(ⅰ), (ⅱ), (ⅲ)에서 구하는 순서쌍 $(a, b, c, d, e)$의 개수는

$21+10+3=34$ 🔲 34

**52** 조건 ㈏에서

$2^a\times4^b=2^{a+2b}$이고 이 수가 8의 배수이어야 하므로

$a+2b\geq3$

(ⅰ) $b=0$일 때

$a\geq3$이어야 하므로

조건 (가)에서 $a=a'+3$ ($a'$은 음이 아닌 정수)으로 놓으면
$a+b+c=(a'+3)+c=7$
$\therefore a'+c=4$
그러므로 순서쌍 $(a, b, c)$의 개수는
$_2H_4=_5C_4=_5C_1=5$

(ii) $b=1$일 때
$a \geq 1$이어야 하므로
조건 (가)에서 $a=a'+1$ ($a'$은 음이 아닌 정수)로 놓으면
$a+b+c=(a'+1)+1+c=7$
$\therefore a'+c=5$
그러므로 순서쌍 $(a, b, c)$의 개수는
$_2H_5=_6C_5=_6C_1=6$

(iii) $b \geq 2$일 때
$a \geq 0$이면 되므로
조건 (가)에서 $b=b'+2$ ($b'$은 음이 아닌 정수)로 놓으면
$a+b+c=a+(b'+2)+c=7$
$\therefore a+b'+c=5$
그러므로 순서쌍 $(a, b, c)$의 개수는
$_3H_5=_7C_5=_7C_2=21$
(i), (ii), (iii)에서 구하는 순서쌍 $(a, b, c)$의 개수는
$5+6+21=32$ 　　　　　　　　　답 32

**53** (i) $x+y+z=0$이고 $a+b+c=8$인 경우
방정식 $x+y+z=0$을 만족시키는 순서쌍 $(x, y, z)$의 개수는 $x=y=z=0$의 1
방정식 $a+b+c=8$을 만족시키는 순서쌍 $(a, b, c)$의 개수는 서로 다른 3개에서 8개를 택하는 중복조합의 수이므로
$_3H_8=_{10}C_8=_{10}C_2=45$
따라서 구하는 순서쌍의 개수는
$1 \times 45=45$

(ii) $x+y+z=1$이고 $a+b+c=5$인 경우
방정식 $x+y+z=1$을 만족시키는 순서쌍 $(x, y, z)$의 개수는 서로 다른 3개에서 1개를 택하는 중복조합의 수이므로
$_3H_1=_3C_1=3$
이 각각에 대하여 방정식 $a+b+c=5$를 만족시키는 순서쌍 $(a, b, c)$의 개수는 서로 다른 3개에서 5개를 택하는 중복조합의 수이므로
$_3H_5=_7C_5=_7C_2=21$
따라서 구하는 순서쌍의 개수는
$3 \times 21=63$

(iii) $x+y+z=2$이고 $a+b+c=2$인 경우
방정식 $x+y+z=2$를 만족시키는 순서쌍 $(x, y, z)$의 개수는 서로 다른 3개에서 2개를 택하는 중복조합의 수이므로
$_3H_2=_4C_2=6$
이 각각에 대하여 방정식 $a+b+c=2$를 만족시키는 순서쌍 $(a, b, c)$의 개수는 서로 다른 3개에서 2개를 택하는 중복조합의 수이므로
$_3H_2=_4C_2=6$
따라서 구하는 순서쌍의 개수는
$6 \times 6=36$
(i), (ii), (iii)에서 구하는 모든 순서쌍 $(a, b, c, x, y, z)$의 개수는
$45+63+36=144$ 　　　　　　답 144

**54** $(1+x)^n$의 전개식의 일반항은 $_nC_r1^{n-r}x^r$이므로 $x^8$, $x^9$, $x^{10}$의 계수는 각각 $_nC_8$, $_nC_9$, $_nC_{10}$이고 이 순서대로 등차수열을 이룬다.
즉, $_nC_8+_nC_{10}=2\times _nC_9$ (단, $n \geq 10$)
$$\frac{n!}{8!(n-8)!}+\frac{n!}{10!(n-10)!}=2\times\frac{n!}{9!(n-9)!}$$
양변에 $\dfrac{8!(n-8)!}{n!}$ 을 곱하면
$$1+\frac{(n-8)(n-9)}{10\times 9}=2\times\frac{n-8}{9}$$
$n^2-37n+322=0$
$(n-14)(n-23)=0$
$\therefore n=14$ 또는 $n=23$
따라서 구하는 $n$의 값의 합은
$14+23=37$ 　　　　　　　　　답 37

**55** $(ax+b)^8=a_0+a_1x+a_2x^2+\cdots+a_8x^8$에서 양변에 $x=1$을 대입하면
$(a+b)^8=a_0+a_1+a_2+\cdots+a_8$
$\log_3(a_0+a_1+a_2+\cdots+a_8)=\log_3(a+b)^8$
조건 (가)에서 $\log_3(a_0+a_1+a_2+\cdots+a_8)=16$이므로
$a_0+a_1+a_2+\cdots+a_8=(a+b)^8=3^{16}$
$\therefore a+b=3^2=9$ 　　　　……㉠
$(ax+b)^8$의 전개식의 일반항은
$_8C_r(ax)^rb^{8-r}=_8C_ra^rb^{8-r}x^r$
$a_n=_8C_na^nb^{8-n}$이므로
$a_0=_8C_0b^8=b^8$
$a_2=_8C_2a^2b^6=28a^2b^6$
$a_5=_8C_5a^5b^3=56a^5b^3$
조건 (나)에서 세 수 $a_0$, $a_2$, $a_5$는 이 순서대로 등비수열을 이루므로
$(28a^2b^6)^2=b^8\times 56a^5b^3$
$\therefore a=14b$ 　　　　……㉡
㉠, ㉡을 연립하여 풀면
$$a=\frac{42}{5},\ b=\frac{3}{5}$$
$$\therefore 25ab=25\times\frac{42}{5}\times\frac{3}{5}=126$$ 　　답 126

**56**
$$\left(x^2+x+1\right)\left(x+\frac{1}{x}\right)^{10}$$
$$=x^2\left(x+\frac{1}{x}\right)^{10}+x\left(x+\frac{1}{x}\right)^{10}+\left(x+\frac{1}{x}\right)^{10}$$
이고, $\left(x+\dfrac{1}{x}\right)^{10}$의 전개식의 일반항은
$$_{10}C_rx^{10-r}\left(\frac{1}{x}\right)^r=_{10}C_rx^{10-2r}$$
(i) $x^{10-2r}=\dfrac{1}{x^2}$에서 $r=6$
　즉, $\dfrac{1}{x^2}$의 계수는 $_{10}C_6=210$
(ii) $x^{10-2r}=\dfrac{1}{x}$을 만족시키는 자연수 $r$는 없다.
(iii) $10-2r=0$에서 $r=5$
　즉, 상수항은 $_{10}C_5=252$
(i), (ii), (iii)에서 구하는 상수항은
$210+252=462$ 　　　　　　　　답 462

**57**

(i) $2(x+a)^n$의 전개식의 일반항은 $2\,{}_nC_r a^r x^{n-r}$

$x^{n-r}=x^{n-1}$에서 $r=1$

즉, $x^{n-1}$의 계수는 $2\,{}_nC_1 a^1=2an$

(ii) $(x-1)(x+a)^n$에서

$(x+a)^n$의 전개식의 일반항은

${}_nC_s a^s x^{n-s}$

$(x-1)(x+a)^n=x(x+a)^n-(x+a)^n$이므로

$x(x+a)^n$의 전개식에서 $x^{n-1}$의 계수는 $(x+a)^n$의 전개식에서 $x^{n-2}$의 계수이다.

$x^{n-s}=x^{n-2}$에서 $s=2$

즉, $x^{n-2}$의 계수는 ${}_nC_2 a^2=\dfrac{n(n-1)}{2}a^2$

$x^{n-s}=x^{n-1}$에서 $s=1$

즉, $x^{n-1}$의 계수는 ${}_nC_1 a^1=an$

따라서 $(x-1)(x+a)^n$의 전개식에서 $x^{n-1}$의 계수는

$\dfrac{n(n-1)}{2}a^2-an$

(i), (ii)에서 $2an=\dfrac{n(n-1)}{2}a^2-an$

$3an=\dfrac{n(n-1)}{2}a^2,\ 3=\dfrac{n-1}{2}a$

$\therefore a(n-1)=6$

이 식을 만족시키는 모든 경우를 표로 나타내면 다음과 같다.

| $a$ | $n-1$ | $n$ | $an$ |
|---|---|---|---|
| 1 | 6 | 7 | 7 |
| 2 | 3 | 4 | 8 |
| 3 | 2 | 3 | 9 |
| 6 | 1 | 2 | 12 |

따라서 구하는 $an$의 최댓값은 12이다.     🔲 12

**58**

$(1+x)+(1+x)^2+(1+x)^3+\cdots+(1+x)^n$

$=\dfrac{(1+x)\{(1+x)^n-1\}}{(1+x)-1}=\dfrac{(1+x)^{n+1}-x-1}{x}$

이므로 이 다항식에서 $x$의 계수는 $(1+x)^{n+1}$의 전개식에서 $x^2$의 계수와 같다.

$(1+x)^{n+1}$의 전개식의 일반항은 ${}_{n+1}C_r 1^{n+1-r}x^r$이므로 $r=2$

$x^2$의 계수는 ${}_{n+1}C_2=\dfrac{n(n+1)}{2}$이므로 $a_n=\dfrac{n(n+1)}{2}$

$\therefore \displaystyle\sum_{n=1}^{10}\dfrac{1}{a_n}=\sum_{n=1}^{10}\dfrac{2}{n(n+1)}=2\sum_{n=1}^{10}\left(\dfrac{1}{n}-\dfrac{1}{n+1}\right)$

$\qquad=2\left\{\left(\dfrac{1}{1}-\dfrac{1}{2}\right)+\left(\dfrac{1}{2}-\dfrac{1}{3}\right)+\cdots+\left(\dfrac{1}{10}-\dfrac{1}{11}\right)\right\}$

$\qquad=2\left(1-\dfrac{1}{11}\right)=\dfrac{20}{11}$     🔲 ⑤

**59**

$(1+x)^n={}_nC_0+{}_nC_1 x+{}_nC_2 x^2+\cdots+{}_nC_n x^n$에서 양변에

$x=36,\ n=7$을 대입하면

$(1+36)^7={}_7C_0+36\,{}_7C_1+36^2\,{}_7C_2+\cdots+36^7\,{}_7C_7$

이 식의 우변의 양 끝의 항인 ${}_7C_0$과 $36^7\,{}_7C_7$을 제외한 나머지 항은 모두 7의 배수이다.

따라서 ${}_7C_0+36^7\,{}_7C_7=1+36^7$이고, 오늘부터 $36^7$일째 되는 날이 수요일이므로 $(1+36)^7$일째 되는 날은 수요일 다음 날인 목요일이다.     🔲 ④

**60**

$\displaystyle\sum_{k=0}^{10}({}_{10}C_k)^2=({}_{10}C_0)^2+({}_{10}C_1)^2+({}_{10}C_2)^2+\cdots+({}_{10}C_{10})^2$이고

$(1+x)^{20}=(1+x)^{10}(1+x)^{10}$이므로

$(1+x)^{20}$에서 $x^{10}$의 계수는 ${}_{20}C_{10}$     ……㉠

$(1+x)^{10}(1+x)^{10}=({}_{10}C_0+{}_{10}C_1 x+\cdots+{}_{10}C_{10}x^{10})$

$\qquad\qquad\qquad\qquad\times({}_{10}C_0+{}_{10}C_1 x+\cdots+{}_{10}C_{10}x^{10})$

의 전개식에서 $x^{10}$의 계수는

${}_{10}C_0\times{}_{10}C_{10}+{}_{10}C_1\times{}_{10}C_9+\cdots+{}_{10}C_{10}\times{}_{10}C_0$     ……㉡

${}_nC_r={}_nC_{n-r}$이므로 ㉡은

${}_{10}C_0\times{}_{10}C_0+{}_{10}C_1\times{}_{10}C_1+\cdots+{}_{10}C_{10}\times{}_{10}C_{10}$

$=({}_{10}C_0)^2+({}_{10}C_1)^2+\cdots+({}_{10}C_{10})^2$

$={}_{20}C_{10}\ (\because ㉠)$

$\therefore n=20$     🔲 20

**61**

(i) 한 학생이 짝수 2개를 택하는 경우

짝수 2개를 택한 학생을 선택하는 경우의 수는 서로 다른 2개에서 1개를 택하는 조합의 수이므로

${}_2C_1=2$

이 각각에 대하여 짝수 2개를 정하는 경우의 수는 2, 4 중에서 중복을 허락하여 2개를 택하는 중복조합의 수이므로

${}_2H_2={}_3C_2={}_3C_1=3$

이 각각에 대하여 짝수 2개를 택한 한 학생이 홀수 1, 3, 5 중에서 1개를 택하는 경우의 수는 서로 다른 3개에서 1개를 택하는 조합의 수이므로

${}_3C_1=3$

이 각각에 대하여 짝수를 택하지 않은 학생이 홀수 1, 3, 5 중에서 중복을 허락하여 3개를 택하는 경우의 수는 서로 다른 3개에서 3개를 택하는 중복조합의 수이므로

${}_3H_3={}_5C_3={}_5C_2=10$

그러므로 경우의 수는 $2\times3\times3\times10=180$

(ii) A, B가 각각 짝수 1개를 택하는 경우

A가 짝수 2, 4 중에서 한 개를 택하는 경우의 수는 2

B가 짝수 2, 4 중에서 한 개를 택하는 경우의 수는 2

이 각각에 대하여 A가 홀수 1, 3, 5 중에서 중복을 허락하여 2개를 택하는 경우의 수는 서로 다른 3개에서 2개를 택하는 중복조합의 수이므로

${}_3H_2={}_4C_2=6$

이 각각에 대하여 B가 홀수 1, 3, 5 중에서 중복을 허락하여 2개를 택하는 경우의 수는 서로 다른 3개에서 2개를 택하는 중복조합의 수이므로

${}_3H_2={}_4C_2=6$

그러므로 경우의 수는 $2\times2\times6\times6=144$

(i), (ii)에서 구하는 경우의 수는

$180+144=324$     🔲 ③

**01** 서로 다른 두 개의 주사위를 동시에 던질 때, 일어날 수 있는 모든 경우의 수는 $6 \times 6 = 36$

나오는 두 눈의 수의 합이 4 이하가 되는 경우를 순서쌍으로 나타내면

$(1, 1), (1, 2), (1, 3), (2, 1), (2, 2), (3, 1)$의 6가지이다.

따라서 구하는 확률은 $\dfrac{6}{36} = \dfrac{1}{6}$ **답** $\dfrac{1}{6}$

**02** 5명을 한 줄로 세우는 방법의 수는 $5!$

(1) A, B를 제외한 나머지 3명을 한 줄로 세우는 방법의 수는 $3!$

A, B를 양 끝에 세우는 방법의 수는 $2!$

따라서 구하는 확률은 $\dfrac{3! \times 2!}{5!} = \dfrac{1}{10}$

(2) A, B를 묶어서 한 사람으로 생각하면 4명을 한 줄로 세우는 방법의 수는 $4!$

따라서 구하는 확률은 $\dfrac{4!}{5!} = \dfrac{1}{5}$

(3) A, B를 묶어서 한 사람으로 생각하면 4명을 한 줄로 세우는 방법의 수는 $4!$

A, B가 서로 자리를 바꾸는 방법의 수는 $2!$

따라서 구하는 확률은 $\dfrac{4! \times 2!}{5!} = \dfrac{2}{5}$

(4) A○○B를 묶어서 한 사람으로 생각하면 2명을 한 줄로 세우는 방법의 수는 $2!$

A와 B 사이에 2명을 세우는 방법의 수는 $_3\mathrm{P}_2$

A, B가 서로 자리를 바꾸는 방법의 수는 $2!$

따라서 구하는 확률은 $\dfrac{2! \times _3\mathrm{P}_2 \times 2!}{5!} = \dfrac{1}{5}$

**답** (1) $\dfrac{1}{10}$ (2) $\dfrac{1}{5}$ (3) $\dfrac{2}{5}$ (4) $\dfrac{1}{5}$

**03** 8명의 가족이 원탁에 둘러앉는 방법의 수는 $7!$

부모가 서로 마주 보고 앉으려면 아버지를 제외한 7명의 가족이 먼저 원탁에 앉은 후 아버지가 어머니의 맞은편에 앉으면 되므로 그 방법의 수는 $6!$

따라서 구하는 확률은 $\dfrac{6!}{7!} = \dfrac{1}{7}$ **답** ①

**04** 세 개의 숫자 1, 2, 3에서 중복을 허용하여 세 자리 정수를 만드는 경우의 수는 $_3\Pi_3 = 27$

이 중에서 3의 배수인 경우는

111, 222, 333, 123, 132, 213, 231, 312, 321의 9가지이다.

따라서 구하는 확률은 $\dfrac{9}{27} = \dfrac{1}{3}$ **답** $\dfrac{1}{3}$

**05** 6개의 문자를 일렬로 나열하는 경우의 수는 $\dfrac{6!}{2!} = 360$

양 끝에 자음이 위치하는 경우의 수는 자음 B, C, D, F 중에서 2개를 택하여 양 끝에 나열하고 나머지 4개의 문자를 일렬로 나열하는 경우의 수와 같으므로

$_4\mathrm{P}_2 \times \dfrac{4!}{2!} = 144$

따라서 구하는 확률은 $\dfrac{144}{360} = \dfrac{2}{5}$ **답** ③

**06** 5개의 공 중에서 2개를 꺼내는 방법의 수는 $_5\mathrm{C}_2 = 10$

( i ) 흰 공 3개 중에서 2개를 꺼내는 방법의 수는

$_3\mathrm{C}_2 = 3$

(ii) 붉은 공 2개 중에서 2개를 꺼내는 방법의 수는

$_2\mathrm{C}_2 = 1$

( i ), (ii)에서 같은 색의 공을 꺼내는 방법의 수는

$3 + 1 = 4$

따라서 구하는 확률은 $\dfrac{4}{10} = \dfrac{2}{5}$ **답** $\dfrac{2}{5}$

**07** 똑같은 연필 10자루를 네 명의 학생에게 나누어 주는 방법의 수는 서로 다른 4개에서 중복을 허락하여 10개를 택하는 중복조합의 수와 같으므로

$_4\mathrm{H}_{10} = _{13}\mathrm{C}_{10} = _{13}\mathrm{C}_3 = 286$

모든 학생이 적어도 한 자루의 연필을 받는 방법의 수는 먼저 네 명의 학생에게 연필 한 자루씩을 나누어 주고 남은 연필 6자루를 네 명의 학생에게 나누어 주는 방법의 수와 같다. 즉, 서로 다른 4개에서 중복을 허락하여 6개를 택하는 중복조합의 수와 같으므로

$_4\mathrm{H}_6 = _9\mathrm{C}_6 = _9\mathrm{C}_3 = 84$

따라서 구하는 확률은 $\dfrac{84}{286} = \dfrac{42}{143}$ **답** $\dfrac{42}{143}$

**08** 집합 $A$에서 집합 $B$로의 함수의 개수는

$_5\Pi_3 = 125$

$i < j$이면 $f(i) < f(j)$를 만족시키는 함수는 집합 $B$의 원소 중에서 3개를 선택하여 작은 순서대로 집합 $A$의 원소 1, 2, 3에 대응시키면 되므로 함수의 개수는

$_5\mathrm{C}_3 = 10$

따라서 구하는 확률은 $\dfrac{10}{125} = \dfrac{2}{25}$ **답** $\dfrac{2}{25}$

**09** $A = \{2, 4\}$, $B = \{2, 3, 5\}$, $C = \{1, 2, 3\}$, $D = \{1, 4\}$

$B \cap D = \varnothing$이므로 서로 배반사건인 것은 $B$와 $D$이다.

**답** ④

**10** $A = \{4, 8\}$, $B = \{1, 3, 5, 7, 9\}$이고 사건 $C$는 두 사건 $A$, $B$와 모두 배반인 사건이므로

$A \cap C = \varnothing$, $B \cap C = \varnothing$

$\therefore (A \cup B) \cap C = \varnothing$

즉, $C \subset (A \cup B)^C = \{2, 6, 10\}$이다.

따라서 두 사건 $A$, $B$와 모두 배반인 사건 $C$의 개수는 $(A \cup B)^C$의 부분집합의 개수와 같으므로

$2^3 = 8$ **답** 8

**11** 산책로의 모든 경우의 수는 $2 \times 3 = 6$이므로 형섭이와 민호가 산책로를 정하는 모든 방법의 수는

$6 \times 6 = 36$

형섭이와 민호가 같은 길을 따라서 산책하는 방법의 수는 6

따라서 구하는 확률은 $\dfrac{6}{36} = \dfrac{1}{6}$ **답** $\dfrac{1}{6}$

**12** 두 개의 주사위를 동시에 던질 때 나올 수 있는 모든 경우의 수는
$6 \times 6 = 36$
$|a-b|=2$인 경우를 순서쌍 $(a, b)$로 나타내면
$(1, 3), (2, 4), (3, 5), (4, 6), (6, 4), (5, 3), (4, 2), (3, 1)$
의 8가지이다.
따라서 구하는 확률은 $\dfrac{8}{36} = \dfrac{2}{9}$      **冏** ①

**13** 집합 $A$의 모든 부분집합의 개수는
$2^6 = 64$
$a$와 $b$를 반드시 포함하는 부분집합의 개수는 $a$와 $b$를 제외하고 나머지 4개의 원소로 이루어진 집합의 부분집합의 개수와 같으므로
$2^4 = 16$
따라서 구하는 확률은 $\dfrac{16}{64} = \dfrac{1}{4}$      **冏** $\dfrac{1}{4}$

**14** 한 개의 주사위를 두 번 던질 때 나올 수 있는 모든 경우의 수는
$6 \times 6 = 36$
$\left[\dfrac{a+2b}{b}\right] = \dfrac{a+2b}{b}$를 만족시키려면
$\dfrac{a+2b}{b} = \dfrac{a}{b} + 2$는 정수이어야 한다.
즉, $\dfrac{a}{b} = (정수)$를 만족시키는 순서쌍 $(a, b)$는
$(1, 1), (2, 1), (3, 1), (4, 1), (5, 1), (6, 1),$
$(2, 2), (4, 2), (6, 2),$
$(3, 3), (6, 3),$
$(4, 4), (5, 5), (6, 6)$
의 14가지이다.
따라서 구하는 확률은 $\dfrac{14}{36} = \dfrac{7}{18}$      **冏** $\dfrac{7}{18}$

**15** 8명을 일렬로 세우는 방법의 수는 8!
남자끼리는 이웃하지 않게 세우려면 여자 5명을 일렬로 세우고 그 양 끝과 사이사이의 6개의 자리에 남자 3명을 세우면 되므로 그 방법의 수는 $5! \times {}_6P_3$
따라서 구하는 확률은 $\dfrac{5! \times {}_6P_3}{8!} = \dfrac{5}{14}$      **冏** ④

**16** 네 개의 숫자 0, 1, 2, 3을 한 줄로 나열하여 만들 수 있는 네 자리 자연수는 1□□□, 2□□□, 3□□□ 꼴이므로 그 개수는
$3 \times 3! = 18$
3100보다 큰 수는 31□□, 32□□ 꼴이므로 그 개수는
$2 \times 2! = 4$
따라서 구하는 확률은
$\dfrac{4}{18} = \dfrac{2}{9}$      **冏** $\dfrac{2}{9}$

**17** 6명의 학생이 자리에 앉는 모든 방법의 수는 6!
좌석을 좌석 번호의 차가 1 또는 10이 되도록 세 묶음으로 나누는 경우는 다음의 세 가지이다.
( i ) (11, 21), (12, 22), (13, 23)
( ii ) (11, 21), (12, 13), (22, 23)

(iii) (11, 12), (21, 22), (13, 23)
( i )에서 각 묶음별로 학교를 정하는 방법의 수는 3!이고, 그 각각에 대하여 각 학교별 좌석에 학생들이 앉는 방법의 수는 $2^3$이다.
따라서 그 방법의 수는 $3! \times 2^3$
(ii), (iii)의 경우도 ( i )과 마찬가지로 그 방법의 수는 $3! \times 2^3$
따라서 구하는 확률은
$\dfrac{3 \times 3! \times 2^3}{6!} = \dfrac{1}{5}$      **冏** $\dfrac{1}{5}$

**18** 7명을 원탁에 앉히는 방법의 수는 6!
갑과 을이 이웃하는 방법의 수는 갑과 을을 한 사람으로 생각하여 6명을 원탁에 앉히는 방법의 수와 같으므로
$5! \times 2!$
따라서 구하는 확률은
$\dfrac{5! \times 2!}{6!} = \dfrac{1}{3}$      **冏** ③

**19** 8명이 원탁에 둘러앉는 방법의 수는 7!
그림과 같이 B, D가 마주 보고 앉을 때, 남은 6개의 자리 중에서 이웃한 2개의 자리를 택하는 방법이 4가지, E, G가 자리를 바꾸는 방법이 2가지이고, 남은 4개의 자리에 A, C, F, H가 앉는 방법이 4!가지이다. 즉, B와 D는 서로 마주 보고 앉고 E와 G가 이웃하여 앉는 방법의 수는
$4 \times 2 \times 4!$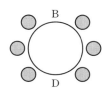
따라서 구하는 확률은 $\dfrac{4 \times 2 \times 4!}{7!} = \dfrac{4}{105}$    **冏** $\dfrac{4}{105}$

**20** 가운데 영역에 한 가지 색을 칠하는 방법의 수는 6이고, 나머지 영역에 5가지 색을 칠하는 방법의 수는 $(5-1)! = 4!$이므로 원의 내부에 6가지 색을 칠하는 방법의 수는
$6 \times 4!$
빨강색과 주황색을 제외한 나머지 4가지 색 중에서 한 가지를 가운데 영역에 칠하는 방법의 수는 4이고, 빨강색과 주황색을 한 가지로 생각하면 가운데 영역을 제외한 나머지 영역에 4가지 색을 칠하는 방법의 수는 $(4-1)! = 3!$, 빨강색과 주황색의 자리를 바꾸는 방법의 수는 2!이므로 가운데 영역을 제외한 나머지 영역에 빨강색과 주황색을 이웃하게 칠하는 방법의 수는
$4 \times 3! \times 2!$
따라서 구하는 확률은 $\dfrac{4 \times 3! \times 2!}{6 \times 4!} = \dfrac{1}{3}$    **冏** $\dfrac{1}{3}$

**21** $a, b, c$ 세 통의 편지를 A, B, C 세 개의 우체통에 넣는 방법의 수는 ${}_3\Pi_3 = 27$
각각의 우체통에 1통의 편지만 넣는 방법의 수는 ${}_3P_3 = 6$
따라서 구하는 확률은 $\dfrac{6}{27} = \dfrac{2}{9}$      **冏** ②

**22** 0, 1, 2, 3의 네 개의 숫자에서 중복을 허용하여 만들 수 있는 세 자리 자연수의 개수는 맨 앞자리에 0을 제외한 3개의 숫자가 올 수 있고, 나머지 자리에는 4개의 숫자가 중복해서 올 수 있으므로
$3 \times {}_4\Pi_2 = 3 \times 4^2 = 48$

3이 포함되지 않는 세 자리 자연수의 개수는 맨 앞자리에는 0을 제외한 2개의 숫자가 올 수 있고, 나머지 자리에는 3을 제외한 3개의 숫자가 중복해서 올 수 있으므로

$2 \times {}_3\Pi_2 = 2 \times 3^2 = 18$

따라서 구하는 확률은 $\dfrac{18}{48} = \dfrac{3}{8}$

**目** $\dfrac{3}{8}$

**23** 집합 $\{1, 2, 3, 4, 5\}$에서 중복을 허용하여 임의로 세 수 $a$, $b$, $c$를 뽑는 경우의 수는 ${}_5\Pi_3 = 125$

$a + bc$의 값이 홀수인 경우의 수는 다음과 같다.

(i) $a$는 짝수이고 $bc$는 홀수인 경우의 수

$\quad$ $a$가 짝수인 경우는 2, 4의 2가지이고, $bc$가 홀수인 경우는 1, 3, 5 중에서 중복을 허용하여 $b$, $c$를 뽑는 경우이므로

$\quad$ ${}_3\Pi_2$

$\quad \therefore 2 \times {}_3\Pi_2 = 18$

(ii) $a$는 홀수이고 $bc$는 짝수인 경우의 수

$\quad$ $a$가 홀수인 경우는 1, 3, 5의 3가지이고, $bc$가 짝수인 경우는 $bc$의 모든 경우의 수인 $5 \times 5 = 25$에서 $b$와 $c$ 모두 홀수인 경우를 제외하면 되므로 $25 - {}_3\Pi_2 = 16$

$\quad \therefore 3 \times 16 = 48$

(i), (ii)에서 $18 + 48 = 66$

따라서 구하는 확률은 $\dfrac{66}{125}$

**目** $\dfrac{66}{125}$

**24** 7개의 숫자 1, 1, 1, 1, 2, 3, 3을 한 줄로 나열하는 경우의 수는

$\dfrac{7!}{4!2!} = 105$

1끼리 이웃하지 않는 경우는 1을 일렬로 나열한 후 그 사이사이의 3개의 자리에 2, 3, 3을 나열하면 되므로 그 경우의 수는

$\dfrac{3!}{2!} = 3$

따라서 구하는 확률은 $\dfrac{3}{105} = \dfrac{1}{35}$

**目** $\dfrac{1}{35}$

**25** A지점에서 B지점까지 최단 경로로 가는 방법의 수는

$\dfrac{8!}{4!4!} = 70$

A지점에서 P지점을 거쳐서 B지점까지 최단 경로로 가는 방법의 수는

$\dfrac{4!}{2!2!} \times \dfrac{4!}{2!2!} = 36$

따라서 구하는 확률은 $\dfrac{36}{70} = \dfrac{18}{35}$

$\therefore a + b = 18 + 35 = 53$

**目** 53

**26** 점 P가 원점으로 다시 돌아오는 경우의 수는 짝수가 2번, 홀수가 2번 나와야 하므로 $\dfrac{4!}{2!2!} = 6$

이 중에서 점 A(1)을 들러 왔을 경우의 수는 다음과 같다.

(i) 짝수가 처음 나오는 경우

$\quad$ (짝, ×, ×, ×)에서 ×, ×, ×에 짝, 홀, 홀을 일렬로 배열하는 경우의 수와 같으므로

$\quad$ $\dfrac{3!}{2!} = 3$

(ii) 홀수가 처음 나오는 경우

$\quad$ (홀, 짝, 짝, 홀)의 1가지

(i), (ii)에서 $3 + 1 = 4$

따라서 구하는 확률은 $\dfrac{4}{6} = \dfrac{2}{3}$

$\therefore a^2 + b^2 = 3^2 + 2^2 = 13$

**目** 13

**27** 10장의 카드 중에서 두 장을 뽑는 경우의 수는

${}_{10}C_2 = 45$

두 장의 카드를 임의로 뽑을 때, 같은 수의 카드를 뽑는 경우의 수는 다음과 같다.

(i) 2가 적힌 카드를 두 장 뽑는 경우의 수는 ${}_2C_2 = 1$

(ii) 3이 적힌 카드를 두 장 뽑는 경우의 수는 ${}_3C_2 = 3$

(iii) 4가 적힌 카드를 두 장 뽑는 경우의 수는 ${}_4C_2 = 6$

(i), (ii), (iii)에서 $1 + 3 + 6 = 10$

따라서 구하는 확률은 $\dfrac{10}{45} = \dfrac{2}{9}$

**目** ②

**28** 10장의 카드 중에서 3장을 뽑는 경우의 수는 ${}_{10}C_3 = 120$

세 수의 곱이 4의 배수가 되는 경우의 수는 다음과 같다.

(i) 짝수만 3개일 때,

$\quad$ ${}_5C_3 = 10$

(ii) 짝수 2개와 홀수 1개일 때,

$\quad$ ${}_5C_2 \times {}_5C_1 = 50$

(iii) 짝수 1개와 홀수 2개일 때, 짝수는 반드시 4, 8 중에서 1개가 뽑혀야 하므로

$\quad$ ${}_2C_1 \times {}_5C_2 = 20$

(i), (ii), (iii)에서 $10 + 50 + 20 = 80$

따라서 구하는 확률은 $\dfrac{80}{120} = \dfrac{2}{3}$

**目** $\dfrac{2}{3}$

**29** 10명의 학생 중에서 대표 2명을 뽑는 방법의 수는 ${}_{10}C_2 = 45$

여학생의 수를 $x$라 하면 남학생의 수는 $10 - x$이므로 주어진 조건에서

$x > 10 - x \qquad \therefore x > 5$

대표 2명을 뽑을 때 남학생과 여학생을 1명씩 뽑는 방법의 수는

${}_xC_1 \times {}_{10-x}C_1 = x(10 - x)$

즉, $\dfrac{x(10-x)}{45} = \dfrac{8}{15}$이므로

$x(10 - x) = 24$, $x^2 - 10x + 24 = 0$

$(x - 4)(x - 6) = 0$

$\therefore x = 6 \ (\because x > 5)$

**目** 6

**30** 정팔각형의 세 꼭짓점을 이어 만들 수 있는 삼각형의 개수는

${}_8C_3 = 56$

그림과 같이 정팔각형에서 이등변삼각형은

△ABC와 합동인 삼각형 8개,

△ACE와 합동인 삼각형 8개,

△ADG와 합동인 삼각형 8개

이므로 이등변삼각형의 개수는

$8 + 8 + 8 = 24$

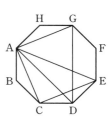

따라서 구하는 확률은 $\dfrac{24}{56}=\dfrac{3}{7}$  답 $\dfrac{3}{7}$

**31** 10장의 카드 중에서 3장을 뽑는 경우의 수는 $_{10}C_3=120$
$a-b\leq3$을 만족시키는 경우는 다음과 같다.
 (ⅰ) $a-b=2$일 때, 3개의 숫자가 연속되어야 하므로
   순서쌍 $(a,b)$로 나타내면
   $(2,0),(3,1),(4,2),\cdots,(9,7)$의 8가지
 (ⅱ) $a-b=3$일 때, 순서쌍 $(a,b)$로 나타내면
   $(3,0),(4,1),(5,2),(6,3),(7,4),(8,5),(9,6)$의
   7가지이고, 각 경우마다 $a$, $b$를 제외한 나머지 수는 2가지씩
   있으므로
   $7\times2=14$
 (ⅰ), (ⅱ)에서 $8+14=22$
따라서 구하는 확률은 $\dfrac{22}{120}=\dfrac{11}{60}$  답 $\dfrac{11}{60}$

**32** 6명의 학생 A, B, C, D, E, F를 임의로 2명씩 짝을 지어 3개의 조로 편성하는 방법의 수는
$_6C_2\times_4C_2\times_2C_2\times\dfrac{1}{3!}=15$
A와 B는 같은 조에, C와 D는 서로 다른 조에 편성하는 방법은
$(A,B),(C,E),(D,F)$ 또는 $(A,B),(C,F),(D,E)$
의 2가지이다.
따라서 구하는 확률은 $\dfrac{2}{15}$  답 ③

**33** 귤, 참외, 사과, 배에서 중복을 허용하여 6개를 구입하는 방법의 수는 서로 다른 4개에서 6개를 택하는 중복조합의 수와 같으므로
$_4H_6=_9C_6=_9C_3=84$
배가 3개만 포함되는 방법의 수는 귤, 참외, 사과 중에서 3개를 택하는 중복조합의 수와 같으므로
$_3H_3=_5C_3=_5C_2=10$
따라서 구하는 확률은 $\dfrac{10}{84}=\dfrac{5}{42}$  답 ⑤

**34** 같은 모양의 구슬 10개를 4개의 주머니 A, B, C, D에 넣는 방법의 수는
$_4H_{10}=_{13}C_{10}=_{13}C_3=286$
각 주머니에 적어도 2개의 구슬이 있으려면 4개의 주머니에 각각 2개의 구슬을 넣고 나머지 2개를 4개의 주머니에 넣으면 되므로 그 방법의 수는
$_4H_2=_5C_2=10$
따라서 구하는 확률은 $\dfrac{10}{286}=\dfrac{5}{143}$  답 $\dfrac{5}{143}$

**35** 방정식 $x+y+z=10$을 만족시키는 음이 아닌 정수해의 순서쌍 $(x,y,z)$의 개수는 서로 다른 3개에서 중복을 허락하여 10개를 택하는 중복조합의 수와 같으므로
$_3H_{10}=_{12}C_{10}=_{12}C_2=66$
$x=x'+1$, $y=y'+2$, $z=z'+3(x'\geq0,y'\geq0,z'\geq0)$으로 놓으면
$x'+y'+z'=4$

따라서 $x\geq1$, $y\geq2$, $z\geq3$을 만족시키는 순서쌍 $(x,y,z)$의 개수는 $x'+y'+z'=4$를 만족시키는 음이 아닌 정수해의 순서쌍 $(x',y',z')$의 개수를 구하는 것과 같으므로
$_3H_4=_6C_4=_6C_2=15$
따라서 구하는 확률은 $\dfrac{15}{66}=\dfrac{5}{22}$
$\therefore p+q=22+5=27$  답 27

**36** 집합 $A$에서 집합 $B$로의 함수 $f$의 개수는
$_4\Pi_3=64$
일대일함수의 개수는 $B$의 원소 1, 2, 3, 4의 4개에서 서로 다른 3개를 뽑아 일렬로 나열하는 방법의 수와 같으므로
$_4P_3=24$
따라서 구하는 확률은 $\dfrac{24}{64}=\dfrac{3}{8}$  답 ③

**37** 집합 $A$에서 집합 $B$로의 함수의 개수는
$_4\Pi_3=64$
상수함수는
$f(x)=1, f(x)=2, f(x)=3, f(x)=4$
의 4개이다.
따라서 구하는 확률은 $\dfrac{4}{64}=\dfrac{1}{16}$  답 $\dfrac{1}{16}$

**38** 집합 $A$에서 집합 $B$로의 함수의 개수는
$_5\Pi_3=125$
$x_1<x_2$이면 $f(x_1)\leq f(x_2)$를 만족시키는 함수는 집합 $B$의 원소 중에서 중복을 허용하여 3개를 선택한 후 작은 순서대로 집합 $A$의 원소 3, 4, 5에 대응시키면 되므로 함수의 개수는
$_5H_3=_7C_3=35$
따라서 구하는 확률은 $\dfrac{35}{125}=\dfrac{7}{25}$이므로
$a+b=25+7=32$  답 32

**39** 집합 $X$에서 집합 $X$로의 함수의 개수는
$_3\Pi_3=27$
함숫값의 합이 5인 함수의 개수는 1, 1, 3 또는 1, 2, 2를 일렬로 나열하는 경우의 수와 같으므로
$\dfrac{3!}{2!}+\dfrac{3!}{2!}=6$
따라서 구하는 확률은 $\dfrac{6}{27}=\dfrac{2}{9}$  답 ①

**40** 집합 $X$에서 집합 $Y$로의 함수의 개수는
$_6\Pi_4=1296$
조건을 만족시키는 함수의 개수는 $X$의 원소 1을 $Y$의 원소 1, 2, 3, 4 중에서 하나에 대응시키는 경우의 수 $_4C_1$에 $X$의 원소 3, 4를 $Y$의 원소 4, 5, 6 중에서 중복을 허락하여 2개의 수에 대응시키는 경우의 수 $_3H_2$를 곱하여
$_4C_1\times_3H_2=4\times_4C_2=24$
따라서 구하는 확률은 $\dfrac{24}{1296}=\dfrac{1}{54}$
$\therefore p+q=54+1=55$  답 55

**41** 집합 $X$에서 집합 $Y$로의 함수 $f$의 개수는

$_4\Pi_3=64$

$f(a)<f(b)=f(c)$를 만족시키기 위해서는 집합 $Y$의 원소 중에서 2개를 뽑아 집합 $X$의 원소에 대응시키면 되므로 함수의 개수는

$_4C_2=6$

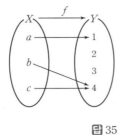

따라서 구하는 확률은 $\dfrac{6}{64}=\dfrac{3}{32}$

$\therefore p+q=32+3=35$ 　　　　　　답 35

**42** ㄱ. 확률의 기본 성질에 의하여 $0\leq P(A)\leq1$ (참)

ㄴ. $P(S)=1$, $P(\varnothing)=0$이므로

$P(S)+P(\varnothing)=1$ (참)

ㄷ. $0\leq P(A)\leq1$, $0\leq P(B)\leq1$이므로

$0\leq P(A)+P(B)\leq2$

또 $P(S)=1$, $P(\varnothing)=0$이므로

$1\leq P(S)+P(A)+P(B)+P(\varnothing)\leq3$ (거짓)

따라서 옳은 것은 ㄱ, ㄴ이다. 　　　　　　답 ③

**43** $P(\varnothing)=0$, $P(S)=1$이므로

조건 ㈎에서 $P(A)=2P(B)$ ······ ㉠

조건 ㈏에서 $P(A)+P(B)=3-6P(B)$

$\therefore P(A)+7P(B)=3$ ······ ㉡

㉠을 ㉡에 대입하면 $9P(B)=3$

$\therefore P(B)=\dfrac{1}{3}$

㉠에서 $P(A)=\dfrac{2}{3}$

$\therefore 3P(A)+P(B)=2+\dfrac{1}{3}=\dfrac{7}{3}$ 　　　　　답 $\dfrac{7}{3}$

**44** 정사면체 $m$개를 던지는 시행에서 근원사건의 개수는 $4^m$, 동전 $n$개를 던지는 시행에서 근원사건의 개수는 $2^n$

표본공간의 원소의 개수가 512이므로

$4^m\times2^n=512$, $2^{2m+n}=2^9$

$\therefore 2m+n=9$

$m\geq0$, $n\geq0$인 정수이므로 조건을 만족시키는 $m$, $n$의 순서쌍 $(m, n)$은 $(0, 9)$, $(1, 7)$, $(2, 5)$, $(3, 3)$, $(4, 1)$이다.

따라서 $mn$의 최댓값은 10이다. 　　　　　답 ③

**45** $y=-x^2+5x-\dfrac{3}{4}$

$\qquad =-\left(x-\dfrac{5}{2}\right)^2+\dfrac{11}{2}$

즉, 주어진 포물선과 직선 $y=m$이 만나려면 $m$은 1, 2, 3, 4, 5 중에서 하나가 되면 되므로 구하는 확률은

$\dfrac{5}{10}=\dfrac{1}{2}$

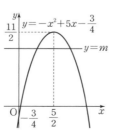

답 $\dfrac{1}{2}$

**46** 한 개의 주사위를 두 번 던져서 나올 수 있는 모든 경우의 수는

$6\times6=36$

$(f\circ g)(x)=(5-a)(b-3)x+3a-14$이므로

직선 $y=(f\circ g)(x)$가 제1사분면을 지나는 경우는

$3a-14<0$이고 $(5-a)(b-3)>0$

또는 $3a-14>0$

(ⅰ) $a=1$일 때, $b=4, 5, 6$ ➡ 3가지

(ⅱ) $a=2$일 때, $b=4, 5, 6$ ➡ 3가지

(ⅲ) $a=3$일 때, $b=4, 5, 6$ ➡ 3가지

(ⅳ) $a=4$일 때, $b=4, 5, 6$ ➡ 3가지

(ⅴ) $a=5$일 때, $b=1, 2, 3, 4, 5, 6$ ➡ 6가지

(ⅵ) $a=6$일 때, $b=1, 2, 3, 4, 5, 6$ ➡ 6가지

(ⅰ)~(ⅵ)에서 $3+3+3+3+6+6=24$

따라서 구하는 확률은

$\dfrac{24}{36}=\dfrac{2}{3}$ 　　　　　　답 $\dfrac{2}{3}$

**47** 각 행에서 하나씩 택하여 곱하는 경우의 수는

$3\times3\times3=27$

택한 세 수의 곱을 3으로 나누었을 때, 나머지가 1이 되는 경우는 택한 세 수의 지수의 합이 짝수일 때이다.

1행, 2행, 3행에서 각각 택한 세 수의 지수를 순서쌍 $(a, b, c)$로 나타내면 $a+b+c$가 짝수인 경우의 수는

(ⅰ) (홀수, 홀수, 짝수): $2\times1\times1=2$

(ⅱ) (홀수, 짝수, 홀수): $2\times2\times2=8$

(ⅲ) (짝수, 홀수, 홀수): $1\times1\times2=2$

(ⅳ) (짝수, 짝수, 짝수): $1\times2\times1=2$

(ⅰ)~(ⅳ)에서 $2+8+2+2=14$

따라서 구하는 확률은 $\dfrac{14}{27}$ 　　　　　답 ③

**48** 한 개의 주사위를 두 번 던질 때 일어날 수 있는 모든 경우의 수는

$6\times6=36$

$3<(a-2)(b-1)\leq6$ ······ ㉠

을 만족시키는 경우는 다음과 같다.

(ⅰ) $(a-2)(b-1)=4$일 때,

| $a-2$ | 1 | 2 | 4 |
|---|---|---|---|
| $b-1$ | 4 | 2 | 1 |

순서쌍 $(a, b)$는 $(3, 5)$, $(4, 3)$, $(6, 2)$로 이 경우의 수는 3이다.

(ⅱ) $(a-2)(b-1)=5$일 때,

| $a-2$ | 1 | 5 |
|---|---|---|
| $b-1$ | 5 | 1 |

순서쌍 $(a, b)$는 $(3, 6)$으로 이 경우의 수는 1이다.

(ⅲ) $(a-2)(b-1)=6$일 때,

| $a-2$ | 1 | 2 | 3 | 6 |
|---|---|---|---|---|
| $b-1$ | 6 | 3 | 2 | 1 |

순서쌍 $(a, b)$는 $(4, 4)$, $(5, 3)$으로 이 경우의 수는 2이다.

(ⅰ), (ⅱ), (ⅲ)에서 ㉠을 만족시키는 경우의 수는

$3+1+2=6$

따라서 구하는 확률은

$\dfrac{6}{36}=\dfrac{1}{6}$ 　　　　　　답 $\dfrac{1}{6}$

**49** 5명이 5개의 좌석에 앉는 방법의 수는 $5!=120$

(i) 자동차 B에 탔던 2명끼리 자리를 바꾸어 앉고 나머지 3개의 좌석에 자동차 A에서 온 3명이 자리에 앉는 방법의 수는
$$3!=6$$

(ii) 자동차 B에 탔던 2명이 자신들이 앉지 않았던 3개의 좌석에 앉는 방법의 수는 $_3P_2$, 그 각각의 경우에 대하여 자동차 A에서 온 사람이 앉는 방법의 수는 $3!$이므로
$$_3P_2\times3!=36$$

(iii) 자동차 B에 탔던 2명 중에서 한 명은 다른 한 명 자리로 가고 나머지 한 명은 비었던 3자리에 앉는 방법의 수는
$$2\times{}_3P_1\times3!=36$$

(i), (ii), (iii)에서 $6+36+36=78$

따라서 구하는 확률은 $\dfrac{78}{120}=\dfrac{13}{20}$

$$\therefore p+q=20+13=33$$

📋 33

**50** $x$축의 양의 방향으로 이동하는 사건을 $A$, 그 횟수를 $a$,
$x$축의 음의 방향으로 이동하는 사건을 $B$, 그 횟수를 $b$,
$y$축의 양의 방향으로 이동하는 사건을 $C$, 그 횟수를 $c$,
$y$축의 음의 방향으로 이동하는 사건을 $D$, 그 횟수를 $d$라 하자.

모든 경우의 수는 매초 4가지 사건 중에서 한 가지가 일어나므로
$$4^6=4096$$
한편, 6초 동안에 6번의 이동을 하므로
$$a+b+c+d=6 \qquad \cdots\cdots \text{㉠}$$
또한, 점 $(0,0)$의 좌표가 점 $(2,2)$의 좌표로 이동하므로
$$a-b=2 \qquad \cdots\cdots \text{㉡}$$
$$c-d=2 \qquad \cdots\cdots \text{㉢}$$
㉠, ㉡, ㉢을 만족시키는 $a,b,c,d$의 값은 다음과 같다.

(i) $a=3$, $b=1$, $c=2$, $d=0$인 경우
$A$, $A$, $A$, $B$, $C$, $C$를 일렬로 나열하는 경우의 수와 같으므로
$$\dfrac{6!}{3!2!}=60$$

(ii) $a=2$, $b=0$, $c=3$, $d=1$인 경우
$A$, $A$, $C$, $C$, $C$, $D$를 일렬로 나열하는 경우의 수와 같으므로
$$\dfrac{6!}{2!3!}=60$$

(i), (ii)에서 $60+60=120$

따라서 구하는 확률은 $\dfrac{120}{4096}=\dfrac{15}{512}$

📋 $\dfrac{15}{512}$

**51** 주어진 그림의 아래 직선에서 두 점, 위의 직선에서 두 점을 택하여 연결할 때 사각형이 되므로 만들어지는 모든 사각형의 개수는
$$_5C_2\times{}_5C_2=100$$
윗변과 아랫변의 길이를 각각 $a$, $b$라 하면
$$\dfrac{1}{2}(a+b)\times1=3\text{에서 } a+b=6$$

(i) $a=2$, $b=4$일 때
$a=2$인 경우는 3가지
$b=4$인 경우는 1가지
$$\therefore 3\times1=3$$

(ii) $a=3$, $b=3$일 때

$a=3$인 경우는 2가지
$b=3$인 경우는 2가지
$$\therefore 2\times2=4$$

(iii) $a=4$, $b=2$일 때
$a=4$인 경우는 1가지
$b=2$인 경우는 3가지
$$\therefore 1\times3=3$$

(i), (ii), (iii)에서 넓이가 3인 사각형의 개수는
$$3+4+3=10$$
따라서 구하는 확률은 $\dfrac{10}{100}=\dfrac{1}{10}$

📋 $\dfrac{1}{10}$

**52** 갑이 주머니 A에서 두 장의 카드를 꺼내고, 을이 주머니 B에서 두 장의 카드를 꺼내는 경우의 수는
$$_4C_2\times{}_4C_2=36$$
갑이 가진 두 장의 카드에 적힌 수의 합과 을이 가진 두 장의 카드에 적힌 수의 합이 같은 경우의 수는 다음과 같다.

(i) 갑과 을이 꺼낸 두 장의 카드에 적힌 숫자가 모두 같을 때, 4장의 카드 중에서 두 장의 카드를 꺼내는 경우의 수와 같으므로 $_4C_2=6$

(ii) 갑과 을이 꺼낸 두 장의 카드에 적힌 숫자가 모두 다를 때, 이 경우는 갑이 가진 두 장의 카드에 적힌 수의 합과 을이 가진 두 장의 카드에 적힌 수의 합이 모두 5가 될 때이다. 즉, 갑이 1과 4가 적힌 카드를 꺼내고 을은 2와 3이 적힌 카드를 꺼내거나 갑이 2와 3이 적힌 카드를 꺼내고 을은 1과 4가 적힌 카드를 꺼낼 때이므로 이 경우의 수는 2이다.

(i), (ii)에서 갑이 가진 두 장의 카드에 적힌 수의 합과 을이 가진 두 장의 카드에 적힌 수의 합이 같은 경우의 수는
$$6+2=8$$
따라서 구하는 확률은 $\dfrac{8}{36}=\dfrac{2}{9}$

📋 $\dfrac{2}{9}$

**53** 24개의 꼭짓점 중에서 임의의 두 점을 택하는 경우의 수는
$$_{24}C_2=276$$
두 점 사이의 거리가 $\sqrt{10}$인 두 점은 그림과 같이 가로로 3, 세로로 1만큼 또는 세로로 3, 가로로 1만큼 떨어진 점이다.

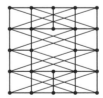 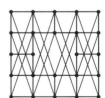

(i) 두 점이 가로로 3, 세로로 1만큼 떨어진 경우의 수는
$$4\times4=16$$

(ii) 두 점이 세로로 3, 가로로 1만큼 떨어진 경우의 수는
$$4\times4=16$$

(i), (ii)에서 $16+16=32$

따라서 구하는 확률은 $\dfrac{32}{276}=\dfrac{8}{69}$

📋 ④

**54** $n$장의 카드 중에서 3장을 꺼내는 경우의 수는 $_nC_3$
세 장의 카드에 적힌 수가 연속인 자연수일 경우는
$(1,2,3)$, $(2,3,4)$, $(3,4,5)$, $\cdots$, $(n-2,n-1,n)$의
$(n-2)$가지이므로

$$P_n = \frac{n-2}{{}_nC_3} = \frac{n-2}{\frac{n(n-1)(n-2)}{6}} = \frac{6}{n(n-1)}$$

$$\therefore \sum_{n=3}^{20} P_n = \sum_{n=3}^{20} \frac{6}{n(n-1)} = 6\sum_{n=3}^{20}\left(\frac{1}{n-1}-\frac{1}{n}\right)$$

$$= 6\left\{\left(\frac{1}{2}-\frac{1}{3}\right)+\left(\frac{1}{3}-\frac{1}{4}\right)+\cdots+\left(\frac{1}{19}-\frac{1}{20}\right)\right\}$$

$$= 6\left(\frac{1}{2}-\frac{1}{20}\right) = \frac{27}{10}$$

답 $\frac{27}{10}$

**55** 8개의 공 중에서 임의로 세 개의 공을 동시에 꺼내는 경우의 수는 ${}_8C_3 = 56$

$a$의 값에 따라 $\frac{bc}{a}$가 자연수가 되는 경우의 수는 다음과 같다.

(i) $a=1$일 때,

7개의 공 중에서 2개를 꺼내는 경우의 수와 같으므로
${}_7C_2 = 21$

(ii) $a=2$일 때,

3, 4, 5, 6, 7, 8이 적혀 있는 6개의 공 중에서 적어도 1개의 짝수가 적힌 공을 꺼내는 경우의 수는 전체 경우의 수에서 홀수가 적힌 공만 2개 꺼내는 경우의 수를 뺀 수와 같으므로
${}_6C_2 - {}_3C_2 = 15 - 3 = 12$

(iii) $a=3$일 때,

4, 5, 6, 7, 8이 적혀 있는 5개의 공 중에서 6이 적힌 공과 나머지 한 개의 공을 꺼내는 경우의 수와 같으므로
$1 \times {}_4C_1 = 4$

(iv) $a=4$일 때,

5, 6, 7, 8이 적혀 있는 4개의 공 중에서 8이 적힌 공과 나머지 한 개의 공을 꺼내는 경우의 수와 같으므로
$1 \times {}_3C_1 = 3$

(v) $a=5, 6$일 때,

조건을 만족시키는 경우는 없다.

(i)~(v)에서 $\frac{bc}{a}$가 자연수가 되는 경우의 수는

$21 + 12 + 4 + 3 = 40$

따라서 구하는 확률은 $\frac{40}{56} = \frac{5}{7}$

$\therefore p+q = 7+5 = 12$

답 12

**56** 집합 $U = \{1, 2, 3, 4\}$의 공집합이 아닌 부분집합의 개수는 $2^4 - 1 = 15$이므로 서로 다른 두 부분집합을 임의로 택하는 경우의 수는
${}_{15}C_2 = 105$

두 부분집합의 원소의 개수를 $a$, $b$ $(a \le b)$라 하면 두 부분집합이 서로소인 경우는 다음과 같다.

(i) $a=1$, $b=1$인 경우

두 부분집합이 서로소인 경우의 수는 4개의 원소 중에서 1개를 꺼내고, 남은 3개의 원소 중에서 1개를 꺼내면 같은 경우가 2!개씩 나타나므로

$${}_4C_1 \times {}_3C_1 \times \frac{1}{2!} = 6$$

(ii) $a=1$, $b=2$인 경우

두 부분집합이 서로소인 경우의 수는 4개의 원소 중에서 1개를 꺼내고, 남은 3개의 원소 중에서 2개를 꺼내는 경우의

수와 같으므로 ${}_4C_1 \times {}_3C_2 = 12$

(iii) $a=1$, $b=3$인 경우

두 부분집합이 서로소인 경우의 수는 4개의 원소 중에서 1개를 꺼내고, 남은 3개의 원소 중에서 3개를 꺼내는 경우의 수와 같으므로 ${}_4C_1 \times {}_3C_3 = 4$

(iv) $a=2$, $b=2$인 경우

두 부분집합이 서로소인 경우의 수는 4개의 원소 중에서 2개를 꺼내고, 남은 2개의 원소 중에서 2개를 꺼내면 같은 경우가 2!개씩 나타나므로 ${}_4C_2 \times {}_2C_2 \times \frac{1}{2!} = 3$

(i)~(iv)에서 두 부분집합이 서로소인 경우의 수는

$6 + 12 + 4 + 3 = 25$

따라서 구하는 확률은 $\frac{25}{105} = \frac{5}{21}$

답 ③

**57** 집합 $X = \{-2, -1, 0, 1, 2\}$에 대하여 $X$에서 $X$로의 함수 $f$의 개수는
${}_5\Pi_5 = 5^5$

$x \in X$인 모든 $x$에 대하여 $f(x) = -f(-x)$를 만족시키는 함수 $f$의 개수는 다음과 같다.

(i) $f(-2) = f(-1) = f(0) = f(1) = f(2) = 0$일 때, 1가지

(ii) $f(-1) = f(0) = f(1) = 0$일 때,
$f(-2) = -2, f(2) = 2$ 또는
$f(-2) = 2, f(2) = -2$ 또는
$f(-2) = -1, f(2) = 1$ 또는
$f(-2) = 1, f(2) = -1$
인 경우의 4가지

(iii) $f(-2) = f(0) = f(2) = 0$일 때,
$f(-1) = -1, f(1) = 1$ 또는
$f(-1) = 1, f(1) = -1$ 또는
$f(-1) = -2, f(1) = 2$ 또는
$f(-1) = 2, f(1) = -2$
인 경우의 4가지

(iv) $f(0) = 0$일 때,
$f(-2)$가 $-2, -1, 1, 2$ 중에서 하나의 값을 가질 수 있고, 이때 $f(2)$의 값은 정해진다. 또한, $f(-1)$도 $-2, -1, 1, 2$ 중에서 하나의 값을 가질 수 있고, 이때 $f(1)$의 값도 정해지므로 구하는 경우의 수는

$4 \times 4 = 16$

(i)~(iv)에서 주어진 조건을 만족시키는 함수의 개수는

$1 + 4 + 4 + 16 = 25$

따라서 구하는 확률은

$$\frac{25}{5^5} = \frac{1}{5^3} = \frac{1}{125}$$

답 $\frac{1}{125}$

**58** $\{1, 2, 3, \cdots, 100\}$에서 중복을 허용하여 임의로 두 수를 택하는 경우의 수는 ${}_{100}\Pi_2 = 100^2$

$A_r = \{x \mid x = 4m+r,\ m$은 0 이상의 정수, $r = 1, 2, 3, 4\}$

$A_r \subset \{1, 2, \cdots, 100\}$이라 하면

$A_1 = \{1, 5, 9, \cdots, 93, 97\}$

$A_2 = \{2, 6, 10, \cdots, 94, 98\}$

$A_3 = \{3, 7, 11, \cdots, 95, 99\}$

$A_4 = \{4, 8, 12, \cdots, 96, 100\}$

$\therefore n(A_1)=n(A_2)=n(A_3)=n(A_4)=25$

$3^a$의 일의 자리의 수는

$a\in A_1,\ a\in A_2,\ a\in A_3,\ a\in A_4$일 때 각각 3, 9, 7, 1이고,

$7^b$의 일의 자리의 수는

$b\in A_1,\ b\in A_2,\ b\in A_3,\ b\in A_4$일 때 각각 7, 9, 3, 1이므로

$3^a+7^b$의 일의 자리의 수가 0인 경우의 수는 순서쌍 $(a, b)$가

(ⅰ) $a\in A_1,\ b\in A_1$인 경우: $25\times25$

(ⅱ) $a\in A_2,\ b\in A_4$인 경우: $25\times25$

(ⅲ) $a\in A_3,\ b\in A_3$인 경우: $25\times25$

(ⅳ) $a\in A_4,\ b\in A_2$인 경우: $25\times25$

(ⅰ)~(ⅳ)에서 $(25\times25)\times4=25^2\times4$

따라서 구하는 확률은 $\dfrac{25^2\times4}{100^2}=\dfrac{1}{4}$    답 ③

**59** 9개의 구슬을 임의로 3개씩 3묶음으로 나누어 상자 A, B, C에 넣는 경우의 수는

$_9C_3\times_6C_3\times_3C_3\times\dfrac{1}{3!}\times3!=84\times20=1680$

상자에 들어 있는 세 구슬에 적혀 있는 수의 합이 홀수가 되려면 세 상자에 들어 있는 구슬이 다음과 같아야 한다.

(홀수 3개), (홀수 1개, 짝수 2개), (홀수 1개, 짝수 2개)

    ……㉠

(ⅰ) 홀수 1, 3, 5, 7, 9를 3개, 1개, 1개로 나누는 경우의 수는

$_5C_3\times_2C_1\times_1C_1\times\dfrac{1}{2!}=10$

(ⅱ) 짝수 2, 4, 6, 8을 2개, 2개로 나누는 경우의 수는

$_4C_2\times_2C_2\times\dfrac{1}{2!}=3$

(ⅰ)에서 나눈 홀수 1개, 홀수 1개와 (ⅱ)에서 짝수 2개, 짝수 2개로 (홀수 1개, 짝수 2개), (홀수 1개, 짝수 2개)인 두 묶음을 만드는 경우의 수는 2이다.

따라서 9개의 구슬로 ㉠과 같이 3묶음으로 나누는 경우의 수는 $10\times3\times2=60$이고, 이 3묶음을 상자 A, B, C에 넣는 경우의 수는 3!이므로 구하는 확률은

$\dfrac{60\times3!}{1680}=\dfrac{3}{14}$    답 $\dfrac{3}{14}$

**01** 두 사건 $A$, $B$가 서로 배반사건이므로 $P(A\cap B)=0$

$\therefore P(A\cup B)=P(A)+P(B)$

$=\dfrac{1}{3}+\dfrac{1}{4}=\dfrac{7}{12}$    답 ④

**02** $P(A^C\cup B^C)=P((A\cap B)^C)=\dfrac{11}{12}$이므로

$P(A\cap B)=1-P((A\cap B)^C)$

$=1-\dfrac{11}{12}=\dfrac{1}{12}$

$\therefore P(A\cup B)=P(A)+P(B)-P(A\cap B)$

$=\dfrac{1}{3}+\dfrac{1}{4}-\dfrac{1}{12}=\dfrac{1}{2}$    답 $\dfrac{1}{2}$

**03** 2의 배수가 적힌 공이 나오는 사건을 $A$, 3의 배수가 적힌 공이 나오는 사건을 $B$라 하면

$A=\{2, 4, 6, 8, 10, 12\}$, $B=\{3, 6, 9, 12\}$, $A\cap B=\{6, 12\}$ 이므로

$P(A)=\dfrac{6}{12}$, $P(B)=\dfrac{4}{12}$, $P(A\cap B)=\dfrac{2}{12}$

$\therefore P(A\cup B)=P(A)+P(B)-P(A\cap B)$

$=\dfrac{6}{12}+\dfrac{4}{12}-\dfrac{2}{12}=\dfrac{2}{3}$    답 $\dfrac{2}{3}$

**04** 두 개의 주사위를 던질 때 나올 수 있는 모든 경우의 수는 $6\times6=36$

두 눈의 수의 합이 6인 사건을 $A$, 두 눈의 수의 합이 12인 사건을 $B$라 하면

$A=\{(1, 5), (2, 4), (3, 3), (4, 2), (5, 1)\}$

$B=\{(6, 6)\}$ 이므로

$P(A)=\dfrac{5}{36}$, $P(B)=\dfrac{1}{36}$

그런데 두 사건 $A$, $B$는 서로 배반사건이므로 구하는 확률은

$P(A\cup B)=P(A)+P(B)=\dfrac{5}{36}+\dfrac{1}{36}=\dfrac{1}{6}$    답 ④

**05** 두 눈의 수의 합이 4 이상인 사건을 $A$라 하면 $A^C$은 두 눈의 수의 합이 4 미만인 사건이므로

$A^C=\{(1, 1), (1, 2), (2, 1)\}$

$\therefore P(A^C)=\dfrac{3}{16}$

따라서 구하는 확률은

$P(A)=1-P(A^C)=1-\dfrac{3}{16}=\dfrac{13}{16}$    답 ①

**06** $P(A|B)=\dfrac{P(A\cap B)}{P(B)}$에서

$P(A\cap B)=P(B)P(A|B)=\dfrac{1}{2}\times\dfrac{1}{6}=\dfrac{1}{12}$

$\therefore P(A\cup B)=P(A)+P(B)-P(A\cap B)$

$=\dfrac{1}{3}+\dfrac{1}{2}-\dfrac{1}{12}=\dfrac{3}{4}$    답 $\dfrac{3}{4}$

**07** 3학년 학생을 뽑는 사건을 $A$, 남학생을 뽑는 사건을 $B$라 하면

$$P(A)=\frac{3}{10},\ P(A\cap B)=\frac{1}{5}$$

따라서 구하는 확률은

$$P(B|A)=\frac{P(A\cap B)}{P(A)}=\frac{\frac{1}{5}}{\frac{3}{10}}=\frac{2}{3}$$ 🖭 $\frac{2}{3}$

**다른 풀이**

전사건을 $S$라 하면

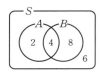

$$P(B|A)=\frac{n(A\cap B)}{n(A)}$$
$$=\frac{4}{6}=\frac{2}{3}$$

**08** 첫 번째에 파란 구슬을 꺼내는 사건을 $A$, 두 번째에 파란 구슬을 꺼내는 사건을 $B$라 하면

$$P(A)=\frac{3}{5},\ P(B|A)=\frac{2}{4}=\frac{1}{2}$$

따라서 구하는 확률은

$$P(A\cap B)=P(A)P(B|A)=\frac{3}{5}\times\frac{1}{2}=\frac{3}{10}$$ 🖭 $\frac{3}{10}$

**09**
$$\begin{aligned}P(A^c\cap B^c)&=P((A\cup B)^c)\\&=1-P(A\cup B)\\&=0.2\end{aligned}$$
$$\therefore P(A\cup B)=0.8$$
$$\begin{aligned}P(A^c\cup B^c)&=P((A\cap B)^c)\\&=1-P(A\cap B)\\&=0.8\end{aligned}$$
$$\therefore P(A\cap B)=0.2$$
$$P(A\cup B)=P(A)+P(B)-P(A\cap B)$$에서
$$0.8=P(A)+0.4-0.2$$
$$\therefore P(A)=0.6$$ 🖭 ③

**10** 세 사건 $A$, $B$, $C$가 서로 배반사건이므로
$$\begin{aligned}P(A\cap B)&=P(B\cap C)=P(C\cap A)\\&=P(A\cap B\cap C)=0\end{aligned}$$
$$\begin{aligned}\therefore P(A\cup B\cup C)&=P(A)+P(B)+P(C)\\&=\frac{1}{4}+\frac{1}{6}+\frac{1}{12}=\frac{1}{2}\end{aligned}$$
$$\therefore 1-P(A\cup B\cup C)=1-\frac{1}{2}=\frac{1}{2}$$ 🖭 $\frac{1}{2}$

**11** $A\cap B=\varnothing$이므로 $P(A\cap B)=0$
$$P(A\cup B)=P(A)+P(B)-P(A\cap B)$$에서
$$\frac{3}{4}=P(A)+P(B)\qquad\therefore P(B)=\frac{3}{4}-P(A)$$
$$\frac{1}{3}\le P(B)\le\frac{2}{3}$$이므로
$$\frac{1}{3}\le\frac{3}{4}-P(A)\le\frac{2}{3}$$
$$\therefore\frac{1}{12}\le P(A)\le\frac{5}{12}$$
따라서 $P(A)$의 최댓값은 $\frac{5}{12}$이다. 🖭 $\frac{5}{12}$

**12** 한 농가가 사과를 생산하는 사건을 $A$, 배를 생산하는 사건을 $B$라 하면
$$P(A)=\frac{2}{3},\ P(B)=\frac{1}{2},\ P(A\cap B)=\frac{1}{4}$$
$$\begin{aligned}\therefore P(A\cup B)&=P(A)+P(B)-P(A\cap B)\\&=\frac{2}{3}+\frac{1}{2}-\frac{1}{4}=\frac{11}{12}\end{aligned}$$ 🖭 $\frac{11}{12}$

**13** 내일 눈이 오는 사건을 $A$, 모레 눈이 오는 사건을 $B$라 하면
$$P(A)=0.4,\ P(A\cap B)=0.2,\ P(A\cup B)=0.7$$
$$P(A\cup B)=P(A)+P(B)-P(A\cap B)$$에서
$$0.7=0.4+P(B)-0.2$$
$$\therefore P(B)=0.5$$
따라서 모레 눈이 올 확률은 50 %이다. 🖭 50 %

**14** 3개의 동전을 동시에 던질 때, 일어나는 모든 경우의 수는
$$2\times2\times2=8$$
앞면이 나오는 경우를 H, 뒷면이 나오는 경우를 T라 하면
(ⅰ) 3개 모두 같은 면이 나오는 경우는
　　(H, H, H), (T, T, T)의 2가지이므로
$$P(A)=\frac{2}{8}$$
(ⅱ) 3개 중에서 적어도 2개가 뒷면이 나오는 경우는
　　(H, T, T), (T, H, T), (T, T, H), (T, T, T)의
　　4가지이므로
$$P(B)=\frac{4}{8}$$
(ⅲ) 3개 모두 같은 면이면서 적어도 2개가 뒷면이 나오는 경우는
　　(T, T, T)의 1가지이므로
$$P(A\cap B)=\frac{1}{8}$$
(ⅰ), (ⅱ), (ⅲ)에서
$$\begin{aligned}P(A\cup B)&=P(A)+P(B)-P(A\cap B)\\&=\frac{2}{8}+\frac{4}{8}-\frac{1}{8}=\frac{5}{8}\end{aligned}$$ 🖭 ④

**15** 공을 3번 꺼낼 때 나올 수 있는 모든 경우의 수는
$$3\times3\times3=27$$
꺼낸 공에 적힌 세 수가 모두 같은 사건을 $A$, 세 수의 합이 6인 사건을 $B$라 하면
$$A=\{(1, 1, 1), (2, 2, 2), (3, 3, 3)\},$$
$$\begin{aligned}B=\{&(1, 2, 3), (1, 3, 2), (2, 1, 3), (2, 3, 1), (3, 1, 2),\\&(3, 2, 1), (2, 2, 2)\},\end{aligned}$$
$$A\cap B=\{(2, 2, 2)\}$$
이므로
$$P(A)=\frac{3}{27},\ P(B)=\frac{7}{27},\ P(A\cap B)=\frac{1}{27}$$
$$\begin{aligned}\therefore P(A\cup B)&=P(A)+P(B)-P(A\cap B)\\&=\frac{3}{27}+\frac{7}{27}-\frac{1}{27}=\frac{1}{3}\end{aligned}$$ 🖭 $\frac{1}{3}$

**16** $f(3)=8$인 사건을 $A$, $f(5)=10$인 사건을 $B$라 하면
$$P(A)=\frac{{}_5\Pi_2}{{}_5\Pi_3}=\frac{1}{5},\ P(B)=\frac{{}_5\Pi_2}{{}_5\Pi_3}=\frac{1}{5}$$
$$P(A\cap B)=\frac{{}_5\Pi_1}{{}_5\Pi_3}=\frac{1}{25}$$

$$\therefore \text{P}(A \cup B) = \text{P}(A) + \text{P}(B) - \text{P}(A \cap B)$$
$$= \frac{1}{5} + \frac{1}{5} - \frac{1}{25} = \frac{9}{25}$$

답 $\dfrac{9}{25}$

**17** $10x^2 - 7ax + a^2 = 0$에서

$(2x - a)(5x - a) = 0$

$\therefore x = \dfrac{a}{2}$ 또는 $x = \dfrac{a}{5}$

이차방정식이 적어도 하나의 정수해를 가지므로 $a$가 2의 배수일 사건을 $A$, $a$가 5의 배수일 사건을 $B$라 하면 $A \cap B$는 $a$가 10의 배수일 사건이므로

$$\text{P}(A) = \frac{500}{1000} = \frac{1}{2}, \ \text{P}(B) = \frac{200}{1000} = \frac{1}{5}$$

$$\text{P}(A \cap B) = \frac{100}{1000} = \frac{1}{10}$$

$$\therefore \text{P}(A \cup B) = \text{P}(A) + \text{P}(B) - \text{P}(A \cap B)$$
$$= \frac{1}{2} + \frac{1}{5} - \frac{1}{10} = \frac{3}{5}$$

답 ③

**18** 모두 7개의 연필에서 동시에 3개를 꺼내는 방법의 수는 $_7\text{C}_3$

(ⅰ) 노란색 연필 3개가 나올 확률

　노란색 연필 3개가 나오는 방법의 수는 $_4\text{C}_3$이므로

$$\frac{_4\text{C}_3}{_7\text{C}_3} = \frac{4}{35}$$

(ⅱ) 파란색 연필 3개가 나올 확률

　파란색 연필 3개가 나오는 방법의 수는 $_3\text{C}_3$이므로

$$\frac{_3\text{C}_3}{_7\text{C}_3} = \frac{1}{35}$$

(ⅰ), (ⅱ)에서 두 사건은 서로 배반사건이므로 구하는 확률은

$$\frac{4}{35} + \frac{1}{35} = \frac{5}{35} = \frac{1}{7}$$

답 ②

**19** 주머니에 있는 10개의 구슬 중에서 4개를 꺼내는 모든 방법의 수는 $_{10}\text{C}_4$

(ⅰ) 노란 구슬이 2개, 파란 구슬이 2개일 확률은

$$\frac{_5\text{C}_2 \times _5\text{C}_2}{_{10}\text{C}_4} = \frac{10}{21}$$

(ⅱ) 노란 구슬이 1개, 파란 구슬이 3개일 확률은

$$\frac{_5\text{C}_1 \times _5\text{C}_3}{_{10}\text{C}_4} = \frac{5}{21}$$

(ⅲ) 노란 구슬이 0개, 파란 구슬이 4개일 확률은

$$\frac{_5\text{C}_0 \times _5\text{C}_4}{_{10}\text{C}_4} = \frac{1}{42}$$

(ⅰ), (ⅱ), (ⅲ)에서 세 사건은 서로 배반사건이므로 구하는 확률은

$$\frac{10}{21} + \frac{5}{21} + \frac{1}{42} = \frac{31}{42}$$

$$\therefore m + n = 42 + 31 = 73$$

답 73

**20** 각 자리의 숫자가 모두 다른 세 자리 정수 전체의 개수는

$5 \times _5\text{P}_2 = 100$

(ⅰ) 일의 자리의 숫자가 0일 확률

$$\frac{_5\text{P}_2}{100} = \frac{1}{5}$$

(ⅱ) 일의 자리의 숫자가 2일 확률

$$\frac{4 \times 4}{100} = \frac{4}{25}$$

(ⅲ) 일의 자리의 숫자가 4일 확률

$$\frac{4 \times 4}{100} = \frac{4}{25}$$

(ⅰ), (ⅱ), (ⅲ)에서 세 사건은 서로 배반사건이므로 구하는 확률은

$$\frac{1}{5} + \frac{4}{25} + \frac{4}{25} = \frac{13}{25}$$

답 $\dfrac{13}{25}$

**21** 당첨 제비가 적어도 1개인 사건을 $A$라 하면 $A^C$은 당첨 제비가 하나도 나오지 않는 사건이므로

$$\text{P}(A^C) = \frac{_5\text{C}_2}{_8\text{C}_2} = \frac{5}{14}$$

따라서 구하는 확률은

$$\text{P}(A) = 1 - \text{P}(A^C) = 1 - \frac{5}{14} = \frac{9}{14}$$

답 $\dfrac{9}{14}$

**22** 적어도 두 개의 눈이 같은 사건을 $A$라 하면 $A^C$은 세 개의 눈이 모두 다른 사건이므로

$$\text{P}(A^C) = \frac{_6\text{P}_3}{6^3} = \frac{5}{9}$$

따라서 구하는 확률은

$$\text{P}(A) = 1 - \text{P}(A^C) = 1 - \frac{5}{9} = \frac{4}{9}$$

답 ④

**23** 검은 공이 적어도 하나 나올 사건을 $A$라 하면 $A^C$은 2개 모두 흰 공이 나올 사건이므로

$$\text{P}(A^C) = \frac{_3\text{C}_2}{_{n+3}\text{C}_2}$$

$$\text{P}(A) = 1 - \text{P}(A^C)$$

$$= 1 - \frac{_3\text{C}_2}{_{n+3}\text{C}_2}$$

$$= 1 - \frac{6}{(n+3)(n+2)} = \frac{7}{10}$$

$(n+3)(n+2) = 20 = 5 \times 4$

$\therefore n = 2$

답 2

**24** 10개의 공 중에서 4개를 꺼낼 때, 흰 공이 2개 이상인 사건을 $A$라 하면 $A^C$은 흰 공이 1개 또는 모두 파란 공인 사건이다.

(ⅰ) 흰 공 1개, 파란 공 3개를 꺼낼 확률은

$$\frac{_6\text{C}_1 \times _4\text{C}_3}{_{10}\text{C}_4} = \frac{4}{35}$$

(ⅱ) 파란 공 4개를 꺼낼 확률은

$$\frac{_4\text{C}_4}{_{10}\text{C}_4} = \frac{1}{210}$$

(ⅰ), (ⅱ)에서 $\text{P}(A^C) = \dfrac{4}{35} + \dfrac{1}{210} = \dfrac{5}{42}$

따라서 구하는 확률은

$$\text{P}(A) = 1 - \text{P}(A^C) = 1 - \frac{5}{42} = \frac{37}{42}$$

답 ④

**25** 같은 과목을 선택한 사람이 있는 사건을 $A$라 하면 $A^C$은 모두 다른 과목을 선택한 사건이므로

$$\text{P}(A^C) = \frac{_5\text{P}_3}{_5\Pi_3} = \frac{12}{25}$$

따라서 구하는 확률은

$$\text{P}(A) = 1 - \text{P}(A^C) = 1 - \frac{12}{25} = \frac{13}{25}$$

답 $\dfrac{13}{25}$

**26** 직선 $y=\dfrac{b}{a}x$의 기울기가 2 이하인 사건을 $A$라 하면 $A^C$은 기울기가 2보다 큰 사건이다.

직선의 기울기는 $\dfrac{b}{a}$이므로 $\dfrac{b}{a}>2$인 $a$, $b$의 순서쌍 $(a,\,b)$는

$(1,\,3)$, $(1,\,4)$, $(1,\,5)$, $(1,\,6)$, $(2,\,5)$, $(2,\,6)$의 6가지이다.

$\therefore \mathrm{P}(A^C)=\dfrac{6}{36}=\dfrac{1}{6}$

따라서 구하는 확률은

$\mathrm{P}(A)=1-\mathrm{P}(A^C)=1-\dfrac{1}{6}=\dfrac{5}{6}$   답 $\dfrac{5}{6}$

---

**27** $\mathrm{P}(B\,|\,A)=\dfrac{\mathrm{P}(A\cap B)}{\mathrm{P}(A)}$에서

$\mathrm{P}(A\cap B)=\mathrm{P}(A)\mathrm{P}(B\,|\,A)$

$\qquad\qquad\ =\dfrac{1}{3}\times\dfrac{2}{5}=\dfrac{2}{15}$

$\mathrm{P}(A^C\cap B^C)=\mathrm{P}((A\cup B)^C)=1-\mathrm{P}(A\cup B)=\dfrac{1}{3}$이므로

$\mathrm{P}(A\cup B)=\dfrac{2}{3}$

$\mathrm{P}(A\cup B)=\mathrm{P}(A)+\mathrm{P}(B)-\mathrm{P}(A\cap B)$에서

$\dfrac{2}{3}=\dfrac{1}{3}+\mathrm{P}(B)-\dfrac{2}{15}$

$\therefore \mathrm{P}(B)=\dfrac{7}{15}$   답 ③

---

**28** $\mathrm{P}(A^C)=1-\mathrm{P}(A)=1-\dfrac{3}{5}=\dfrac{2}{5}$

두 사건 $A$, $B$가 서로 배반사건이므로

$\mathrm{P}(A\cap B)=0$

즉, $\mathrm{P}(A^C\cap B)=\mathrm{P}(B)-\mathrm{P}(A\cap B)=\mathrm{P}(B)=\dfrac{1}{4}$

$\therefore \mathrm{P}(B\,|\,A^C)=\dfrac{\mathrm{P}(A^C\cap B)}{\mathrm{P}(A^C)}=\dfrac{\dfrac{1}{4}}{\dfrac{2}{5}}=\dfrac{5}{8}$

답 $\dfrac{5}{8}$

---

**29** $\mathrm{P}(B\,|\,A)=\dfrac{\mathrm{P}(A\cap B)}{\mathrm{P}(A)}$에서

$\mathrm{P}(A\cap B)=\mathrm{P}(A)\mathrm{P}(B\,|\,A)$

$\qquad\qquad\ =\dfrac{1}{3}\times\dfrac{1}{4}=\dfrac{1}{12}$

$\mathrm{P}(A\,|\,B)=\dfrac{\mathrm{P}(A\cap B)}{\mathrm{P}(B)}$에서

$\mathrm{P}(B)=\dfrac{\mathrm{P}(A\cap B)}{\mathrm{P}(A\,|\,B)}=\dfrac{\dfrac{1}{12}}{\dfrac{1}{2}}=\dfrac{1}{6}$

$A\cap B^C$, $B\cap A^C$은 서로 배반사건이므로

$\mathrm{P}((A\cap B^C)\cap(B\cap A^C))=0$

$\therefore \mathrm{P}((A\cap B^C)\cup(B\cap A^C))$

$\quad=\mathrm{P}(A\cap B^C)+\mathrm{P}(B\cap A^C)$

$\quad=\{\mathrm{P}(A)-\mathrm{P}(A\cap B)\}+\{\mathrm{P}(B)-\mathrm{P}(A\cap B)\}$

$\quad=\left(\dfrac{1}{3}-\dfrac{1}{12}\right)+\left(\dfrac{1}{6}-\dfrac{1}{12}\right)=\dfrac{1}{3}$   답 $\dfrac{1}{3}$

---

**30** 여자를 뽑을 사건은 $A^C$, 안경을 쓰지 않은 학생을 뽑을 사건은 $B^C$이므로

$\mathrm{P}(A\,|\,B^C)=\dfrac{\mathrm{P}(A\cap B^C)}{\mathrm{P}(B^C)}=\dfrac{\dfrac{10}{28}}{\dfrac{16}{28}}=\dfrac{5}{8}$

$\mathrm{P}(B^C\,|\,A^C)=\dfrac{\mathrm{P}(A^C\cap B^C)}{\mathrm{P}(A^C)}=\dfrac{\dfrac{6}{28}}{\dfrac{10}{28}}=\dfrac{3}{5}$

$\therefore \mathrm{P}(A\,|\,B^C)+\mathrm{P}(B^C\,|\,A^C)=\dfrac{5}{8}+\dfrac{3}{5}=\dfrac{49}{40}$   답 $\dfrac{49}{40}$

---

**31** 수출하는 제품을 택할 사건을 $A$, 휴대 전화를 택할 사건을 $B$라 하면 $\mathrm{P}(A)=0.4$, $\mathrm{P}(A\cap B)=0.12$

따라서 구하는 확률은

$\mathrm{P}(B\,|\,A)=\dfrac{\mathrm{P}(A\cap B)}{\mathrm{P}(A)}=\dfrac{0.12}{0.4}=0.3$   답 ②

---

**32** 첫 번째 꺼낸 공이 흰 공일 사건을 $A$, 두 번째 꺼낸 공이 흰 공일 사건을 $B$라 하면

$\mathrm{P}(A)=\dfrac{3}{10}$, $\mathrm{P}(A\cap B)=\dfrac{3}{10}\times\dfrac{2}{9}=\dfrac{1}{15}$

따라서 구하는 확률은

$\mathrm{P}(B\,|\,A)=\dfrac{\mathrm{P}(A\cap B)}{\mathrm{P}(A)}=\dfrac{\dfrac{1}{15}}{\dfrac{3}{10}}=\dfrac{2}{9}$   답 $\dfrac{2}{9}$

---

**33** 상자 A, B를 택하는 사건을 각각 $A$, $B$라 하고, 흰 공이 나올 사건을 $E$라 하면

$\mathrm{P}(A\cap E)=\mathrm{P}(A)\mathrm{P}(E\,|\,A)=\dfrac{1}{2}\times\dfrac{3}{5}=\dfrac{3}{10}$

$\mathrm{P}(B\cap E)=\mathrm{P}(B)\mathrm{P}(E\,|\,B)=\dfrac{1}{2}\times\dfrac{4}{7}=\dfrac{2}{7}$

$\mathrm{P}(E)=\mathrm{P}(A\cap E)+\mathrm{P}(B\cap E)$

$\qquad\ =\dfrac{3}{10}+\dfrac{2}{7}=\dfrac{41}{70}$

따라서 구하는 확률은

$\mathrm{P}(A\,|\,E)=\dfrac{\mathrm{P}(A\cap E)}{\mathrm{P}(E)}=\dfrac{\dfrac{3}{10}}{\dfrac{41}{70}}=\dfrac{21}{41}$   답 $\dfrac{21}{41}$

---

**34** 학교, 도서관, 서점에서 우산을 잃어버렸을 사건을 각각 $A$, $B$, $C$라 하고 세 곳 중 한 곳에서 우산을 잃어버렸을 사건을 $E$라 하면

$\mathrm{P}(A)=\dfrac{1}{3}$, $\mathrm{P}(B)=\dfrac{2}{3}\times\dfrac{1}{3}=\dfrac{2}{9}$

$\mathrm{P}(C)=\left(\dfrac{2}{3}\right)^2\times\dfrac{1}{3}=\dfrac{4}{27}$

$\therefore \mathrm{P}(E)=\mathrm{P}(A)+\mathrm{P}(B)+\mathrm{P}(C)$

$\qquad\quad\ =\dfrac{1}{3}+\dfrac{2}{9}+\dfrac{4}{27}=\dfrac{19}{27}$

따라서 구하는 확률은

$\mathrm{P}(B\,|\,E)=\dfrac{\mathrm{P}(B\cap E)}{\mathrm{P}(E)}=\dfrac{\mathrm{P}(B)}{\mathrm{P}(E)}=\dfrac{\dfrac{2}{9}}{\dfrac{19}{27}}=\dfrac{6}{19}$

답 $\dfrac{6}{19}$

**35** 갑, 을, 병이 10점에 화살을 명중시키는 사건을 각각 $A$, $B$, $C$ 라 하고, 한 개의 화살만 10점에 명중하는 사건을 $E$라 하면

$$P(A \cap E) = \frac{3}{4} \times \frac{1}{3} \times \frac{3}{5} = \frac{3}{20}$$

$$P(B \cap E) = \frac{1}{4} \times \frac{2}{3} \times \frac{3}{5} = \frac{1}{10}$$

$$P(C \cap E) = \frac{1}{4} \times \frac{1}{3} \times \frac{2}{5} = \frac{1}{30}$$

$$P(E) = P(A \cap E) + P(B \cap E) + P(C \cap E)$$
$$= \frac{3}{20} + \frac{1}{10} + \frac{1}{30} = \frac{17}{60}$$

따라서 구하는 확률은

$$P(A \mid E) = \frac{P(A \cap E)}{P(E)} = \frac{\frac{3}{20}}{\frac{17}{60}} = \frac{9}{17}$$

**답 ③**

**36** 뺑소니 차량이 자가용일 사건을 $A$, 뺑소니 차량이 영업용일 사건을 $B$라 하고, 목격자가 뺑소니 차량이 자가용이라 증언할 사건을 $E$라 하면

$$P(A \cap E) = P(A)P(E \mid A) = \frac{80}{100} \times \frac{90}{100} = \frac{72}{100}$$

$$P(B \cap E) = P(B)P(E \mid B) = \frac{20}{100} \times \frac{10}{100} = \frac{2}{100}$$

$$P(E) = P(A \cap E) + P(B \cap E)$$
$$= \frac{72}{100} + \frac{2}{100} = \frac{74}{100}$$

따라서 구하는 확률은

$$P(A \mid E) = \frac{P(A \cap E)}{P(E)} = \frac{\frac{72}{100}}{\frac{74}{100}} = \frac{36}{37}$$

$$\therefore p + q = 37 + 36 = 73$$

**답 73**

**37** 2018년에 S사 제품을 구입한 사건을 $A$, L사 제품을 사용하던 사건을 $B$라 하면
S사 제품을 사용하던 사건은 $B^c$이므로
$$P(A \cap B) = P(B)P(A \mid B) = 0.3 \times 0.4 = 0.12$$
$$P(A \cap B^c) = P(B^c)P(A \mid B^c) = 0.7 \times 0.8 = 0.56$$
$$P(A) = P(A \cap B) + P(A \cap B^c) = 0.12 + 0.56 = 0.68$$
따라서 구하는 확률은
$$P(B \mid A) = \frac{P(A \cap B)}{P(A)} = \frac{0.12}{0.68} = \frac{3}{17}$$

**답 ①**

**38** 첫 번째에 남자가 호명되는 사건을 $A$, 두 번째에 여자가 호명되는 사건을 $B$라 하면

$$P(A) = \frac{3}{9} = \frac{1}{3}, \quad P(B \mid A) = \frac{6}{8} = \frac{3}{4}$$

따라서 구하는 확률은

$$P(A \cap B) = P(A)P(B \mid A) = \frac{1}{3} \times \frac{3}{4} = \frac{1}{4}$$

**답 $\frac{1}{4}$**

**39** 첫 번째에 흰 공이 나오는 사건을 $A$, 두 번째에 검은 공이 나오는 사건을 $B$라 하면

$$P(A) = \frac{3}{n+3}, \quad P(B \mid A) = \frac{n}{n+2}$$

$$\therefore P(A \cap B) = P(A)P(B \mid A)$$
$$= \frac{3}{n+3} \times \frac{n}{n+2}$$
$$= \frac{3n}{(n+3)(n+2)}$$

즉, $\frac{3n}{(n+3)(n+2)} = \frac{3}{10}$이므로

$$(n+3)(n+2) = 10n, \quad n^2 - 5n + 6 = 0$$
$$(n-2)(n-3) = 0 \quad \therefore n = 2 \text{ 또는 } n = 3$$
따라서 모든 $n$의 값의 합은 5이다.

**답 ①**

**40** 시합이 열리는 날에 비가 올 사건을 $A$, 한 번의 시합에서 다른 팀을 이기는 사건을 $B$라 하면 구하는 확률은
$$P(B) = P(A \cap B) + P(A^c \cap B)$$
$$= P(A)P(B \mid A) + P(A^c)P(B \mid A^c)$$
$$= 0.3 \times 0.7 + 0.7 \times 0.4 = 0.49$$

**답 0.49**

**41** 갑이 흰 공을 꺼내는 사건을 $A$, 을이 흰 공을 꺼내는 사건을 $E$라 하면

$$P(A \cap E) = P(A)P(E \mid A) = \frac{2}{5} \times \frac{1}{4} = \frac{1}{10}$$

$$P(A^c \cap E) = P(A^c)P(E \mid A^c) = \frac{3}{5} \times \frac{2}{4} = \frac{3}{10}$$

$$\therefore P(E) = P(A \cap E) + P(A^c \cap E)$$
$$= \frac{1}{10} + \frac{3}{10} = \frac{2}{5}$$

따라서 구하는 확률은

$$P(A \mid E) = \frac{P(A \cap E)}{P(E)} = \frac{\frac{1}{10}}{\frac{2}{5}} = \frac{1}{4}$$

**답 ②**

**42** 정육면체 모양의 상자를 택하는 사건을 $A$, 원기둥 모양의 상자를 택하는 사건을 $B$라 하고, 딸기 맛 사탕 2개를 꺼내는 사건을 $E$라 하면
$$P(A \cap E) = P(A)P(E \mid A)$$
$$= \frac{n}{n+1} \times \frac{{}_4C_2}{{}_7C_2} = \frac{2n}{7(n+1)}$$
$$P(B \cap E) = P(B)P(E \mid B)$$
$$= \frac{1}{n+1} \times \frac{{}_3C_2}{{}_7C_2} = \frac{1}{7(n+1)}$$
$$\therefore P(E) = P(A \cap E) + P(B \cap E)$$
$$= \frac{2n}{7(n+1)} + \frac{1}{7(n+1)} = \frac{2n+1}{7(n+1)}$$
$$P(B \mid E) = \frac{P(B \cap E)}{P(E)} = \frac{1}{9}$$이므로

$$\frac{\frac{1}{7(n+1)}}{\frac{2n+1}{7(n+1)}} = \frac{1}{9}, \quad \frac{1}{2n+1} = \frac{1}{9}$$
$$\therefore n = 4$$

**답 4**

**43** 공장 P에서 생산된 제품인 사건을 $A$, 공장 Q에서 생산된 제품인 사건을 $B$라 하고, 불량품인 사건을 $E$라 하면
$$P(A \cap E) = P(A)P(E \mid A) = 0.3 \times 0.01 = 0.003$$
$$P(B \cap E) = P(B)P(E \mid B) = 0.7 \times 0.02 = 0.014$$

$$\therefore \mathrm{P}(E)=\mathrm{P}(A\cap E)+\mathrm{P}(B\cap E)$$
$$=0.003+0.014=0.017$$

따라서 구하는 확률은

$$\mathrm{P}(B\,|\,E)=\frac{\mathrm{P}(B\cap E)}{\mathrm{P}(E)}=\frac{0.014}{0.017}=\frac{14}{17}$$  답 $\frac{14}{17}$

**44** 보증 기간 동안에 선풍기의 날개 부분에 문제가 발생하는 사건을 $A$, 전기 부분에 문제가 발생하는 사건을 $B$라 하면

$$\mathrm{P}(A)=\frac{1}{20},\ \mathrm{P}(B)=\frac{1}{10}$$
$$\mathrm{P}(A\cup B)=\mathrm{P}(A)+\mathrm{P}(B)-\mathrm{P}(A\cap B)$$
$$=\frac{1}{20}+\frac{1}{10}-\mathrm{P}(A\cap B)$$
$$=\frac{3}{20}-\mathrm{P}(A\cap B)$$

$0\leq\mathrm{P}(A\cap B)\leq\mathrm{P}(A)$이므로

$\mathrm{P}(A\cap B)=\frac{1}{20}$일 때, $\mathrm{P}(A\cup B)$가 최소이다.

따라서 $\mathrm{P}(A\cup B)$의 최솟값은

$$\frac{3}{20}-\frac{1}{20}=\frac{1}{10}$$  답 $\frac{1}{10}$

**45** 1부터 9까지의 자연수 중에서 임의로 서로 다른 세 수를 동시에 선택하는 경우의 수는 $_9\mathrm{C}_3$이고 나온 수의 최솟값이 3인 사건을 $A$, 나온 수의 최댓값이 8인 사건을 $B$라 하면

(i) 최솟값이 3일 확률

3을 뽑고 4부터 9까지의 6개의 자연수 중에서 2개를 뽑는 경우의 수가 $_6\mathrm{C}_2$이므로

$$\mathrm{P}(A)=\frac{_6\mathrm{C}_2}{_9\mathrm{C}_3}=\frac{5}{28}$$

(ii) 최댓값이 8일 확률

8을 뽑고 1부터 7까지의 7개의 자연수 중에서 2개를 뽑는 경우의 수가 $_7\mathrm{C}_2$이므로

$$\mathrm{P}(B)=\frac{_7\mathrm{C}_2}{_9\mathrm{C}_3}=\frac{1}{4}$$

(iii) 최솟값이 3이고 최댓값이 8일 확률

3과 8을 뽑고 4부터 7까지의 4개의 자연수 중에서 1개를 뽑는 경우의 수가 $_4\mathrm{C}_1$이므로

$$\mathrm{P}(A\cap B)=\frac{_4\mathrm{C}_1}{_9\mathrm{C}_3}=\frac{1}{21}$$

따라서 구하는 확률은

$$\mathrm{P}(A\cup B)=\frac{5}{28}+\frac{1}{4}-\frac{1}{21}=\frac{8}{21}$$  답 $\frac{8}{21}$

**46** 한 개의 주사위를 세 번 던질 때, 일어날 수 있는 모든 경우의 수는 $6\times6\times6=216$

$(a-b)(b-2c)=0$에서 $a=b$ 또는 $b=2c$

$a=b$인 사건을 $A$, $b=2c$인 사건을 $B$라 하면 등식 $(a-b)(b-2c)=0$을 만족시키는 사건은 $A\cup B$이다.

(i) $a=b$를 만족시키는 순서쌍 $(a,b)$는

$(1,1),(2,2),(3,3),(4,4),(5,5),(6,6)$이고, 이 6가지의 각 경우에 대하여 $c$의 경우의 수는 6이다.

따라서 순서쌍 $(a,b,c)$의 개수는 $6\times6=36$이므로

$$\mathrm{P}(A)=\frac{36}{216}$$

(ii) $b=2c$를 만족시키는 순서쌍 $(b,c)$는

$(2,1),(4,2),(6,3)$이고, 이 3가지의 각 경우에 대하여 $a$의 경우의 수는 6이다.

따라서 순서쌍 $(a,b,c)$의 개수는 $3\times6=18$이므로

$$\mathrm{P}(B)=\frac{18}{216}$$

(iii) $a=b=2c$를 만족시키는 순서쌍 $(a,b,c)$는

$(2,2,1),(4,4,2),(6,6,3)$의 3가지이므로

$$\mathrm{P}(A\cap B)=\frac{3}{216}$$

(i), (ii), (iii)에서 구하는 확률은

$$\mathrm{P}(A\cup B)=\mathrm{P}(A)+\mathrm{P}(B)-\mathrm{P}(A\cap B)$$
$$=\frac{36}{216}+\frac{18}{216}-\frac{3}{216}=\frac{17}{72}$$  답 ④

**47** 1부터 6까지의 자연수 중에서 서로 다른 네 수를 택한 후 나열하여 만들 수 있는 네 자리 자연수의 개수는 $_6\mathrm{P}_4$

임의로 택한 네 자리의 자연수가 $a>b>c$를 만족시키는 사건을 $A$, $b>c>d$를 만족시키는 사건을 $B$라 하면 $a>b>c$ 또는 $b>c>d$를 만족시킬 확률은 $\mathrm{P}(A\cup B)$이다.

(i) $a>b>c$를 만족시킬 확률

1부터 6까지의 자연수 중에서 세 개를 택하여 큰 수부터 차례로 $a,b,c$라 하고, 남은 3개의 자연수 중에서 한 개를 택하여 $d$라 하면 되므로 이 경우의 수는 $_6\mathrm{C}_3\times3$

$$\therefore \mathrm{P}(A)=\frac{_6\mathrm{C}_3\times3}{_6\mathrm{P}_4}=\frac{1}{6}$$

(ii) $b>c>d$를 만족시킬 확률

1부터 6까지의 자연수 중에서 세 개를 택하여 큰 수부터 차례로 $b,c,d$라 하고, 남은 3개의 자연수 중에서 한 개를 택하여 $a$라 하면 되므로 이 경우의 수는 $_6\mathrm{C}_3\times3$

$$\therefore \mathrm{P}(B)=\frac{_6\mathrm{C}_3\times3}{_6\mathrm{P}_4}=\frac{1}{6}$$

(iii) $a>b>c>d$를 만족시킬 확률

1부터 6까지의 자연수 중에서 네 개를 택하여 큰 수부터 차례로 $a,b,c,d$라 하면 되므로 이 경우의 수는 $_6\mathrm{C}_4$

$$\therefore \mathrm{P}(A\cap B)=\frac{_6\mathrm{C}_4}{_6\mathrm{P}_4}=\frac{_6\mathrm{C}_2}{_6\mathrm{P}_4}=\frac{1}{24}$$

(i), (ii), (iii)에서 구하는 확률은

$$\mathrm{P}(A\cup B)=\mathrm{P}(A)+\mathrm{P}(B)-\mathrm{P}(A\cap B)$$
$$=\frac{1}{6}+\frac{1}{6}-\frac{1}{24}=\frac{7}{24}$$

따라서 $p=24$, $q=7$이므로

$p+q=24+7=31$  답 31

**48** 바둑돌이 0에 있는 경우는 주사위를 2번 던져서 나온 두 눈의 수의 합이 7이 되어야 하고, 바둑돌이 5에 있는 경우는 주사위를 2번 던져서 나온 두 눈의 수의 합이 5 또는 12가 되어야 한다.

(i) 나온 두 눈의 수의 합이 5인 경우는

$(1,4),(2,3),(3,2),(4,1)$의 4가지이다.

(ii) 나온 두 눈의 수의 합이 7인 경우는

$(1,6),(2,5),(3,4),(4,3),(5,2),(6,1)$의 6가지이다.

(iii) 나온 두 눈의 수의 합이 12인 경우는

$(6,6)$의 1가지이다.

(i), (ii), (iii)에서 세 사건은 서로 배반사건이므로 구하는 확률은

$$\frac{4}{36} + \frac{6}{36} + \frac{1}{36} = \frac{11}{36}$$

$$\therefore m+n = 36+11 = 47$$

**冒** 47

**49** 2의 숫자가 적힌 카드를 $x$장, $-1$의 숫자가 적힌 카드를 $y$장 뽑았다고 하면 $X=4$이므로

$$\begin{cases} 0 \le x \le 3, \ 0 \le y \le 3 & \cdots\cdots \ \text{㉠} \\ 2x-y=4 & \cdots\cdots \ \text{㉡} \\ 1 \le x+y \le 6 & \cdots\cdots \ \text{㉢} \end{cases}$$

㉠, ㉡, ㉢의 세 식을 동시에 만족시키는 $x, y$의 값은

$x=2, y=0$ 또는 $x=3, y=2$

(i) $x=2, y=0$일 때는 주사위를 한 번 던져 2의 눈이 나오고, 2의 숫자가 적힌 카드가 2장 나오는 경우이므로 그 확률은

$$\frac{1}{6} \times \frac{_3C_2}{_6C_2} = \frac{1}{30}$$

(ii) $x=3, y=2$일 때는 주사위를 한 번 던져 5의 눈이 나오고, 2의 숫자가 적힌 카드가 3장, $-1$의 숫자가 적힌 카드가 2장 나오는 경우이므로 그 확률은

$$\frac{1}{6} \times \frac{_3C_3 \times _3C_2}{_6C_5} = \frac{1}{12}$$

(i), (ii)에서 두 사건은 서로 배반사건이므로 구하는 확률은

$$\frac{1}{30} + \frac{1}{12} = \frac{7}{60}$$

**冒** ②

**50** 서로 다른 5개의 공 중에서 중복을 허락하여 차례로 4개의 공을 꺼내는 경우의 수는 $_5\Pi_4 = 5^4$

$b^2+c^2=20$에서

$b=2, c=4$ 또는 $b=4, c=2$

$b=2, c=4$이고 $a \le b, c \le d$인 사건을 $A$,

$b=4, c=2$이고 $a \le b, c \le d$인 사건을 $B$라 하면

$b^2+c^2=20$이고 $a \le b, c \le d$인 사건은 $A \cup B$이다.

(i) $b=2, c=4$일 때,

$a \le b, c \le d$를 만족시키는 $a$의 값은 1, 2이고 $d$의 값은 4, 5이다. 따라서 이 조건을 만족시키는 경우의 수는 $2 \times 2 = 4$

이므로 $P(A) = \dfrac{4}{5^4}$

(ii) $b=4, c=2$일 때,

$a \le b, c \le d$를 만족시키는 $a$의 값은 1, 2, 3, 4이고 $d$의 값은 2, 3, 4, 5이다. 따라서 이 조건을 만족시키는 경우의 수는 $4 \times 4 = 16$이므로 $P(B) = \dfrac{16}{5^4}$

(i), (ii)에서 두 사건 $A, B$는 서로 배반사건이므로

$$P(A \cup B) = P(A) + P(B) = \frac{4}{5^4} + \frac{16}{5^4} = \frac{4}{125}$$

**冒** $\dfrac{4}{125}$

**51** 네 점 A, B, C, D에서 한 점, 세 점 A′, B′, C′에서 한 점을 골라내어 이 두 점과 점 O를 꼭짓점으로 하는 삼각형은 모두 12가지이고, 그중 직각삼각형이 되는 경우는

(i) A와 A′을 고른 경우  (ii) B와 C′을 고른 경우

(iii) C와 A′을 고른 경우  (iv) D와 B′을 고른 경우

의 4가지이므로 직각삼각형일 확률은 $\dfrac{4}{12} = \dfrac{1}{3}$

따라서 직각삼각형이 아닐 확률은

$$1 - \frac{1}{3} = \frac{2}{3}$$

**冒** $\dfrac{2}{3}$

참고

세 내각의 크기가 각각 30°, 60°, 90°인 직각삼각형의 세 변의 길이의 비

➡ $1 : \sqrt{3} : 2$

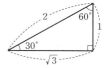

**52** 9개의 동전 중에서 3개를 임의로 꺼낼 때, 꺼낸 모든 동전의 금액의 합이 250원 미만일 확률은

(i) 50원짜리 동전을 3개 꺼내는 경우

$$\frac{_3C_3}{_9C_3} = \frac{1}{84}$$

(ii) 50원짜리 동전 2개와 100원짜리 동전 1개를 꺼내는 경우

$$\frac{_3C_2 \times _3C_1}{_9C_3} = \frac{9}{84}$$

(i), (ii)에서 $\dfrac{1}{84} + \dfrac{9}{84} = \dfrac{5}{42}$

따라서 꺼낸 모든 동전의 금액의 합이 250원 이상일 확률은

$$1 - \frac{5}{42} = \frac{37}{42}$$

$$\therefore p+q = 42+37 = 79$$

**冒** 79

**53** ㄱ. [반례] 표본공간 $S$가 $S=\{1, 2, 3, 4, 5, 6\}$일 때,

$A=\{3, 6\}, B=\{2, 4, 6\}, C=\{1, 3, 5\}$라 하면

$$P(A) = \frac{1}{3}, \ P(B) = \frac{1}{2}, \ P(C) = \frac{1}{2},$$

$$P(A \cap C) = \frac{1}{6}, \ P(B \cap C) = 0$$

이므로

$$P(A|C) = \frac{P(A \cap C)}{P(C)} = \frac{\frac{1}{6}}{\frac{1}{2}} = \frac{1}{3}$$

$$P(B|C) = \frac{P(B \cap C)}{P(C)} = 0$$

즉, $P(A) \le P(B)$이지만

$P(A|C) > P(B|C)$ (거짓)

ㄴ. $A \cup B = D$에서 $A \subset D$이므로

$(A \cap C) \subset (D \cap C)$

$\therefore P(A \cap C) \le P(D \cap C)$

즉, $\dfrac{P(A \cap C)}{P(C)} \le \dfrac{P(D \cap C)}{P(C)}$ ($\because P(C) > 0$)이므로

$P(A|C) \le P(D|C)$ (참)

ㄷ. $A \cap B = E$에서 $E \subset A$이므로

$(E \cap C) \subset (A \cap C)$

$\therefore P(E \cap C) \le P(A \cap C)$

$\therefore P(E|C) \le P(A|C)$ ($\because$ ㄴ) (참)

따라서 옳은 것은 ㄴ, ㄷ이다.

**冒** ④

**54** C가 가위, 바위, 보를 내는 사건을 각각 $A, B, C$라 하고, C가 혼자 이기는 사건을 $E$라 하면

$$P(A \cap E) = \frac{1}{4} \times \frac{1}{5} \times \frac{1}{6} = \frac{1}{120}$$

$$P(B \cap E) = \frac{1}{2} \times \frac{1}{5} \times \frac{1}{2} = \frac{1}{20}$$

$$P(C \cap E) = \frac{1}{4} \times \frac{3}{5} \times \frac{1}{3} = \frac{1}{20}$$

$$P(E) = P(A \cap E) + P(B \cap E) + P(C \cap E)$$
$$= \frac{1}{120} + \frac{1}{20} + \frac{1}{20} = \frac{13}{120}$$

따라서 구하는 확률은

$$P(C \mid E) = \frac{P(C \cap E)}{P(E)} = \frac{\frac{1}{20}}{\frac{13}{120}} = \frac{6}{13}$$    目 $\frac{6}{13}$

**55** 주어진 조건에서 점 $(a, b)$는 곡선 $y = 4 - \dfrac{x^2}{4}$ 과 $x$축 사이의 점이다.

즉, 15개의 점 중에서 서로 다른 두 점을 택하는 방법의 수는
$_{15}C_2 = 105$

$y$좌표가 1인 두 점을 택하는 방법의 수는 $_7C_2 = 21$
$y$좌표가 2인 두 점을 택하는 방법의 수는 $_5C_2 = 10$
$y$좌표가 3인 두 점을 택하는 방법의 수는 $_3C_2 = 3$
택한 두 점의 $y$좌표가 같은 사건을 $A$, 택한 두 점의 $y$좌표가 2인 사건을 $B$라 하면

$$P(A) = \frac{21 + 10 + 3}{105} = \frac{34}{105}$$

$$P(A \cap B) = \frac{10}{105}$$

따라서 구하는 확률은

$$P(B \mid A) = \frac{P(A \cap B)}{P(A)} = \frac{\frac{10}{105}}{\frac{34}{105}} = \frac{5}{17}$$    目 ②

**56** A여자고등학교 학생 중에서 1명을 택할 때, 뽑힌 학생이 1학년인 사건을 $A$, 2학년인 사건을 $B$, 3학년인 사건을 $C$, 여자대학교에 진학하려는 학생인 사건을 $E$라 하면
$$P(A \cap E) = P(A)P(E \mid A) = 0.4 \times 0.3 = 0.12$$
$$P(B \cap E) = P(B)P(E \mid B) = 0.4 \times 0.1 = 0.04$$
$$P(C \cap E) = P(C)P(E \mid C) = 0.2 \times 0.15 = 0.03$$
$$P(E) = P(A \cap E) + P(B \cap E) + P(C \cap E)$$
$$= 0.12 + 0.04 + 0.03 = 0.19$$
따라서 구하는 확률은
$$P(A \cup B \mid E) = \frac{P((A \cup B) \cap E)}{P(E)}$$
$$= \frac{P(A \cap E) + P(B \cap E)}{P(E)} \quad (\because A \cap B = \varnothing)$$
$$= \frac{0.12 + 0.04}{0.19} = \frac{16}{19}$$
$$\therefore m + n = 19 + 16 = 35$$    目 35

다른 풀이

| 학생<br>여자대학교 | 1학년 | 2학년 | 3학년 | 합계 |
|---|---|---|---|---|
| 희망 | 12 | 4 | 3 | 19 |
| 비희망 | 28 | 36 | 17 | 81 |
| 합계 | 40 | 40 | 20 | 100 |

$$P(A \cup B \mid E) = \frac{n((A \cup B) \cap E)}{n(E)} = \frac{12 + 4}{19} = \frac{16}{19}$$
$$\therefore m + n = 19 + 16 = 35$$

**57** $2n$번째에서 갑이 승자가 되는 것은 각 게임에서
(갑, 을, 갑, 을, $\cdots$, 갑, 을, 갑, 갑)으로 이길 때이므로
$$\frac{2}{3} \times \frac{1}{3} \times \frac{1}{4} \times \frac{1}{3} \times \frac{1}{4} \times \frac{1}{3} \times \cdots \times \frac{1}{4} \times \frac{2}{3} = \frac{2}{3} \times \left(\frac{1}{3} \times \frac{1}{4}\right)^{n-1} \times \frac{2}{3}$$
$$= \frac{4}{9} \times \left(\frac{1}{12}\right)^{n-1} \ (n \geq 2)$$

$2n$번째에서 을이 승자가 되는 것은 각 게임에서
(을, 갑, 을, 갑, $\cdots$, 을, 갑, 을, 을)로 이길 때이므로
$$\frac{1}{3} \times \frac{1}{4} \times \frac{1}{3} \times \frac{1}{4} \times \frac{1}{3} \times \frac{1}{4} \times \cdots \times \frac{1}{3} \times \frac{3}{4} = \frac{1}{3} \times \left(\frac{1}{4} \times \frac{1}{3}\right)^{n-1} \times \frac{3}{4}$$
$$= \frac{1}{4} \times \left(\frac{1}{12}\right)^{n-1} \ (n \geq 2)$$

따라서 $2n$번째 게임에서 승부가 났을 때, 갑이 승자일 확률은

$$\frac{\frac{4}{9 \times 12^{n-1}}}{\frac{4}{9 \times 12^{n-1}} + \frac{1}{4 \times 12^{n-1}}} = \frac{\frac{4}{9}}{\frac{4}{9} + \frac{1}{4}} = \frac{16}{25}$$    目 $\frac{16}{25}$

**58** 주사위 한 개를 $n$번 던지는 시행에서 나오는 모든 경우의 수는
$6^n$
임의의 자연수 $n$에 대하여 $a_n$과 $b_n$은 1, 2, 3, 4, 5, 6 중에서 하나이므로 $a_n = 6$이고, $b_n = 1$인 경우를 제외하면 $a_n - b_n < 5$를 만족시킨다.
1을 제외한 2, 3, 4, 5, 6의 5개의 수로 $n$개의 주사위의 눈의 수를 정하는 사건을 $A$, 6을 제외한 1, 2, 3, 4, 5의 5개의 수로 $n$개의 주사위의 눈의 수를 정하는 사건을 $B$라 하면 $A \cap B$는 1과 6을 제외한 2, 3, 4, 5의 4개의 수로 $n$개의 주사위의 눈의 수를 정하는 사건이므로 사건 $A \cup B$는 $a_n - b_n < 5$를 만족시키는 경우와 같다.
즉, $P(A) = \dfrac{5^n}{6^n}$, $P(B) = \dfrac{5^n}{6^n}$, $P(A \cap B) = \dfrac{4^n}{6^n}$에서
$$P(A \cup B) = P(A) + P(B) - P(A \cap B)$$
$$= \frac{5^n}{6^n} + \frac{5^n}{6^n} - \frac{4^n}{6^n}$$
$$= \frac{2 \times 5^n - 4^n}{6^n}$$
따라서 $p_n = \dfrac{2 \times 5^n - 4^n}{6^n}$이므로
$$\sum_{n=1}^{10} p_n = \sum_{n=1}^{10} \frac{2 \times 5^n - 4^n}{6^n}$$
$$= 2 \sum_{n=1}^{10} \left(\frac{5}{6}\right)^n - \sum_{n=1}^{10} \left(\frac{2}{3}\right)^n$$
$$= 2 \times \frac{\frac{5}{6}\left\{1 - \left(\frac{5}{6}\right)^{10}\right\}}{1 - \frac{5}{6}} - \frac{\frac{2}{3}\left\{1 - \left(\frac{2}{3}\right)^{10}\right\}}{1 - \frac{2}{3}}$$
$$= 10\left\{1 - \left(\frac{5}{6}\right)^{10}\right\} - 2\left\{1 - \left(\frac{2}{3}\right)^{10}\right\}$$
$$= 8 - 10\left(\frac{5}{6}\right)^{10} + 2\left(\frac{2}{3}\right)^{10}$$    目 ③

**01** 두 사건 $A$, $B$가 서로 독립이므로

$$P(A \cap B) = P(A)P(B) = \frac{3}{5}P(A) = \frac{1}{5}$$

$$\therefore P(A) = \frac{1}{3}$$

$$\therefore P(A \cup B) = P(A) + P(B) - P(A \cap B)$$
$$= \frac{1}{3} + \frac{3}{5} - \frac{1}{5} = \frac{11}{15}$$

**답** ②

**02** $T = \{a, b, c, d\}$, $A = \{a, b\}$, $B = \{c, e\}$, $C = \{d, e\}$, $D = \{b, c, d\}$, $E = \{c, d, e\}$라 하면

$T \cap A = \{a, b\}$, $T \cap B = \{c\}$, $T \cap C = \{d\}$, $T \cap D = \{b, c, d\}$, $T \cap E = \{c, d\}$

① $P(T) = \frac{2}{3}$, $P(A) = \frac{1}{3}$, $P(T \cap A) = \frac{1}{3}$이므로

$P(T \cap A) \neq P(T)P(A)$

② $P(T) = \frac{2}{3}$, $P(B) = \frac{1}{3}$, $P(T \cap B) = \frac{1}{6}$이므로

$P(T \cap B) \neq P(T)P(B)$

③ $P(T) = \frac{2}{3}$, $P(C) = \frac{1}{3}$, $P(T \cap C) = \frac{1}{6}$이므로

$P(T \cap C) \neq P(T)P(C)$

④ $P(T) = \frac{2}{3}$, $P(D) = \frac{1}{2}$, $P(T \cap D) = \frac{1}{2}$이므로

$P(T \cap D) \neq P(T)P(D)$

⑤ $P(T) = \frac{2}{3}$, $P(E) = \frac{1}{2}$, $P(T \cap E) = \frac{1}{3}$이므로

$P(T \cap E) = P(T)P(E)$

따라서 사건 $\{a, b, c, d\}$와 독립인 사건은 ⑤이다.

**답** ⑤

**03** ㄱ. 두 사건 $A$, $B$가 서로 배반사건이면

$P(A \cap B) = 0$이므로

$P(A \cap B) = 0 \neq P(A)P(B)$

따라서 두 사건 $A$, $B$는 서로 독립이 아니다. (거짓)

ㄴ. 두 사건 $A$, $B$가 서로 독립이면

$P(A \cap B) = P(A)P(B)$이므로

$P(A \cap B^c) = P(A) - P(A \cap B) = P(A) - P(A)P(B)$
$= P(A)\{1 - P(B)\} = P(A)P(B^c)$

따라서 두 사건 $A$, $B^c$은 서로 독립이다. (참)

ㄷ. 두 사건 $A$, $B$가 서로 독립이면

$P(A \cap B) = P(A)P(B)$

$P(A) \neq 0$, $P(B) \neq 0$이므로

$P(A \cap B) \neq 0$

즉, 두 사건 $A$, $B$는 배반사건이 아니다. (거짓)

따라서 옳은 것은 ㄴ뿐이다.

**답** ㄴ

**04** A주머니에서 흰 구슬을 꺼내는 사건을 $A$, B주머니에서 흰 구슬을 꺼내는 사건을 $B$라 하면 두 사건 $A$, $B$는 서로 독립이다.

따라서 구하는 확률은

$$P(A \cap B) = P(A)P(B)$$
$$= \frac{3}{8} \times \frac{4}{12} = \frac{1}{8}$$

**답** $\frac{1}{8}$

**05** 두 상자 A, B에서 홀수가 적힌 공을 꺼내는 사건을 각각 $A$, $B$라 하고 두 공에 적혀 있는 수의 곱이 짝수일 사건을 $C$라 하면 그 여사건 $C^c$은 두 공에 적혀 있는 수의 곱이 홀수인 사건이다.

두 상자 A, B에서 각각 임의로 1개의 공을 꺼낼 때, 모두 홀수가 적힌 공을 꺼내는 사건은 $A$, $B$이고 두 사건 $A$, $B$가 서로 독립이므로 $P(A \cap B) = P(A)P(B)$이다.

$P(A) = \frac{3}{5}$, $P(B) = \frac{2}{5}$이고 두 수의 곱이 홀수이려면 두 수가 모두 홀수이어야 하므로

$$P(C^c) = P(A)P(B)$$
$$= \frac{3}{5} \times \frac{2}{5} = \frac{6}{25}$$

따라서 구하는 확률은

$$P(C) = 1 - P(C^c)$$
$$= 1 - \frac{6}{25} = \frac{19}{25}$$

**답** $\frac{19}{25}$

**06** 준수가 이기는 사건을 $A$라 하면

$$P(A) = \frac{8}{10} = \frac{4}{5}$$

따라서 바둑을 다섯 번 둘 때, 준수가 세 번 이길 확률은

$$_5C_3 \left(\frac{4}{5}\right)^3 \left(\frac{1}{5}\right)^2 = \frac{128}{625}$$

**답** ②

**07** 주사위 한 개를 던져서 홀수의 눈이 나올 확률은 $\frac{1}{2}$이다.

(i) 홀수의 눈이 7번 나올 확률은 $_8C_7 \left(\frac{1}{2}\right)^7 \left(\frac{1}{2}\right)^1 = 8\left(\frac{1}{2}\right)^8$

(ii) 홀수의 눈이 8번 나올 확률은 $_8C_8 \left(\frac{1}{2}\right)^8 = \left(\frac{1}{2}\right)^8$

(i), (ii)에서 구하는 확률은 $8\left(\frac{1}{2}\right)^8 + \left(\frac{1}{2}\right)^8 = \frac{9}{256}$

**답** ②

**08** 농구 선수의 자유투 성공률은 80 %이므로 성공할 확률은 $\frac{4}{5}$이고, 3번의 자유투를 던질 때 1번 이상 성공하는 사건을 $A$라 하면 $A$의 여사건 $A^c$은 한 번도 성공하지 못하는 사건이므로

$$P(A^c) = _3C_0 \left(\frac{4}{5}\right)^0 \left(\frac{1}{5}\right)^3 = \frac{1}{125}$$

$$\therefore P(A) = 1 - P(A^c) = 1 - \frac{1}{125} = \frac{124}{125}$$

따라서 $a = 125$, $b = 124$이므로

$a + b = 249$

**답** 249

**09** 두 사건 $A$, $B$가 서로 독립이므로 두 사건 $A$, $B^c$도 서로 독립이다. 즉,

$$P(A \cap B^c) = P(A)P(B^c)$$
$$= P(A)\{1 - P(B)\}$$
$$= \frac{2}{3}P(A) = \frac{1}{2}$$

$$\therefore P(A) = \frac{3}{4}$$

$$\therefore P(A \cap B) = P(A)P(B)$$
$$= \frac{3}{4} \times \frac{1}{3} = \frac{1}{4}$$

**답** ⑤

**10**

$$P(A^c \cap B^c) = 1 - P(A \cup B) = \frac{1}{4}$$

$$\therefore P(A \cup B) = \frac{3}{4}$$

$P(A^c \cap B) = P(A \cup B) - P(A)$에서

$$\frac{1}{3} = \frac{3}{4} - P(A)$$

$$\therefore P(A) = \frac{5}{12}$$

두 사건 $A$, $B$가 서로 독립이면 두 사건 $A^c$, $B$도 서로 독립이므로

$$P(A^c \cap B) = P(A^c)P(B) = \{1 - P(A)\}P(B)$$
$$= \frac{7}{12}P(B) = \frac{1}{3}$$

$$\therefore P(B) = \frac{4}{7}$$ 　　　　　　　　답 $\frac{4}{7}$

**11**

$$P(A \mid (B \cup C)) = \frac{P(A \cap (B \cup C))}{P(B \cup C)}$$

$$= \frac{P((A \cap B) \cup (A \cap C))}{P(B \cup C)}$$

$$= \frac{P(A \cap B)}{P(B) + P(C)}$$
$$(\because A \cap C = \varnothing, \ B \cap C = \varnothing)$$

$$= \frac{P(A)P(B)}{P(B) + P(C)}$$
$$(\because A, \ B는 \ 서로 \ 독립사건)$$

$$= \frac{\frac{1}{3} \times \frac{1}{4}}{\frac{1}{4} + \frac{5}{12}} = \frac{1}{8}$$ 　　　　답 $\frac{1}{8}$

**12** $A = \{1, 3, 5\}$, $B = \{1, 2, 3, 6\}$, $C = \{1, 2, 3, 4\}$, $D = \{5, 6\}$
이므로
$A \cap B = \{1, 3\}$, $A \cap C = \{1, 3\}$, $B \cap D = \{6\}$

ㄱ. $P(A \cap B) = \frac{2}{6} = \frac{1}{3}$, $P(A)P(B) = \frac{3}{6} \times \frac{4}{6} = \frac{1}{3}$

　　$\therefore P(A \cap B) = P(A)P(B)$

　　즉, 두 사건 $A$와 $B$는 서로 독립이다.

ㄴ. $P(A \cap C) = \frac{2}{6} = \frac{1}{3}$, $P(A)P(C) = \frac{3}{6} \times \frac{4}{6} = \frac{1}{3}$

　　$\therefore P(A \cap C) = P(A)P(C)$

　　즉, 두 사건 $A$와 $C$는 서로 독립이다.

ㄷ. $P(B \cap D) = \frac{1}{6}$, $P(B)P(D) = \frac{4}{6} \times \frac{2}{6} = \frac{2}{9}$

　　$\therefore P(B \cap D) \neq P(B)P(D)$

　　즉, 두 사건 $B$와 $D$는 서로 종속이다.

따라서 서로 독립인 것은 ㄱ, ㄴ이다. 　　　　답 ③

**13** 동전을 3회 던질 때 생기는 모든 경우의 수는 8이고,
동전의 앞면을 H, 뒷면을 T라 하면
$A = \{HHH, HHT, HTH, HTT\}$
$B = \{HHH, HHT, THH, THT\}$
$C = \{HHT, THH\}$
$A \cap B = \{HHH, HHT\}$
$B \cap C = \{HHT, THH\}$
$A \cap C = \{HHT\}$

ㄱ. $P(A) = \frac{1}{2}$, $P(B) = \frac{1}{2}$, $P(A \cap B) = \frac{1}{4}$

　　즉, $P(A \cap B) = P(A)P(B)$이므로
　　두 사건 $A$와 $B$는 서로 독립이다.

ㄴ. $P(B) = \frac{1}{2}$, $P(C) = \frac{1}{4}$, $P(B \cap C) = \frac{1}{4}$

　　즉, $P(B \cap C) \neq P(B)P(C)$이므로
　　두 사건 $B$와 $C$는 서로 종속이다.

ㄷ. $P(A) = \frac{1}{2}$, $P(C) = \frac{1}{4}$, $P(A \cap C) = \frac{1}{8}$

　　즉, $P(A \cap C) = P(A)P(C)$이므로
　　두 사건 $A$와 $C$는 서로 독립이다.

따라서 종속인 것은 ㄴ뿐이다. 　　　　답 ②

**14** $A = \{1, 2, 3, 4\}$, $B = \{2, 4, 6\}$이므로
$A \cap B = \{2, 4\}$

$$\therefore P(A) = \frac{2}{3}, \ P(B) = \frac{1}{2}, \ P(A \cap B) = \frac{1}{3}$$

ㄱ. $P(A \cap B) = P(A)P(B)$이므로
　　두 사건 $A$, $B$는 서로 독립이다. (참)

ㄴ. $A^c = \{5, 6\}$이므로
　　$A^c \cap B = \{6\}$

　　$\therefore P(A^c) = \frac{1}{3}$, $P(A^c \cap B) = \frac{1}{6}$

　　즉, $P(A^c \cap B) = P(A^c)P(B)$이므로
　　두 사건 $A^c$, $B$는 서로 독립이다. (참)

ㄷ. $B^c = \{1, 3, 5\}$이므로
　　$A \cap B^c = \{1, 3\}$

　　$\therefore P(B^c) = \frac{1}{2}$, $P(A \cap B^c) = \frac{1}{3}$

　　즉, $P(A \cap B^c) = P(A)P(B^c)$이므로
　　두 사건 $A$, $B^c$은 서로 독립이다. (거짓)

따라서 옳은 것은 ㄱ, ㄴ이다. 　　　　답 ②

다른 풀이

ㄱ. $P(A) = \frac{2}{3}$, $P(B) = \frac{1}{2}$, $P(A \cap B) = \frac{1}{3}$이므로

　　$P(A \cap B) = P(A)P(B)$

　　즉, 두 사건 $A$, $B$는 서로 독립이다. (참)

ㄴ. ㄱ에서 두 사건 $A$, $B$가 서로 독립이므로 $A^c$, $B$도 서로 독립이다. (참)

ㄷ. ㄱ에서 두 사건 $A$, $B$가 서로 독립이므로 $A$, $B^c$도 서로 독립이다. (거짓)

**15** 동전을 3번 던질 때 생기는 모든 경우의 수는 8이고,
동전의 앞면을 H, 뒷면을 T라 하면
$A = \{HHH, HHT, HTH, HTT\}$
$B = \{HHH, HHT, HTH, THH\}$
$C = \{HHH, TTT\}$
$A \cap B = \{HHH, HHT, HTH\}$
$A \cap C^c = A - C = \{HHT, HTH, HTT\}$
$B^c \cap C^c = (B \cup C)^c = \{HTT, THT, TTH\}$

ㄱ. $P(A) = \frac{1}{2}$, $P(B) = \frac{1}{2}$, $P(A \cap B) = \frac{3}{8}$이므로

　　$P(A \cap B) \neq P(A)P(B)$

　　즉, 두 사건 $A$와 $B$는 서로 종속이다.

ㄴ. $P(A)=\dfrac{1}{2}$, $P(C^C)=1-P(C)=\dfrac{3}{4}$,

$P(A\cap C^C)=\dfrac{3}{8}$이므로

$P(A\cap C^C)=P(A)P(C^C)$

즉, 두 사건 $A$와 $C^C$은 서로 독립이다.

ㄷ. $P(B^c)=1-P(B)=\dfrac{1}{2}$,

$P(C^c)=1-P(C)=\dfrac{3}{4}$,

$P(B^c\cap C^c)=\dfrac{3}{8}$이므로

$P(B^c\cap C^c)=P(B^c)P(C^c)$

즉, 두 사건 $B^c$과 $C^c$은 서로 독립이다.

따라서 서로 독립인 것은 ㄴ, ㄷ이다.　　　　閨 ④

**16**　ㄱ. $P(B|A)=\dfrac{P(A\cap B)}{P(A)}$

$=\dfrac{P(A)}{P(A)}$ ($\because A\subset B$)

$=1$ (참)

ㄴ. 두 사건 $A$, $B$가 서로 배반사건이면 $P(A\cap B)=0$이므로

$P(B|A)=\dfrac{P(A\cap B)}{P(A)}=0$ (참)

ㄷ. 두 사건 $A$, $B$가 서로 독립이면

$P(A\cap B)=P(A)P(B)$

$P(A)\neq 0$, $P(B)\neq 0$이므로

$P(A\cap B)\neq 0$

즉, 두 사건 $A$, $B$는 서로 배반사건이 아니다. (거짓)

따라서 옳은 것은 ㄱ, ㄴ이다.　　　　閨 ②

참고

두 사건 $A$, $B$가 서로 배반사건이면 $A$, $B$는 서로 종속이다.

또는

두 사건 $A$, $B$가 서로 독립이면 $A$, $B$는 서로 배반사건이 아니다.

**17**　ㄱ. $P(A\cup B\cup C)$

$=P(A)+P(B)+P(C)-P(A\cap B)-P(B\cap C)$
$\qquad\qquad\qquad\qquad -P(C\cap A)+P(A\cap B\cap C)$

$\therefore P(A\cup B\cup C)\neq P(A)+P(B)+P(C)$ (거짓)

ㄴ. $P(A\cap B\cap C)=P(A\cap(B\cap C))$

$=P(A)P(B\cap C)$

$=P(A)P(B)P(C)$ (참)

ㄷ. $P(A\cap B)=P(A)P(B)$, $P(A\cap C)=P(A)P(C)$

이므로

$P(A\cap(B\cup C))$

$=P((A\cap B)\cup(A\cap C))$

$=P(A\cap B)+P(A\cap C)-P(A\cap(B\cap C))$

$=P(A)\{P(B)+P(C)-P(B\cap C)\}$

$=P(A)P(B\cup C)$ (참)

따라서 옳은 것은 ㄴ, ㄷ이다.　　　　閨 ④

**18**　갑, 을, 병 세 사람이 합격하는 사건을 각각 $A$, $B$, $C$라 하면 세 사건 $A$, $B$, $C$는 서로 독립이다.

즉, 세 사람이 모두 합격할 확률은

$P(A\cap B\cap C)=P(A)P(B)P(C)$

$=\dfrac{2}{5}\times\dfrac{3}{4}\times\dfrac{1}{3}=\dfrac{1}{10}$

$\therefore a+b=1+10=11$　　　　閨 11

**19**　준희와 영수가 흰 공을 뽑을 사건을 각각 $A$, $B$라 하면

$P(A)=\dfrac{5}{6}$, $P(B)=\dfrac{4}{5}$

두 사람 중에서 한 명만 흰 공을 뽑을 사건은

$(A\cap B^C)\cup(A^C\cap B)$

두 사건 $A$, $B$는 서로 독립이므로 두 사건 $A$, $B^C$도 서로 독립이고, 두 사건 $A^C$, $B$도 서로 독립이다.

$\therefore P(A\cap B^C)=P(A)P(B^C)=\dfrac{5}{6}\times\dfrac{1}{5}=\dfrac{1}{6}$

$P(A^C\cap B)=P(A^C)P(B)=\dfrac{1}{6}\times\dfrac{4}{5}=\dfrac{2}{15}$

그런데 $A\cap B^C$, $A^C\cap B$는 서로 배반사건이므로 구하는 확률은

$P((A\cap B^C)\cup(A^C\cap B))=P(A\cap B^C)+P(A^C\cap B)$

$=\dfrac{1}{6}+\dfrac{2}{15}=\dfrac{3}{10}$

$\therefore p+q=10+3=13$　　　　閨 13

**20**　1번 문제를 맞히는 사건을 $A$, 2번 문제를 맞히는 사건을 $B$, 3번 문제를 맞히는 사건을 $C$라 하면

$P(A)=0.8$, $P(B)=0.5$, $P(C)=0.4$

세 사건 $A$, $B$, $C$는 서로 독립이므로

$A^C$, $B$, $C^C$도 서로 독립이다.

$P(A^C\cap B\cap C^C)=P(A^C)P(B)P(C^C)$

$=0.2\times 0.5\times 0.6$

$=0.06$

따라서 구하는 확률은 6 %이다.　　　　閨 ①

**21**　세 선수 A, B, C가 페널티킥을 성공하는 사건을 각각 $A$, $B$, $C$라 하면 $A$, $B$, $C$는 서로 독립이므로 $A^c$, $B^c$, $C^c$도 서로 독립이다.

3명의 선수가 모두 페널티킥을 성공하지 못할 확률은

$P(A^c\cap B^c\cap C^c)=P(A^c)P(B^c)P(C^c)$

$=(1-0.8)\times(1-0.7)\times(1-0.6)$

$=0.2\times 0.3\times 0.4$

$=0.024$

따라서 적어도 한 명은 성공할 확률은

$1-0.024=0.976$　　　　閨 0.976

**22**　남학생일 사건을 $A$, 생활복 도입에 찬성할 사건을 $B$라 하면

$P(A)=\dfrac{220}{330}=\dfrac{2}{3}$, $P(B)=\dfrac{240}{330}=\dfrac{8}{11}$, $P(A\cap B)=\dfrac{a}{330}$

두 사건 $A$, $B$는 서로 독립이므로

$P(A\cap B)=P(A)P(B)$에서

$\dfrac{a}{330}=\dfrac{2}{3}\times\dfrac{8}{11}=\dfrac{16}{33}$

$\therefore a=160$　　　　閨 160

**23**　영역 A에 색을 칠하는 확률은 $\dfrac{3}{4}$

영역 B에 색을 칠하는 확률은 $\dfrac{1}{4}$

3번째 시행에서 마치는 경우는 A, A, B의 순서로 칠하거나, B, B, A의 순서로 칠하게 되는 경우이다.

(i) A, A, B의 순서로 칠하는 확률

$$\frac{3}{4} \times \frac{3}{4} \times \frac{1}{4} = \frac{9}{64}$$

(ii) B, B, A의 순서로 칠하는 확률

$$\frac{1}{4} \times \frac{1}{4} \times \frac{3}{4} = \frac{3}{64}$$

(i), (ii)에서 구하는 확률은

$$\frac{9}{64} + \frac{3}{64} = \frac{3}{16}$$

$$\therefore p+q = 16+3 = 19$$

답 19

**24** 주사위를 한 번 던져 3의 배수 또는 소수의 눈이 나오는 사건을 $A$라 하면

$A = \{2, 3, 5, 6\}$이므로

$$P(A) = \frac{4}{6} = \frac{2}{3}$$

따라서 주사위를 5번 던질 때, 3의 배수 또는 소수의 눈이 2번 나올 확률은

$$_5C_2 \left(\frac{2}{3}\right)^2 \left(\frac{1}{3}\right)^3 = \frac{40}{243}$$

$$\therefore a+b = 40+243 = 283$$

답 283

**25** 점 O에서 북쪽으로 3칸, 동쪽으로 4칸 가면 점 A에 도착한다. 따라서 동전을 7번 던질 때, 앞면이 3번 나올 확률은

$$_7C_3 \left(\frac{1}{2}\right)^3 \left(\frac{1}{2}\right)^4 = \frac{35}{128}$$

답 ③

**26** 주사위를 6번 던질 때, 원점에서 출발한 점 P가 점 $(1, 2)$를 지나 점 $(3, 6)$에 도착하려면 짝수가 1번, 홀수가 1번 나온 후, 짝수가 2번, 홀수가 2번 나와야 하므로 구하는 확률

$$_2C_1 \left(\frac{1}{2}\right)^1 \left(\frac{1}{2}\right)^1 \times {}_4C_2 \left(\frac{1}{2}\right)^2 \left(\frac{1}{2}\right)^2 = \frac{1}{2} \times \frac{3}{8}$$

$$= \frac{3}{16}$$

답 $\frac{3}{16}$

**27** 제비를 3회 복원추출할 때, 3개 모두 당첨 제비가 아닐 확률은

$$_3C_3 \left(\frac{4}{5}\right)^3 = \frac{64}{125}$$

따라서 구하는 확률은

$$1 - \frac{64}{125} = \frac{61}{125}$$

답 $\frac{61}{125}$

**28** 1 또는 2의 눈이 나오는 횟수를 $a$, 다른 눈의 수가 나오는 횟수를 $b$라 하면

$$\begin{cases} a+b=5 \\ 1000a+500b=4000 \end{cases}$$에서 $a=3$, $b=2$

즉, 1 또는 2의 눈이 3번, 그 밖의 눈이 2번 나와야 한다.

1 또는 2의 눈이 나올 확률이 $\frac{1}{3}$이므로 구하는 확률은

$$_5C_3 \left(\frac{1}{3}\right)^3 \left(\frac{2}{3}\right)^2 = \frac{40}{243}$$

답 ③

**29** 4 또는 6의 눈이 나오는 횟수를 $a$, 그 밖의 눈이 나오는 횟수를 $b$라 하면

$x$좌표가 2이므로 $2a-b=2$ ······ ㉠

$y$좌표가 4이므로 $a+b=4$ ······ ㉡

㉠, ㉡을 연립하여 풀면

$a=2$, $b=2$

즉, 4 또는 6의 눈이 2번, 그 밖의 눈이 2번 나와야 한다.

4 또는 6의 눈이 나올 확률은 $\frac{1}{3}$이므로 구하는 확률은

$$_4C_2 \left(\frac{1}{3}\right)^2 \left(\frac{2}{3}\right)^2 = \frac{8}{27}$$

답 $\frac{8}{27}$

**30** (i) 6개의 문제 중에서 4문제를 맞힐 확률은

$$_6C_4 \left(\frac{1}{2}\right)^4 \left(\frac{1}{2}\right)^2 = 15\left(\frac{1}{2}\right)^6$$

(ii) 6개의 문제 중에서 5문제를 맞힐 확률은

$$_6C_5 \left(\frac{1}{2}\right)^5 \left(\frac{1}{2}\right)^1 = 6\left(\frac{1}{2}\right)^6$$

(iii) 6개의 문제 중에서 6문제 모두 맞힐 확률은

$$_6C_6 \left(\frac{1}{2}\right)^6 = \left(\frac{1}{2}\right)^6$$

(i), (ii), (iii)에서 구하는 확률은

$$15\left(\frac{1}{2}\right)^6 + 6\left(\frac{1}{2}\right)^6 + \left(\frac{1}{2}\right)^6 = 22\left(\frac{1}{2}\right)^6 = \frac{11}{32}$$

답 $\frac{11}{32}$

**31** (i) 2번의 경기에서 A팀이 우승하려면 A팀이 2번 모두 이겨야 하므로

$$_2C_2 \left(\frac{3}{5}\right)^2 = \frac{9}{25}$$

(ii) 3번의 경기에서 A팀이 우승하려면 2번째 경기까지 A팀이 1승 1패를 하고 3번째 경기에서 A팀이 이겨야 하므로

$$_2C_1 \left(\frac{3}{5}\right)^1 \left(\frac{2}{5}\right)^1 \times \frac{3}{5} = \frac{36}{125}$$

(i), (ii)에서 구하는 확률은

$$\frac{9}{25} + \frac{36}{125} = \frac{81}{125}$$

답 $\frac{81}{125}$

**32** (i) 앞면이 나온 동전의 개수가 2일 때, 주사위의 눈은 1이 나와야 하므로

$$_6C_2 \left(\frac{1}{2}\right)^2 \left(\frac{1}{2}\right)^4 \times \frac{1}{6} = \frac{1}{2^6} \times \frac{15}{6}$$

(ii) 앞면이 나온 동전의 개수가 3일 때, 주사위의 눈은 1, 2 중에서 나와야 하므로

$$_6C_3 \left(\frac{1}{2}\right)^3 \left(\frac{1}{2}\right)^3 \times \frac{2}{6} = \frac{1}{2^6} \times \frac{40}{6}$$

(iii) 앞면이 나온 동전의 개수가 4일 때, 주사위의 눈은 1, 2, 3 중에서 나와야 하므로

$$_6C_4 \left(\frac{1}{2}\right)^4 \left(\frac{1}{2}\right)^2 \times \frac{3}{6} = \frac{1}{2^6} \times \frac{45}{6}$$

(iv) 앞면이 나온 동전의 개수가 5일 때, 주사위의 눈은 1, 2, 3, 4 중에서 나와야 하므로

$$_6C_5 \left(\frac{1}{2}\right)^5 \left(\frac{1}{2}\right)^1 \times \frac{4}{6} = \frac{1}{2^6} \times \frac{24}{6}$$

(v) 앞면이 나온 동전의 개수가 6일 때, 주사위의 눈은 1, 2, 3, 4, 5 중에서 나와야 하므로

$$_6C_6 \left(\frac{1}{2}\right)^6 \times \frac{5}{6} = \frac{1}{2^6} \times \frac{5}{6}$$

(i)~(v)에서 구하는 확률은

$$\left(\frac{1}{2}\right)^6 \times \left(\frac{15}{6}+\frac{40}{6}+\frac{45}{6}+\frac{24}{6}+\frac{5}{6}\right)=\left(\frac{1}{2}\right)^6 \times \frac{129}{6}$$
$$=\frac{43}{128} \qquad \text{답} \textcircled{4}$$

**33** 9시에서 10시 사이에 나타난 한 친구가 세연이를 만날 확률은 $\frac{15}{60}=\frac{1}{4}$이다.

따라서 세연이가 적어도 2명의 친구를 만날 확률은
$$1-\left\{{}_5C_0\left(\frac{3}{4}\right)^5+{}_5C_1\left(\frac{1}{4}\right)^1\left(\frac{3}{4}\right)^4\right\}=1-\left(\frac{3^5}{4^5}+\frac{5\times 3^4}{4^5}\right)$$
$$=1-\frac{648}{1024}$$
$$=\frac{47}{128} \qquad \text{답} \frac{47}{128}$$

**34** 앞면이 나오는 횟수를 $x$라 하면 뒷면이 나오는 횟수는 $5-x$이므로 점 P의 좌표는
$$(5-x)-x=5-2x$$
$5-2x>2$에서 $x<\frac{3}{2}$
$\therefore x=0$ 또는 $x=1$
(i) 앞면이 0회 나올 확률은
$$\quad {}_5C_0\left(\frac{1}{2}\right)^5=\frac{1}{32}$$
(ii) 앞면이 1회 나올 확률은
$$\quad {}_5C_1\left(\frac{1}{2}\right)^1\left(\frac{1}{2}\right)^4=\frac{5}{32}$$
(i), (ii)에서 구하는 확률은
$$\frac{1}{32}+\frac{5}{32}=\frac{3}{16} \qquad \text{답} \frac{3}{16}$$

**35** 홀수의 눈이 $x$번, 짝수의 눈이 $y$번 나왔다고 하면 $x+y=5$를 만족시키는 순서쌍 $(x,y)$는
$$(0,5), (1,4), (2,3), (3,2), (4,1), (5,0)$$
원점으로부터의 거리가 4 이하인 점은 $\sqrt{x^2+y^2}\leq 4$를 만족시켜야 하므로
$$(2,3), (3,2)$$
따라서 홀수의 눈이 2번 또는 3번 나와야 하므로 구하는 확률은
$${}_5C_2\left(\frac{1}{2}\right)^2\left(\frac{1}{2}\right)^3+{}_5C_3\left(\frac{1}{2}\right)^3\left(\frac{1}{2}\right)^2=\frac{5}{16}+\frac{5}{16}=\frac{5}{8} \qquad \text{답} \textcircled{5}$$

**36** $P(A\cup B)=P(A)+P(B)-P(A\cap B)$에서
$$\frac{5}{8}=P(A)+P(B)-\frac{1}{8}$$
$$\therefore P(A)+P(B)=\frac{3}{4} \qquad \cdots\cdots \text{㉠}$$
두 사건 $A, B$는 서로 독립이므로
$$P(A\cap B)=P(A)P(B)=\frac{1}{8} \qquad \cdots\cdots \text{㉡}$$
㉠, ㉡에서 $P(A), P(B)$는 $t$에 대한 이차방정식
$$t^2-\frac{3}{4}t+\frac{1}{8}=0$$의 두 근이다.
즉, $8t^2-6t+1=0$에서 $(2t-1)(4t-1)=0$
$$\therefore t=\frac{1}{4} \text{ 또는 } t=\frac{1}{2}$$
$$\therefore P(B)=\frac{1}{4} \;(\because P(A)>P(B)) \qquad \text{답} \frac{1}{4}$$

**37** (i) 갑의 경우 두 사건이 서로 독립이므로
$$\quad P(A\cap B)=P(A)P(B)$$
즉, $P(A\cup B)=P(A)+P(B)-P(A)P(B)$에서
$$0.6=P(A)+P(B)-P(A)P(B) \qquad \cdots\cdots \text{㉠}$$
(ii) 을의 경우 두 사건이 서로 배반사건이므로
$$\quad P(A\cap B)=0$$
즉, $P(A\cup B)=P(A)+P(B)$에서
$$0.7=P(A)+P(B) \qquad \cdots\cdots \text{㉡}$$
㉡-㉠을 하면 $P(A)P(B)=0.1 \qquad \cdots\cdots \text{㉢}$
㉡, ㉢에서
$$|P(A)-P(B)|^2=\{P(A)+P(B)\}^2-4P(A)P(B)$$
$$=0.49-0.4=0.09$$
$$\therefore |P(A)-P(B)|=0.3 \qquad \text{답} 0.3$$

**38** $P(A)=P(B)=P(C)=\frac{{}_5C_2\times 3!}{5!}=\frac{1}{2}$

ㄱ. $P(A\cap B)=\frac{{}_5C_3\times 2!}{5!}=\frac{1}{6}$
$$P(A\cap C)=\frac{{}_5C_2\times {}_3C_2}{5!}=\frac{1}{4}$$
$$\therefore P(A\cap B)<P(A\cap C) \text{ (참)}$$

ㄴ. $P(A\cap B)=\frac{1}{6}$, $P(A)P(B)=\frac{1}{4}$
즉, $P(A\cap B)\neq P(A)P(B)$이므로
두 사건 $A$와 $B$는 서로 독립이 아니다. (거짓)

ㄷ. $P(A\cap C)=\frac{1}{4}$, $P(A)P(C)=\frac{1}{4}$
즉, $P(A\cap C)=P(A)P(C)$이므로
두 사건 $A$와 $C$는 서로 독립이다. (참)
따라서 옳은 것은 ㄱ, ㄷ이다. $\qquad \text{답} \textcircled{4}$

**39** $I(E)=\log_{\frac{1}{2}} P(E)$

ㄱ. $P(E)=\frac{1}{2}$이므로
$$I(E)=\log_{\frac{1}{2}} \frac{1}{2}=1 \text{ (참)}$$

ㄴ. 두 사건 $A, B$가 서로 독립이므로
$P(A\cap B)=P(A)P(B)$에서
$$I(A\cap B)=\log_{\frac{1}{2}} P(A\cap B)$$
$$=\log_{\frac{1}{2}} P(A)P(B)$$
$$=\log_{\frac{1}{2}} P(A)+\log_{\frac{1}{2}} P(B)$$
$$=I(A)+I(B) \text{ (참)}$$

ㄷ. $P(A)\leq P(A\cup B)$, $P(B)\leq P(A\cup B)$이므로
$$I(A)\geq I(A\cup B), I(B)\geq I(A\cup B)$$
$$\therefore I(A)+I(B)\geq 2I(A\cup B) \text{ (참)}$$
따라서 ㄱ, ㄴ, ㄷ 모두 옳다. $\qquad \text{답} \textcircled{5}$

**40** (i) 처음에 1의 눈이 나오는 경우
2회에는 반드시 2 이상의 눈이 나와야 하고, 3회에서는 2회에서 나온 눈에 따라 오직 한 가지 눈으로 결정되므로
$$\frac{1}{6}\times\frac{5}{6}\times\frac{1}{6}=\frac{5}{216}$$
(ii) 처음에 2의 눈이 나오는 경우
2회에는 어떤 눈이 나와도 되고, 3회에서는 2회에서 나온

눈에 따라 오직 한 가지 눈으로 결정되므로

$$\frac{1}{6} \times 1 \times \frac{1}{6} = \frac{1}{36}$$

(iii) 처음에 3 이상의 눈이 나오는 경우

2회에는 A9의 위치로 가는 한 가지 경우만 제외하면 되고,
3회에는 2회에서 나온 눈에 따라 오직 한 가지 눈으로 결정
되므로

$$\frac{4}{6} \times \frac{5}{6} \times \frac{1}{6} = \frac{20}{216}$$

(i), (ii), (iii)에서 구하는 확률은

$$\frac{5}{216} + \frac{1}{36} + \frac{20}{216} = \frac{31}{216}$$　　　　**달** ③

**41**　갑, 을의 주사위의 눈의 수를 순서쌍 (갑, 을)로 나타내면

(i) 갑이 이기는 경우

$$(2, 1) : \frac{3}{6} \times \frac{4}{6} = \frac{1}{3}$$

$$(3, 1) : \frac{2}{6} \times \frac{4}{6} = \frac{2}{9}$$

$$\therefore a = \frac{1}{3} + \frac{2}{9} = \frac{5}{9}$$

(ii) 을이 이기는 경우

$$(1, 3) : \frac{1}{6} \times \frac{2}{6} = \frac{1}{18}$$

$$(2, 3) : \frac{3}{6} \times \frac{2}{6} = \frac{1}{6}$$

$$\therefore b = \frac{1}{18} + \frac{1}{6} = \frac{2}{9}$$

(i), (ii)에서

$$a - b = \frac{5}{9} - \frac{2}{9} = \frac{1}{3}$$　　　　**달** $\dfrac{1}{3}$

**42**　주사위를 던져서 6의 약수의 눈이 나오는 사건을 $A$라 하면
$A = \{1, 2, 3, 6\}$이므로

$$P(A) = \frac{2}{3}$$

한편, 네 번의 시행에서 점 A
가 원 $x^2 + y^2 = 9$의 내부에 놓
이게 되는 경우는 그림과 같이
점 B에 놓일 때이다. 그러므로
점 A가 점 B$(2, 2)$에 오게 되
는 확률은

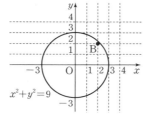

$$_4C_2 \left(\frac{2}{3}\right)^2 \left(\frac{1}{3}\right)^2 = \frac{8}{27}$$

따라서 구하는 확률은

$$1 - \frac{8}{27} = \frac{19}{27}$$　　　　**달** ④

**43**　$$P(A) = {}_nC_{n-1} \left(\frac{1}{2}\right)^{n-1} \left(\frac{1}{2}\right)^1 + {}_nC_n \left(\frac{1}{2}\right)^n$$

$$= \frac{n+1}{2^n}$$

사건 $B$는 전체에서 모두 앞면이 나오는 경우와 모두 뒷면이 나
오는 경우의 확률을 뺀 것과 같으므로

$$P(B) = 1 - 2 \times \left(\frac{1}{2}\right)^n = 1 - \frac{1}{2^{n-1}}$$

$A \cap B$는 뒷면이 $n-1$개, 앞면이 1개 나오는 경우이므로

$$P(A \cap B) = {}_nC_{n-1} \left(\frac{1}{2}\right)^{n-1} \left(\frac{1}{2}\right)^1 = \frac{n}{2^n}$$

두 사건 $A$, $B$가 서로 독립이려면
$P(A \cap B) = P(A)P(B)$에서

$$\frac{n}{2^n} = \frac{n+1}{2^n} \left(1 - \frac{1}{2^{n-1}}\right)$$

$$n = (n+1)\left(1 - \frac{1}{2^{n-1}}\right)$$

$$n + 1 = 2^{n-1}$$

$$\therefore n = 3$$　　　　**달** 3

**44**　집합 $A$의 원소의 개수를 $a$, 집합 $B$의 원소의 개수를 $b$, 집합
$A \cap B$의 원소의 개수를 $c$라 하면

$$P(A) = \frac{a}{6}, \ P(B) = \frac{b}{6}, \ P(A \cap B) = \frac{c}{6}$$

두 사건 $A$, $B$가 서로 독립이므로 $P(A)P(B) = P(A \cap B)$가

성립해야 한다. 즉, $\dfrac{ab}{36} = \dfrac{c}{6}$이다.

$c$의 값에 따라 집합 $X$의 개수를 구하면 다음과 같다.

(i) $c = 1$, 즉 $A \cap B = \{8\}$일 때

$\dfrac{ab}{36} = \dfrac{1}{6}$에서 $ab = 6$이고 $6 \notin X$이어야 한다.

$a \leq 3$, $b \leq 4$이므로 $a$, $b$는 다음 2가지 경우이다.

① $a = 2$, $b = 3$인 경우

집합 $A$의 개수는 2, 4 중에서 1개를 택하는 조합의 수와
같으므로 $_2C_1 = 2$

집합 $B$의 개수는 5, 7, 9 중에서 2개를 택하는 조합의 수
와 같으므로 $_3C_2 = 3$

$n(A \cup B) = 4$이므로 집합 $X$의 나머지 2개의 원소는
1, 3이다.

따라서 집합 $X$의 개수는 $2 \times 3 \times 1 = 6$

② $a = 3$, $b = 2$인 경우

집합 $A$의 개수는 $\{2, 4, 8\}$의 1이고, 집합 $B$의 개수는
5, 7, 9 중에서 1개를 택하는 조합의 수와 같으므로 $_3C_1 = 3$

$n(A \cup B) = 4$이므로 집합 $X$의 나머지 2개의 원소는
1, 3이다.

따라서 집합 $X$의 개수는 $1 \times 3 \times 1 = 3$

(ii) $c = 2$, 즉 $A \cap B = \{6, 8\}$일 때

$\dfrac{ab}{36} = \dfrac{2}{6}$에서 $ab = 12$이고 $a \leq 4$, $b \leq 5$이므로

$a$, $b$는 다음 2가지 경우이다.

① $a = 3$, $b = 4$인 경우

집합 $A$의 개수는 2, 4 중에서 1개를 택하는 조합의 수와
같으므로 $_2C_1 = 2$

집합 $B$의 개수는 5, 7, 9 중에서 2개를 택하는 조합의 수
와 같으므로 $_3C_2 = 3$

$n(A \cup B) = 5$이므로 집합 $X$의 나머지 1개의 원소는
1 또는 3이다.

따라서 집합 $X$의 개수는 $2 \times 3 \times 2 = 12$

② $a = 4$, $b = 3$인 경우

집합 $A$의 개수는 $\{2, 4, 6, 8\}$의 1이고, 집합 $B$의 개수는
5, 7, 9 중에서 1개를 택하는 조합의 수와 같으므로

$_3C_1 = 3$

$n(A \cup B) = 5$이므로 집합 $X$의 나머지 1개의 원소는
1 또는 3이다.
따라서 집합 $X$의 개수는 $1 \times 3 \times 2 = 6$
(i), (ii)에서 구하는 집합 $X$의 개수는
$6 + 3 + 12 + 6 = 27$　　　　　　　　　　　　　　답 27

**45** 오른쪽으로 한 칸 이동할 확률을 $p$,
아래로 한 칸 이동할 확률을 $q$라 하면
$p + q = 1$
정확히 4번 만에 끝나는 경우는 점 B
또는 점 E에 도달하는 경우이므로

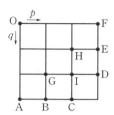

(i) O $\rightarrow$ G $\rightarrow$ B로 끝날 확률은
$_3C_1 pq^2 \times q = 3pq^3$
(ii) O $\rightarrow$ H $\rightarrow$ E로 끝날 확률은
$_3C_2 p^2q \times p = 3p^3q$
(i), (ii)에서 4번 만에 끝날 확률이 $3pq^3 + 3p^3q$이므로
$3pq^3 + 3p^3q = \dfrac{9}{32}$, $pq(p^2 + q^2) = \dfrac{3}{32}$
$pq\{(p+q)^2 - 2pq\} = \dfrac{3}{32}$
$p + q = 1$이므로 $pq - 2(pq)^2 = \dfrac{3}{32}$
$64(pq)^2 - 32pq + 3 = 0$
$(8pq - 1)(8pq - 3) = 0$
$\therefore pq = \dfrac{1}{8}$ 또는 $pq = \dfrac{3}{8}$

그런데 $p + q = 1$, $pq = \dfrac{3}{8}$을 만족시키는 실수 $p$, $q$는 존재하지

않으므로 $pq = \dfrac{1}{8}$

따라서 정확히 5번 만에 끝나는 경우는 점 C 또는 점 D에 도달
하는 경우이므로
(iii) O $\rightarrow$ I $\rightarrow$ C로 끝날 확률은
$_4C_2 p^2q^2 \times q = 6p^2q^3$
(iv) O $\rightarrow$ I $\rightarrow$ D로 끝날 확률은
$_4C_2 p^2q^2 \times p = 6p^3q^2$
(iii), (iv)에서 5번 만에 끝날 확률은
$6p^2q^3 + 6p^3q^2 = 6p^2q^2(p+q) = 6(pq)^2 = \dfrac{3}{32}$　　答 $\dfrac{3}{32}$

**01** 5개의 공이 들어 있는 주머니에서 임의로 2개의 공을 동시에 꺼
낼 때, 홀수가 적힌 공의 개수가 확률변수 $X$이므로 $X$가 가질
수 있는 값은 0, 1, 2이다.
따라서 $X$가 가질 수 있는 값들의 합은
$0 + 1 + 2 = 3$　　　　　　　　　　　　　　　　答 3

**02** 확률변수 $X$가 가질 수 있는 값은 0, 1, 2, 3이고, 그 확률을 각
각 구하면
$P(X=0) = \dfrac{1}{8}$, $P(X=1) = \dfrac{3}{8}$
$P(X=2) = \dfrac{3}{8}$, $P(X=3) = \dfrac{1}{8}$
이므로 확률변수 $X$의 확률분포를 표로 나타내면 다음과 같다.

| $X$ | 0 | 1 | 2 | 3 | 합계 |
|---|---|---|---|---|---|
| $P(X=x)$ | $\dfrac{1}{8}$ | $\dfrac{3}{8}$ | $\dfrac{3}{8}$ | $\dfrac{1}{8}$ | 1 |

따라서 $a = \dfrac{3}{8}$, $b = \dfrac{3}{8}$, $c = \dfrac{1}{8}$이므로
$a - b - c = -\dfrac{1}{8}$　　　　　　　　　　　答 $-\dfrac{1}{8}$

**03** 확률의 총합은 1이므로
$\dfrac{1}{6} + a + \dfrac{3}{10} + \dfrac{1}{30} = 1$　　$\therefore a = \dfrac{1}{2}$
$\therefore P(1 \le X \le 2) = P(X=1) + P(X=2)$
$\qquad\qquad\qquad = \dfrac{1}{2} + \dfrac{3}{10} = \dfrac{4}{5}$　　　　답 ⑤

**04** 확률의 총합은 1이므로
$P(X=1) + P(X=2) + \cdots + P(X=5)$
$= a + 4a + \cdots + 25a = 55a = 1$
$\therefore a = \dfrac{1}{55}$
$\therefore P(X \le 4) = 1 - P(X=5) = 1 - \dfrac{25}{55}$
$\qquad\qquad\quad = \dfrac{6}{11}$　　　　　　　　　　答 $\dfrac{6}{11}$

**05** 확률변수 $X$가 가질 수 있는 값은 0, 1, 2, 3이고 그 각각의 확
률은
$P(X=0) = \dfrac{_5C_3}{_9C_3} = \dfrac{10}{84}$, $P(X=1) = \dfrac{_4C_1 \times _5C_2}{_9C_3} = \dfrac{40}{84}$
$P(X=2) = \dfrac{_4C_2 \times _5C_1}{_9C_3} = \dfrac{30}{84}$, $P(X=3) = \dfrac{_4C_3}{_9C_3} = \dfrac{4}{84}$
$\therefore P(1 \le X \le 2) = P(X=1) + P(X=2)$
$\qquad\qquad\qquad = \dfrac{40}{84} + \dfrac{30}{84} = \dfrac{5}{6}$　　　답 ⑤

**06** 6개의 점 중에서 두 점을 택하는 경우의 수는 $_6C_2 = 15$
(i) 두 점 사이의 거리가 1인 경우 : 6가지
(ii) 두 점 사이의 거리가 $\sqrt{3}$인 경우 : 6가지
(iii) 두 점 사이의 거리가 2인 경우 : 3가지
이므로 확률변수 $X$의 확률분포를 표로 나타내면 다음과 같다.

| $X$ | 1 | $\sqrt{3}$ | 2 | 합계 |
|---|---|---|---|---|
| $\mathrm{P}(X=x)$ | $\dfrac{2}{5}$ | $\dfrac{2}{5}$ | $\dfrac{1}{5}$ | 1 |

$$\therefore \mathrm{P}(X<2)=\mathrm{P}(X=1)+\mathrm{P}(X=\sqrt{3})$$
$$=\frac{2}{5}+\frac{2}{5}=\frac{4}{5}$$ 🔘 $\dfrac{4}{5}$

**07** $0\leq x\leq 4$에서 함수 $y=f(x)$의 그래프와 $x$축 및 $y$축으로 둘러싸인 부분의 넓이는 1이다.

즉, $\dfrac{1}{2}\times 4\times k=1$이므로 $k=\dfrac{1}{2}$ 🔘 $\dfrac{1}{2}$

**다른 풀이**

$f(x)=-\dfrac{k}{4}x+k \ (0\leq x\leq 4)$이므로

$$\int_0^4 f(x)\,dx=\int_0^4\left(-\frac{k}{4}x+k\right)dx=\left[-\frac{k}{8}x^2+kx\right]_0^4=2k=1$$
$$\therefore k=\frac{1}{2}$$

**08** 함수 $y=f(x)$의 그래프와 $x$축 및 직선 $x=3$으로 둘러싸인 부분의 넓이가 1이므로

$\dfrac{1}{2}\times 3\times 3a=1$ $\therefore a=\dfrac{2}{9}$

따라서 $\mathrm{P}(2\leq X\leq 3)$은 그림에서 어두운 부분의 넓이와 같으므로

$$\mathrm{P}(2\leq X\leq 3)=\frac{1}{2}\times\left(\frac{4}{9}+\frac{6}{9}\right)\times 1$$
$$=\frac{5}{9}$$ 🔘 $\dfrac{5}{9}$

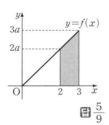

**09** 확률의 총합은 1이므로 $a+(a^2+2a)+3a^2=1$
$4a^2+3a-1=0$, $(a+1)(4a-1)=0$
$$\therefore a=\frac{1}{4} \ (\because a>0)$$ 🔘 ①

**10** 확률의 총합은 1이므로 $\displaystyle\sum_{n=1}^{8}\mathrm{P}(X=n)=1$에서

$$\sum_{n=1}^{8}\frac{k}{\sqrt{n+1}+\sqrt{n}}=\sum_{n=1}^{8}k(\sqrt{n+1}-\sqrt{n})$$
$$=k\{(\sqrt{2}-\sqrt{1})+(\sqrt{3}-\sqrt{2})+\cdots$$
$$+(\sqrt{9}-\sqrt{8})\}$$
$$=2k=1$$
$$\therefore k=\frac{1}{2}$$ 🔘 $\dfrac{1}{2}$

**11** 확률의 총합은 1이므로 $\displaystyle\sum_{k=1}^{5}\mathrm{P}(X=k)+\mathrm{P}(X=6)=1$에서

$$\sum_{k=1}^{5}\frac{1}{k^2+k}+\frac{a}{6}=\sum_{k=1}^{5}\frac{1}{k(k+1)}+\frac{a}{6}$$
$$=\sum_{k=1}^{5}\left(\frac{1}{k}-\frac{1}{k+1}\right)+\frac{a}{6}$$
$$=\left\{\left(1-\frac{1}{2}\right)+\left(\frac{1}{2}-\frac{1}{3}\right)+\left(\frac{1}{3}-\frac{1}{4}\right)\right.$$
$$\left.+\left(\frac{1}{4}-\frac{1}{5}\right)+\left(\frac{1}{5}-\frac{1}{6}\right)\right\}+\frac{a}{6}$$
$$=1-\frac{1}{6}+\frac{a}{6}=1$$
$$\therefore a=1$$ 🔘 1

**12** 확률의 총합은 1이므로

$\dfrac{1}{8}+\dfrac{3}{8}+a+\dfrac{1}{8}=1$ $\therefore a=\dfrac{3}{8}$

$$\therefore \mathrm{P}(X\geq 2a)=\mathrm{P}\left(X\geq\frac{3}{4}\right)$$
$$=\mathrm{P}(X=1)+\mathrm{P}(X=2)+\mathrm{P}(X=3)$$
$$=\frac{3}{8}+\frac{3}{8}+\frac{1}{8}=\frac{7}{8}$$ 🔘 ⑤

**13** 확률의 총합은 1이므로
$a+2a+3b=1$ $\therefore 3a+3b=1$ ······ ㉠

$\mathrm{P}(X=2)=\dfrac{2}{3}\mathrm{P}(X=4)$에서

$a=\dfrac{2}{3}\times 3b$ $\therefore a=2b$ ······ ㉡

㉠, ㉡을 연립하여 풀면 $a=\dfrac{2}{9}$, $b=\dfrac{1}{9}$

$$\therefore \mathrm{P}(3\leq X\leq 4)=\mathrm{P}(X=3)+\mathrm{P}(X=4)$$
$$=\frac{4}{9}+\frac{3}{9}=\frac{7}{9}$$ 🔘 $\dfrac{7}{9}$

**14** $\mathrm{P}(X\geq 4)=2\mathrm{P}(X=1)=2\times\dfrac{1}{6}=\dfrac{1}{3}$

확률의 총합은 1이므로
$\mathrm{P}(X=1)+\mathrm{P}(X=2)+\mathrm{P}(X=3)+\mathrm{P}(X\geq 4)=1$
$\therefore \mathrm{P}(X=3)=1-\{\mathrm{P}(X=1)+\mathrm{P}(X=2)+\mathrm{P}(X\geq 4)\}$
$$=1-\left(\frac{1}{6}+\frac{1}{12}+\frac{1}{3}\right)=\frac{5}{12}$$ 🔘 $\dfrac{5}{12}$

**15** 확률의 총합은 1이므로

$$\sum_{x=1}^{4}\frac{k}{x(x+1)}=k\sum_{x=1}^{4}\left(\frac{1}{x}-\frac{1}{x+1}\right)$$
$$=k\left\{\left(1-\frac{1}{2}\right)+\left(\frac{1}{2}-\frac{1}{3}\right)+\left(\frac{1}{3}-\frac{1}{4}\right)\right.$$
$$\left.+\left(\frac{1}{4}-\frac{1}{5}\right)\right\}$$
$$=k\left(1-\frac{1}{5}\right)=\frac{4}{5}k=1$$
$$\therefore k=\frac{5}{4}$$
$$\therefore \mathrm{P}(X=2)=\frac{\frac{5}{4}}{2\times 3}=\frac{5}{24}$$ 🔘 $\dfrac{5}{24}$

**16** 확률의 총합은 1이므로 $\displaystyle\sum_{n=1}^{9}\mathrm{P}(X=n)=1$에서

$$\sum_{n=1}^{9}\log_k\frac{n+1}{n}=\log_k\frac{2}{1}+\log_k\frac{3}{2}+\log_k\frac{4}{3}+\cdots+\log_k\frac{10}{9}$$
$$=\log_k\left(\frac{2}{1}\times\frac{3}{2}\times\frac{4}{3}\times\cdots\times\frac{10}{9}\right)$$
$$=\log_k 10=1$$
$$\therefore k=10$$
$$\therefore \mathrm{P}(X\geq 3)=1-\mathrm{P}(X<3)$$
$$=1-\{\mathrm{P}(X=1)+\mathrm{P}(X=2)\}$$
$$=1-\left(\log 2+\log\frac{3}{2}\right)$$
$$=1-\log 3=\log\frac{10}{3}$$ 🔘 ④

**17** 확률의 총합은 1이므로 $\sum\limits_{x=1}^{5} \mathrm{P}(X=x)=\sum\limits_{x=1}^{5} p_x=1$

등차수열을 이루는 확률의 공차를 $d$라 하면

$p_1+p_2+p_3+p_4+p_5$
$=(p_3-2d)+(p_3-d)+p_3+(p_3+d)+(p_3+2d)$
$=5p_3=1$
$\therefore p_3=\dfrac{1}{5}$

$X^2-6X+8\leq 0$에서
$(X-2)(X-4)\leq 0 \qquad \therefore 2\leq X\leq 4$
$\mathrm{P}(X^2-6X+8\leq 0)=\mathrm{P}(2\leq X\leq 4)$
$\qquad\qquad\qquad\qquad\quad =\mathrm{P}(X=2)+\mathrm{P}(X=3)+\mathrm{P}(X=4)$
$\qquad\qquad\qquad\qquad\quad =p_2+p_3+p_4$
$\qquad\qquad\qquad\qquad\quad =3p_3=\dfrac{3}{5}$ 🖹 $\dfrac{3}{5}$

**18** 확률변수 $X$가 가질 수 있는 값은 0, 1, 2, 3이고 그 각각의 확률은

$\mathrm{P}(X=0)=\dfrac{{}_3\mathrm{C}_3}{{}_7\mathrm{C}_3}=\dfrac{1}{35}$

$\mathrm{P}(X=1)=\dfrac{{}_4\mathrm{C}_1\times{}_3\mathrm{C}_2}{{}_7\mathrm{C}_3}=\dfrac{12}{35}$

$\mathrm{P}(X=2)=\dfrac{{}_4\mathrm{C}_2\times{}_3\mathrm{C}_1}{{}_7\mathrm{C}_3}=\dfrac{18}{35}$

$\mathrm{P}(X=3)=\dfrac{{}_4\mathrm{C}_3}{{}_7\mathrm{C}_3}=\dfrac{4}{35}$

$\therefore \mathrm{P}(1\leq X\leq 3)=\mathrm{P}(X=1)+\mathrm{P}(X=2)+\mathrm{P}(X=3)$
$\qquad\qquad\qquad\quad =\dfrac{12}{35}+\dfrac{18}{35}+\dfrac{4}{35}=\dfrac{34}{35}$ 🖹 ①

**19** 확률변수 $X$가 가질 수 있는 값은 0, 1, 2이고 그 각각의 확률은

$\mathrm{P}(X=0)=\dfrac{{}_4\mathrm{C}_2}{{}_6\mathrm{C}_2}=\dfrac{6}{15}$

$\mathrm{P}(X=1)=\dfrac{{}_2\mathrm{C}_1\times{}_4\mathrm{C}_1}{{}_6\mathrm{C}_2}=\dfrac{8}{15}$

$\mathrm{P}(X=2)=\dfrac{{}_2\mathrm{C}_2}{{}_6\mathrm{C}_2}=\dfrac{1}{15}$

$X^2-3X+2=0$에서
$(X-1)(X-2)=0 \qquad \therefore X=1 \text{ 또는 } X=2$
$\therefore \mathrm{P}(X^2-3X+2=0)=\mathrm{P}(X=1)+\mathrm{P}(X=2)$
$\qquad\qquad\qquad\qquad\qquad =\dfrac{8}{15}+\dfrac{1}{15}$
$\qquad\qquad\qquad\qquad\qquad =\dfrac{3}{5}$ 🖹 $\dfrac{3}{5}$

**20** 서로 다른 두 개의 주사위를 동시에 던질 때, 나오는 모든 경우의 수는 $6\times 6=36$

나오는 두 눈의 수의 곱을 5로 나눈 나머지는 다음과 같다.

| | 1 | 2 | 3 | 4 | 5 | 6 |
|---|---|---|---|---|---|---|
| **1** | 1 | 2 | 3 | 4 | 0 | 1 |
| **2** | 2 | 4 | 1 | 3 | 0 | 2 |
| **3** | 3 | 1 | 4 | 2 | 0 | 3 |
| **4** | 4 | 3 | 2 | 1 | 0 | 4 |
| **5** | 0 | 0 | 0 | 0 | 0 | 0 |
| **6** | 1 | 2 | 3 | 4 | 0 | 1 |

확률변수 $X$의 확률분포를 표로 나타내면 다음과 같다.

| $X$ | 0 | 1 | 2 | 3 | 4 | 합계 |
|---|---|---|---|---|---|---|
| $\mathrm{P}(X=x)$ | $\dfrac{11}{36}$ | $\dfrac{7}{36}$ | $\dfrac{1}{6}$ | $\dfrac{1}{6}$ | $\dfrac{1}{6}$ | 1 |

$\therefore \mathrm{P}(X=0)=\dfrac{11}{36}$ 🖹 $\dfrac{11}{36}$

**21** 확률변수 $X$가 가질 수 있는 값은 $-4$, 0, 4이다.

(ⅰ) $X=-4$인 경우
(홀, 홀)의 1가지이므로
$\mathrm{P}(X=-4)=\dfrac{1}{4}$

(ⅱ) $X=0$인 경우
(홀, 짝), (짝, 홀)의 2가지이므로
$\mathrm{P}(X=0)=\dfrac{2}{4}$

(ⅲ) $X=4$인 경우
(짝, 짝)의 1가지이므로
$\mathrm{P}(X=4)=\dfrac{1}{4}$

$\therefore \mathrm{P}(X\geq 0)=\mathrm{P}(X=0)+\mathrm{P}(X=4)$
$\qquad\qquad\quad =\dfrac{2}{4}+\dfrac{1}{4}=\dfrac{3}{4}$ 🖹 ③

**22** 확률변수 $X$가 가질 수 있는 값은 0, 1, 2, 3이고 그 각각의 확률은

$\mathrm{P}(X=0)=\dfrac{{}_6\mathrm{C}_3}{{}_{10}\mathrm{C}_3}=\dfrac{1}{6}$

$\mathrm{P}(X=1)=\dfrac{{}_4\mathrm{C}_1\times{}_6\mathrm{C}_2}{{}_{10}\mathrm{C}_3}=\dfrac{1}{2}$

$\mathrm{P}(X=2)=\dfrac{{}_4\mathrm{C}_2\times{}_6\mathrm{C}_1}{{}_{10}\mathrm{C}_3}=\dfrac{3}{10}$

$\mathrm{P}(X=3)=\dfrac{{}_4\mathrm{C}_3}{{}_{10}\mathrm{C}_3}=\dfrac{1}{30}$

$\mathrm{P}(X=0)=\dfrac{1}{6}$이고

$\mathrm{P}(X=0)+\mathrm{P}(X=1)=\dfrac{2}{3}$이므로

$\mathrm{P}(X\leq k)=\mathrm{P}(X=0)+\mathrm{P}(X=1)=\mathrm{P}(X\leq 1)$
$\therefore k=1$ 🖹 1

**23** 확률변수 $X$가 가질 수 있는 값은 2, 4, 6이다.

(ⅰ) $X=2$인 경우
$(2, 4)$, $(4, 6)$, $(6, 8)$의 3가지이므로
$\mathrm{P}(X=2)=\dfrac{3}{{}_4\mathrm{C}_2}=\dfrac{3}{6}$

(ⅱ) $X=4$인 경우
$(2, 6)$, $(4, 8)$의 2가지이므로
$\mathrm{P}(X=4)=\dfrac{2}{{}_4\mathrm{C}_2}=\dfrac{2}{6}$

(ⅲ) $X=6$인 경우
$(2, 8)$의 1가지이므로
$\mathrm{P}(X=6)=\dfrac{1}{{}_4\mathrm{C}_2}=\dfrac{1}{6}$

$|X-3|\leq 2$에서 $1\leq X\leq 5$

$$\therefore P(|X-3|\leq 2)=P(1\leq X\leq 5)$$
$$=P(X=2)+P(X=4)$$
$$=\frac{3}{6}+\frac{2}{6}=\frac{5}{6} \qquad \text{탑 } \frac{5}{6}$$

**24** 함수 $y=f(x)$의 그래프와 $x$축 및 직선 $x=3$으로 둘러싸인 부분의 넓이가 1이므로

$$\frac{1}{2}\times(2+3)\times a=1$$

$$\frac{5}{2}a=1 \qquad \therefore a=\frac{2}{5} \qquad \text{탑 ②}$$

**25** $P(0\leq X\leq 1)=S$라 하면
함수 $y=f(x)$의 그래프와 $x$축으로 둘러싸인 부분의 넓이가 1이므로
$P(0\leq X\leq 6)=14S=1$

$$\therefore S=\frac{1}{14}$$

$$P(0\leq X\leq 1)=\frac{1}{2}\times 1\times a=\frac{1}{14}$$

$$\therefore a=\frac{1}{7} \qquad \text{탑 } \frac{1}{7}$$

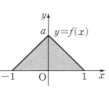

**26** $-1\leq x\leq 1$에서 $f(x)\geq 0$이어야
하므로 $a\geq 0$
즉, 함수 $y=f(x)$의 그래프는 그림
과 같다.
따라서 함수 $y=f(x)$의 그래프와
$x$축으로 둘러싸인 부분의 넓이가 1이므로

$$\frac{1}{2}\times 2\times a=1 \qquad \therefore a=1 \qquad \text{탑 } 1$$

**27** $P\left(\frac{1}{2}\leq X\leq\frac{3}{2}\right)$은 그림에서 어두운 부분의 넓이와 같으므로

$$P\left(\frac{1}{2}\leq X\leq\frac{3}{2}\right)$$
$$=2P\left(\frac{1}{2}\leq X\leq 1\right)$$
$$=2\times\left\{\frac{1}{2}\times\left(\frac{1}{2}+1\right)\times\frac{1}{2}\right\}$$
$$=\frac{3}{4} \qquad \text{탑 } \frac{3}{4}$$

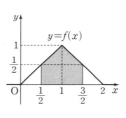

**28** 함수 $y=f(x)$의 그래프와 $x$축 및
직선 $x=2$로 둘러싸인 부분의 넓이가 1이므로

$$\frac{1}{2}\times 2\times 2k=1 \qquad \therefore k=\frac{1}{2}$$

따라서 $P(0\leq X\leq k)$는 그림에서 어두운 부분의 넓이와 같으므로

$$P(0\leq X\leq k)=P\left(0\leq X\leq\frac{1}{2}\right)$$
$$=\frac{1}{2}\times\frac{1}{2}\times\frac{1}{4}$$
$$=\frac{1}{16} \qquad \text{탑 ②}$$

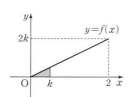

**29** 함수 $y=f(x)$의 그래프와 $x$축으로
둘러싸인 부분의 넓이가 1이므로

$$\frac{1}{2}\times 4\times 2a=1 \qquad \therefore a=\frac{1}{4}$$

$P(1\leq X\leq 3)$은 그림에서 어두운
부분의 넓이와 같으므로

$$P(1\leq X\leq 3)=2P(1\leq X\leq 2)$$
$$=2\times\left\{\frac{1}{2}\times\left(\frac{1}{4}+\frac{1}{2}\right)\times 1\right\}$$
$$=\frac{3}{4} \qquad \text{탑 } \frac{3}{4}$$

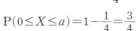

**30** 함수 $y=f(x)$의 그래프와 $x$축으로 둘러
싸인 부분의 넓이가 1이므로

$$\frac{1}{2}b^2=1, \quad b^2=2$$

$$\therefore b=\sqrt{2} \; (\because b>0) \qquad \cdots\cdots \text{㉠}$$

한편, $P(a\leq X\leq b)=\frac{1}{4}$이므로

$$P(0\leq X\leq a)=1-\frac{1}{4}=\frac{3}{4}$$

즉, $\frac{1}{2}\times a\times b=\frac{3}{4}$이므로 $ab=\frac{3}{2}$ $\cdots\cdots \text{㉡}$

㉠을 ㉡에 대입하면

$$a=\frac{3}{2\sqrt{2}}=\frac{3\sqrt{2}}{4} \qquad \text{탑 } \frac{3\sqrt{2}}{4}$$

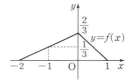

**31** ㄱ. 함수 $y=f(x)$의 그래프와 $x$축으로 둘러싸인 부분의 넓이
가 1이므로 $\frac{1}{2}\times 3\times a=1$ $\therefore a=\frac{2}{3}$ (참)

ㄴ. $P(-2\leq X\leq -1)=\frac{1}{2}\times 1\times\frac{1}{3}=\frac{1}{6}$

$P(X>0)=\frac{1}{2}\times 1\times\frac{2}{3}=\frac{1}{3}$

$\therefore P(-2\leq X\leq -1)=\frac{1}{2}P(X>0)$ (참)

ㄷ. $P(-1\leq X\leq 0)=\frac{1}{2}\times\left(\frac{1}{3}+\frac{2}{3}\right)\times 1=\frac{1}{2}$

$P(X>-1)=1-P(-2\leq X\leq -1)$

$$=1-\frac{1}{6}=\frac{5}{6}$$

$P(-2\leq X\leq 0)=\frac{1}{2}\times 2\times\frac{2}{3}=\frac{2}{3}$

$P(X>-1)-P(-2\leq X\leq 0)=\frac{5}{6}-\frac{2}{3}=\frac{1}{6}$

$\therefore P(-1\leq X\leq 0)\neq P(X>-1)-P(-2\leq X\leq 0)$

(거짓)

따라서 옳은 것은 ㄱ, ㄴ이다. 탑 ③

**32** 확률밀도함수 $y=f(x)$가 $f(1-x)=f(1+x)$를 만족시키므
로 함수 $y=f(x)$의 그래프는 직선 $x=1$에 대하여 대칭이고
$P(-2\leq X\leq 1)=P(1\leq X\leq 4)=0.5$

P($1 \leq X \leq 3$)$=a$라 하면
P($3 \leq X \leq 4$)$=$P($1 \leq X \leq 4$)$-$P($1 \leq X \leq 3$)
$\qquad\qquad\quad=0.5-a$
이므로 P($1 \leq X \leq 3$)$=2$P($3 \leq X \leq 4$)에서
$a=2(0.5-a)$, $a=1-2a$
$3a=1$ $\qquad \therefore a=\dfrac{1}{3}$
$\therefore$ P($0 \leq X \leq 3$)$=$P($0 \leq X \leq 1$)$+$P($1 \leq X \leq 3$)
$\qquad\qquad\qquad =\dfrac{1}{4}+\dfrac{1}{3}=\dfrac{7}{12}$ 　　📄 $\dfrac{7}{12}$

**33** 직선 $l$의 $x$절편이 9, $y$절편이 $a$이므로 직선의 방정식은
$\dfrac{x}{9}+\dfrac{y}{a}=1$ $\qquad \therefore y=a\left(1-\dfrac{x}{9}\right)$
$\therefore$ P($X=x$)$=a\left(1-\dfrac{x}{9}\right)$ $(x=0, 1, \cdots, 9)$
확률의 총합은 1이므로
$\displaystyle\sum_{x=0}^{9}$P($X=x$)$=\displaystyle\sum_{x=0}^{9}a\left(1-\dfrac{x}{9}\right)$
$\qquad\qquad\qquad =a\left(10-\dfrac{1}{9}\times\dfrac{9\times10}{2}\right)=5a=1$
$\therefore a=\dfrac{1}{5}$ 　　📄 ③

**34** P($X=k$)$=\dfrac{a(\sqrt{k+1}-\sqrt{k})}{(\sqrt{k+1}+\sqrt{k})(\sqrt{k+1}-\sqrt{k})}$
$\qquad\qquad =a(\sqrt{k+1}-\sqrt{k})$
확률의 총합은 1이므로
$\displaystyle\sum_{k=1}^{99}$P($X=k$)
$=a\{(\sqrt{2}-1)+(\sqrt{3}-\sqrt{2})+\cdots+(\sqrt{100}-\sqrt{99})\}$
$=a(\sqrt{100}-1)=9a=1$
$\therefore a=\dfrac{1}{9}$
$b=1-\{$P($X=1$)$+$P($X=2$)$+\cdots+$P($X=15$)$\}$
$\quad =1-\dfrac{1}{9}\{(\sqrt{2}-1)+(\sqrt{3}-\sqrt{2})+\cdots+(\sqrt{16}-\sqrt{15})\}$
$\quad =1-\dfrac{1}{9}(4-1)=\dfrac{2}{3}$
$\therefore a+b=\dfrac{1}{9}+\dfrac{2}{3}=\dfrac{7}{9}$ 　　📄 $\dfrac{7}{9}$

**35** 확률의 총합은 1이므로 $3\times c+3\times2c+2\times5c^2=1$
$10c^2+9c-1=0$, $(10c-1)(c+1)=0$
$\therefore c=\dfrac{1}{10}$ $(\because c>0)$
$\therefore$ P($X=x$)$=\begin{cases}\dfrac{1}{10} & (x=0, 1, 2) \\ \dfrac{1}{5} & (x=3, 4, 5) \\ \dfrac{1}{20} & (x=6, 7)\end{cases}$
P($B$)$=\dfrac{1}{5}+\dfrac{1}{5}+\dfrac{1}{5}+\dfrac{1}{20}+\dfrac{1}{20}=\dfrac{7}{10}$
P($A \cap B$)$=\dfrac{1}{20}+\dfrac{1}{20}=\dfrac{1}{10}$
$\therefore$ P($A|B$)$=\dfrac{\text{P}(A \cap B)}{\text{P}(B)}=\dfrac{1}{7}$ 　　📄 $\dfrac{1}{7}$

**36** 함수 $y=f(x)$의 그래프와 $x$축 사이의 넓이는 1이므로
$\dfrac{1}{2}\times2a\times b=1$ $\qquad \therefore ab=1$
함수 $y=\dfrac{1}{2}f(x)+c$의 그래프
는 그림과 같고, $x$축 및 두 직선
$x=-a$, $x=a$로 둘러싸인 부분
의 넓이가 1이므로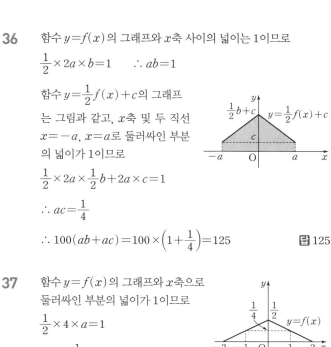
$\dfrac{1}{2}\times2a\times\dfrac{1}{2}b+2a\times c=1$
$\therefore ac=\dfrac{1}{4}$
$\therefore 100(ab+ac)=100\times\left(1+\dfrac{1}{4}\right)=125$ 　　📄 125

**37** 함수 $y=f(x)$의 그래프와 $x$축으로
둘러싸인 부분의 넓이가 1이므로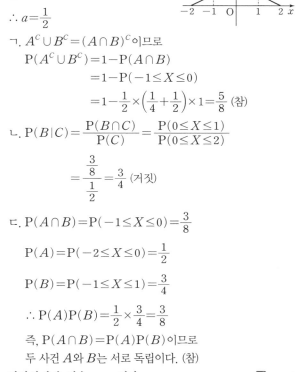
$\dfrac{1}{2}\times4\times a=1$
$\therefore a=\dfrac{1}{2}$
ㄱ. $A^c \cup B^c=(A \cap B)^c$이므로
　　P($A^c \cup B^c$)$=1-$P($A \cap B$)
$\qquad\qquad\qquad =1-$P($-1 \leq X \leq 0$)
$\qquad\qquad\qquad =1-\dfrac{1}{2}\times\left(\dfrac{1}{4}+\dfrac{1}{2}\right)\times1=\dfrac{5}{8}$ (참)
ㄴ. P($B|C$)$=\dfrac{\text{P}(B \cap C)}{\text{P}(C)}=\dfrac{\text{P}(0 \leq X \leq 1)}{\text{P}(0 \leq X \leq 2)}$
$\qquad\qquad\quad =\dfrac{\dfrac{3}{8}}{\dfrac{1}{2}}=\dfrac{3}{4}$ (거짓)
ㄷ. P($A \cap B$)$=$P($-1 \leq X \leq 0$)$=\dfrac{3}{8}$
　　P($A$)$=$P($-2 \leq X \leq 0$)$=\dfrac{1}{2}$
　　P($B$)$=$P($-1 \leq X \leq 1$)$=\dfrac{3}{4}$
$\therefore$ P($A$)P($B$)$=\dfrac{1}{2}\times\dfrac{3}{4}=\dfrac{3}{8}$
즉, P($A \cap B$)$=$P($A$)P($B$)이므로
두 사건 $A$와 $B$는 서로 독립이다. (참)
따라서 옳은 것은 ㄱ, ㄷ이다. 　　📄 ㄱ, ㄷ

**38** ㄱ. $F(4)+G(4)$
　　$=$P($0 \leq X \leq 4$)$+$P($X>4$)
　　$=\{$P($X=0$)$+$P($X=1$)$+\cdots+$P($X=4$)$\}$
$\qquad\quad +\{$P($X=5$)$+$P($X=6$)$+\cdots+$P($X=10$)$\}$
　　$=1$ (참)
ㄴ. P($4 \leq X \leq 8$)$=$P($0 \leq X \leq 8$)$-$P($0 \leq X \leq 3$)
$\qquad\qquad\qquad =F(8)-F(3)$ (거짓)
ㄷ. P($4 \leq X \leq 8$)$=$P($0 \leq X \leq 8$)$-$P($0 \leq X \leq 3$)
$\qquad\qquad\qquad =\{1-$P($X>8$)$\}-\{1-$P($X>3$)$\}$
$\qquad\qquad\qquad =\{1-G(8)\}-\{1-G(3)\}$
$\qquad\qquad\qquad =G(3)-G(8)$ (참)
따라서 옳은 것은 ㄱ, ㄷ이다. 　　📄 ㄱ, ㄷ

**01** 확률의 총합은 1이므로

$a+\dfrac{1}{3}+a+\dfrac{1}{6}=1$에서 $a=\dfrac{1}{4}$

$\therefore \mathrm{E}(X)=2\times\dfrac{1}{4}+3\times\dfrac{1}{3}+4\times\dfrac{1}{4}+6\times\dfrac{1}{6}=\dfrac{7}{2}$

답 $\dfrac{7}{2}$

**02** 확률변수 $X$가 가질 수 있는 값은 0, 1, 2이므로

$\mathrm{P}(X=0)=\dfrac{2}{6}$, $\mathrm{P}(X=1)=\dfrac{2}{6}$, $\mathrm{P}(X=2)=\dfrac{2}{6}$

즉, 확률변수 $X$의 확률분포를 표로 나타내면 다음과 같다.

| $X$ | 0 | 1 | 2 | 합계 |
|---|---|---|---|---|
| $\mathrm{P}(X=x)$ | $\dfrac{2}{6}$ | $\dfrac{2}{6}$ | $\dfrac{2}{6}$ | 1 |

$\therefore \mathrm{E}(X)=0\times\dfrac{2}{6}+1\times\dfrac{2}{6}+2\times\dfrac{2}{6}=1$

답 1

**03** 확률변수 $X$가 가질 수 있는 값은 0, 1, 2이므로

$\mathrm{P}(X=0)=\dfrac{{}_2\mathrm{C}_0\times{}_3\mathrm{C}_3}{{}_5\mathrm{C}_3}=\dfrac{1}{10}$

$\mathrm{P}(X=1)=\dfrac{{}_2\mathrm{C}_1\times{}_3\mathrm{C}_2}{{}_5\mathrm{C}_3}=\dfrac{6}{10}$

$\mathrm{P}(X=2)=\dfrac{{}_2\mathrm{C}_2\times{}_3\mathrm{C}_1}{{}_5\mathrm{C}_3}=\dfrac{3}{10}$

즉, 확률변수 $X$의 확률분포를 표로 나타내면 다음과 같다.

| $X$ | 0 | 1 | 2 | 합계 |
|---|---|---|---|---|
| $\mathrm{P}(X=x)$ | $\dfrac{1}{10}$ | $\dfrac{6}{10}$ | $\dfrac{3}{10}$ | 1 |

$\therefore \mathrm{E}(X)=0\times\dfrac{1}{10}+1\times\dfrac{6}{10}+2\times\dfrac{3}{10}=\dfrac{6}{5}$

답 $\dfrac{6}{5}$

**04** $\mathrm{E}(X)=1\times\dfrac{1}{10}+2\times\dfrac{1}{5}+3\times\dfrac{3}{10}+4\times\dfrac{2}{5}=3$

$\mathrm{V}(X)=\mathrm{E}(X^2)-\{\mathrm{E}(X)\}^2$

$\qquad=1^2\times\dfrac{1}{10}+2^2\times\dfrac{1}{5}+3^2\times\dfrac{3}{10}+4^2\times\dfrac{2}{5}-3^2=1$

$\therefore \sigma(X)=\sqrt{\mathrm{V}(X)}=1$

$\therefore \mathrm{E}(X)+\sigma(X)=3+1=4$

답 ④

**05** 확률의 총합은 1이므로

$\dfrac{1}{2}+\dfrac{1}{3}+a=1$ $\therefore a=\dfrac{1}{6}$

$\mathrm{E}(X)=(-1)\times\dfrac{1}{2}+0\times\dfrac{1}{3}+1\times\dfrac{1}{6}=-\dfrac{1}{3}$

$\therefore \mathrm{E}(Z)=\mathrm{E}(-3X+4)$

$\qquad=-3\mathrm{E}(X)+4$

$\qquad=(-3)\times\left(-\dfrac{1}{3}\right)+4=5$

답 5

**06** $\mathrm{E}(-7X+1)+\mathrm{V}(3X-5)=-7\mathrm{E}(X)+1+3^2\mathrm{V}(X)$

$\qquad\qquad\qquad=(-7)\times5+1+9\times4$

$\qquad\qquad\qquad=2$

답 2

**07** $\mathrm{E}(X)=6\times\dfrac{1}{2}+12\times\dfrac{1}{3}+18\times\dfrac{1}{6}=10$

$\mathrm{V}(X)=6^2\times\dfrac{1}{2}+12^2\times\dfrac{1}{3}+18^2\times\dfrac{1}{6}-10^2=20$

따라서 $\sigma(X)=\sqrt{20}=2\sqrt{5}$이므로

$\sigma(Y)=\sigma(-3X+2)=|-3|\sigma(X)=6\sqrt{5}$

답 $6\sqrt{5}$

**08** $\mathrm{V}(X)=\mathrm{E}(X^2)-\{\mathrm{E}(X)\}^2$이므로

$\mathrm{V}(X)=100-5^2=75$

$\therefore \sigma(X)=\sqrt{\mathrm{V}(X)}=\sqrt{75}=5\sqrt{3}$

답 ④

**09** 확률의 총합은 1이므로

$\dfrac{1}{5}+a+\dfrac{3}{10}+b=1$

$\therefore a+b=\dfrac{1}{2}$ ······㉠

$\mathrm{E}(X)=0\times\dfrac{1}{5}+1\times a+2\times\dfrac{3}{10}+3\times b=\dfrac{7}{5}$

$\therefore a+3b=\dfrac{4}{5}$ ······㉡

㉠, ㉡을 연립하여 풀면

$a=\dfrac{7}{20}$, $b=\dfrac{3}{20}$

$\therefore \dfrac{b}{a}=\dfrac{3}{7}$

답 ③

**10** 확률의 총합은 1이므로

$\dfrac{4}{7}+a+b=1$, $a+b=\dfrac{3}{7}$ ······㉠

$\dfrac{4}{7}$, $a$, $b$가 이 순서로 등비수열을 이루므로

$a^2=\dfrac{4}{7}b$ ······㉡

㉠, ㉡을 연립하여 풀면

$a=\dfrac{2}{7}$, $b=\dfrac{1}{7}$ $(\because a>0)$

$\mathrm{E}(X)=k\times\dfrac{4}{7}+2k\times\dfrac{2}{7}+4k\times\dfrac{1}{7}=\dfrac{12}{7}k=24$

$\therefore k=14$

답 14

**11** 확률의 총합은 1이므로

$\displaystyle\sum_{k=1}^{10}\mathrm{P}(X=k^2)=\sum_{k=1}^{10}ck=1$

$c\times\dfrac{10\times11}{2}=1$

따라서 $c=\dfrac{1}{55}$이므로

$\mathrm{P}(X=k^2)=\dfrac{k}{55}$

$\therefore \mathrm{E}(X)=\displaystyle\sum_{k=1}^{10}k^2\mathrm{P}(X=k^2)=\dfrac{1}{55}\sum_{k=1}^{10}k^3$

$\qquad=\dfrac{1}{55}\left(\dfrac{10\times11}{2}\right)^2=55$

답 55

**12** 확률변수 $X$의 확률분포를 표로 나타내면 다음과 같다.

| $X$ | 1 | 2 | 3 | $\cdots$ | 10 | 합계 |
|---|---|---|---|---|---|---|
| $\mathrm{P}(X=x)$ | $\dfrac{1}{55}$ | $\dfrac{2}{55}$ | $\dfrac{3}{55}$ | $\cdots$ | $\dfrac{10}{55}$ | 1 |

$$\therefore E(X) = 1 \times \frac{1}{55} + 2 \times \frac{2}{55} + 3 \times \frac{3}{55} + \cdots + 10 \times \frac{10}{55}$$
$$= \frac{1}{55}(1^2 + 2^2 + 3^2 + \cdots + 10^2)$$
$$= \frac{1}{55} \times \frac{10 \times 11 \times 21}{6} = 7$$

**답 ③**

**13** 밑면에 적힌 수 중에서 첫 번째 수 $a$, 두 번째 수 $b$를 순서쌍 $(a, b)$로 나타내면

(i) 두 수의 차가 0인 경우

    $(1, 1), (2, 2), (3, 3), (4, 4)$의 4가지

(ii) 두 수의 차가 1인 경우

    $(1, 2), (2, 1), (2, 3), (3, 2), (3, 4), (4, 3)$의 6가지

(iii) 두 수의 차가 2인 경우

    $(1, 3), (3, 1), (2, 4), (4, 2)$의 4가지

(iv) 두 수의 차가 3인 경우

    $(1, 4), (4, 1)$의 2가지

(i)~(iv)에서 $|a-b|$의 값인 확률변수 $X$가 가질 수 있는 값은 0, 1, 2, 3이고, 그 각각의 확률은

$$P(X=0) = \frac{4}{16}, P(X=1) = \frac{6}{16},$$
$$P(X=2) = \frac{4}{16}, P(X=3) = \frac{2}{16}$$

즉, 확률변수 $X$의 확률분포를 표로 나타내면 다음과 같다.

| $X$ | 0 | 1 | 2 | 3 | 합계 |
|---|---|---|---|---|---|
| $P(X=x)$ | $\frac{4}{16}$ | $\frac{6}{16}$ | $\frac{4}{16}$ | $\frac{2}{16}$ | 1 |

$$\therefore E(X) = 0 \times \frac{4}{16} + 1 \times \frac{6}{16} + 2 \times \frac{4}{16} + 3 \times \frac{2}{16} = \frac{5}{4}$$

**답 $\frac{5}{4}$**

**14** 행운권 한 장으로 받을 수 있는 현금을 확률변수 $X$라 하고 $X$의 확률분포를 표로 나타내면 다음과 같다.

| $X$ | 0 | 5000 | 10000 | 합계 |
|---|---|---|---|---|
| $P(X=x)$ | $\frac{1}{2}$ | $\frac{2}{5}$ | $\frac{1}{10}$ | 1 |

따라서 현금의 기댓값 $E(X)$는

$$E(X) = 0 \times \frac{1}{2} + 5000 \times \frac{2}{5} + 10000 \times \frac{1}{10}$$
$$= 3000(원)$$

**답 3000원**

**15** 확률의 총합은 1이므로

$$a + a^2 + a^2 = 1$$
$$2a^2 + a - 1 = 0, (2a-1)(a+1) = 0$$
$$\therefore a = \frac{1}{2} \ (\because a > 0)$$
$$E(X) = 0 \times \frac{1}{2} + 2 \times \frac{1}{4} + 4 \times \frac{1}{4} = \frac{3}{2}$$
$$V(X) = E(X^2) - \{E(X)\}^2$$
$$= 0^2 \times \frac{1}{2} + 2^2 \times \frac{1}{4} + 4^2 \times \frac{1}{4} - \left(\frac{3}{2}\right)^2 = \frac{11}{4}$$
$$\therefore \sigma(X) = \sqrt{V(X)} = \frac{\sqrt{11}}{2}$$

**답 $\frac{\sqrt{11}}{2}$**

**16** 확률변수 $X$의 확률분포를 표로 나타내면 다음과 같다.

| $X$ | 1 | 2 | 3 | 4 | 합계 |
|---|---|---|---|---|---|
| $P(X=n)$ | $\frac{4}{10}$ | $\frac{3}{10}$ | $\frac{2}{10}$ | $\frac{1}{10}$ | 1 |

$$E(X) = 1 \times \frac{4}{10} + 2 \times \frac{3}{10} + 3 \times \frac{2}{10} + 4 \times \frac{1}{10} = 2$$
$$\therefore V(X) = 1^2 \times \frac{4}{10} + 2^2 \times \frac{3}{10} + 3^2 \times \frac{2}{10} + 4^2 \times \frac{1}{10} - 2^2$$
$$= 5 - 4 = 1$$

**답 ②**

**17** 확률변수 2일 때의 확률과 확률변수 4일 때의 확률을 각각 $a$, $b$라 하면 확률의 총합은 1이므로

$$\frac{1}{6} + a + b = 1$$
$$\therefore a + b = \frac{5}{6} \quad \cdots\cdots \text{㉠}$$

평균이 3이므로

$$E(X) = 1 \times \frac{1}{6} + 2 \times a + 4 \times b = 3$$
$$\therefore 12a + 24b = 17 \quad \cdots\cdots \text{㉡}$$

㉠, ㉡을 연립하여 풀면

$$a = \frac{1}{4}, b = \frac{7}{12}$$
$$\therefore V(X) = E(X^2) - \{E(X)\}^2$$
$$= 1^2 \times \frac{1}{6} + 2^2 \times \frac{1}{4} + 4^2 \times \frac{7}{12} - 3^2 = \frac{3}{2}$$

**답 $\frac{3}{2}$**

**18** 확률의 총합은 1이므로

$$a + \frac{1}{3} + b = 1 \text{에서 } a + b = \frac{2}{3} \quad \cdots\cdots \text{㉠}$$
$$E(X) = -a + b, E(X^2) = a + b = \frac{2}{3} \text{이므로}$$
$$V(X) = E(X^2) - \{E(X)\}^2$$
$$= \frac{2}{3} - (-a+b)^2 = \frac{5}{12}$$
$$\therefore (a-b)^2 = \frac{1}{4}$$
$$\therefore a - b = \frac{1}{2} \ (\because a > b) \quad \cdots\cdots \text{㉡}$$

㉠, ㉡을 연립하여 풀면

$$a = \frac{7}{12}, b = \frac{1}{12}$$
$$\therefore P(X=1) = b = \frac{1}{12}$$

**답 ①**

**19** 확률의 총합은 1이므로

$$a + \frac{1}{4} + b = 1$$
$$\therefore a = -b + \frac{3}{4} \quad \cdots\cdots \text{㉠}$$
$$E(X) = 0 \times a + 2 \times \frac{1}{4} + 3 \times b = 3b + \frac{1}{2}$$
$$V(X) = E(X^2) - \{E(X)\}^2$$
$$= 0^2 \times a + 2^2 \times \frac{1}{4} + 3^2 \times b - \left(3b + \frac{1}{2}\right)^2$$
$$= 1 + 9b - \left(9b^2 + 3b + \frac{1}{4}\right)$$
$$= -9\left(b - \frac{1}{3}\right)^2 + \frac{7}{4}$$

즉, $V(X)$는 $b=\dfrac{1}{3}$일 때, 최댓값 $\dfrac{7}{4}$을 가지므로

$b=\dfrac{1}{3}$을 ㉠에 대입하면 $a=k=\dfrac{5}{12}$

$\therefore 12k=12\times\dfrac{5}{12}=5$ 🔲 5

**20** 확률변수 $X$가 가질 수 있는 값은 0, 1, 2이므로

$P(X=0)=\dfrac{{}_3C_2}{{}_5C_2}=\dfrac{3}{10}$

$P(X=1)=\dfrac{{}_2C_1\times{}_3C_1}{{}_5C_2}=\dfrac{6}{10}$

$P(X=2)=\dfrac{{}_2C_2}{{}_5C_2}=\dfrac{1}{10}$

즉, 확률변수 $X$의 확률분포를 표로 나타내면 다음과 같다.

| $X$ | 0 | 1 | 2 | 합계 |
|---|---|---|---|---|
| $P(X=x)$ | $\dfrac{3}{10}$ | $\dfrac{6}{10}$ | $\dfrac{1}{10}$ | 1 |

$E(X)=0\times\dfrac{3}{10}+1\times\dfrac{6}{10}+2\times\dfrac{1}{10}=\dfrac{4}{5}$

$\therefore V(X)=E(X^2)-\{E(X)\}^2$

$\qquad=0^2\times\dfrac{3}{10}+1^2\times\dfrac{6}{10}+2^2\times\dfrac{1}{10}-\left(\dfrac{4}{5}\right)^2$

$\qquad=\dfrac{9}{25}$ 🔲 $\dfrac{9}{25}$

**21** 확률변수 $X$가 가질 수 있는 값은 0, 1, 2, 3이므로

$P(X=0)=\dfrac{{}_3C_3}{{}_7C_3}=\dfrac{1}{35}$

$P(X=1)=\dfrac{{}_4C_1\times{}_3C_2}{{}_7C_3}=\dfrac{12}{35}$

$P(X=2)=\dfrac{{}_4C_2\times{}_3C_1}{{}_7C_3}=\dfrac{18}{35}$

$P(X=3)=\dfrac{{}_4C_3}{{}_7C_3}=\dfrac{4}{35}$

즉, 확률변수 $X$의 확률분포를 표로 나타내면 다음과 같다.

| $X$ | 0 | 1 | 2 | 3 | 합계 |
|---|---|---|---|---|---|
| $P(X=x)$ | $\dfrac{1}{35}$ | $\dfrac{12}{35}$ | $\dfrac{18}{35}$ | $\dfrac{4}{35}$ | 1 |

$E(X)=0\times\dfrac{1}{35}+1\times\dfrac{12}{35}+2\times\dfrac{18}{35}+3\times\dfrac{4}{35}=\dfrac{12}{7}$

$V(X)=E(X^2)-\{E(X)\}^2$

$\qquad=0^2\times\dfrac{1}{35}+1^2\times\dfrac{12}{35}+2^2\times\dfrac{18}{35}+3^2\times\dfrac{4}{35}-\left(\dfrac{12}{7}\right)^2$

$\qquad=\dfrac{24}{49}$

$\therefore \sigma(X)=\sqrt{V(X)}=\dfrac{2\sqrt{6}}{7}$ 🔲 $\dfrac{2\sqrt{6}}{7}$

**22** 확률변수 $X$가 가질 수 있는 값은 2, 3, 4, 5, 6이다.

(ⅰ) $X=2$인 경우

(1, 1)일 때이므로

$P(X=2)=\dfrac{1}{6}\times\dfrac{1}{6}=\dfrac{1}{36}$

(ⅱ) $X=3$인 경우

(1, 2), (2, 1)일 때이므로

$P(X=3)=\dfrac{1}{6}\times\dfrac{2}{6}\times2=\dfrac{4}{36}$

(ⅲ) $X=4$인 경우

(1, 3), (2, 2), (3, 1)일 때이므로

$P(X=4)=\dfrac{1}{6}\times\dfrac{3}{6}+\dfrac{2}{6}\times\dfrac{2}{6}+\dfrac{3}{6}\times\dfrac{1}{6}=\dfrac{10}{36}$

(ⅳ) $X=5$인 경우

(2, 3), (3, 2)일 때이므로

$P(X=5)=\dfrac{2}{6}\times\dfrac{3}{6}\times2=\dfrac{12}{36}$

(ⅴ) $X=6$인 경우

(3, 3)일 때이므로

$P(X=6)=\dfrac{3}{6}\times\dfrac{3}{6}=\dfrac{9}{36}$

즉, 확률변수 $X$의 확률분포를 표로 나타내면 다음과 같다.

| $X$ | 2 | 3 | 4 | 5 | 6 | 합계 |
|---|---|---|---|---|---|---|
| $P(X=x)$ | $\dfrac{1}{36}$ | $\dfrac{4}{36}$ | $\dfrac{10}{36}$ | $\dfrac{12}{36}$ | $\dfrac{9}{36}$ | 1 |

$E(X)=2\times\dfrac{1}{36}+3\times\dfrac{4}{36}+4\times\dfrac{10}{36}+5\times\dfrac{12}{36}+6\times\dfrac{9}{36}$

$\qquad=\dfrac{14}{3}$

$V(X)=E(X^2)-\{E(X)\}^2$

$\qquad=2^2\times\dfrac{1}{36}+3^2\times\dfrac{4}{36}+4^2\times\dfrac{10}{36}+5^2\times\dfrac{12}{36}+6^2\times\dfrac{9}{36}$

$\qquad\qquad -\left(\dfrac{14}{3}\right)^2$

$\qquad=\dfrac{10}{9}$

$\therefore \sigma(X)=\sqrt{V(X)}=\dfrac{\sqrt{10}}{3}$ 🔲 $\dfrac{\sqrt{10}}{3}$

**23** 확률변수 $X$의 확률분포를 표로 나타내면 다음과 같다.

| $X$ | 1 | 2 | 3 | $\cdots$ | $n$ | 합계 |
|---|---|---|---|---|---|---|
| $P(X=x)$ | $\dfrac{1}{n}$ | $\dfrac{1}{n}$ | $\dfrac{1}{n}$ | $\cdots$ | $\dfrac{1}{n}$ | 1 |

$E(X)=\dfrac{1}{n}\times(1+2+3+\cdots+n)$

$\qquad=\dfrac{1}{n}\times\dfrac{n(n+1)}{2}$

$\qquad=\dfrac{n+1}{2}$

$\therefore V(X)=\dfrac{1}{n}\times(1^2+2^2+3^2+\cdots+n^2)-\left(\dfrac{n+1}{2}\right)^2$

$\qquad=\dfrac{1}{n}\times\dfrac{n(n+1)(2n+1)}{6}-\left(\dfrac{n+1}{2}\right)^2$

$\qquad=\dfrac{n+1}{12}\{2(2n+1)-3(n+1)\}$

$\qquad=\dfrac{n^2-1}{12}$ 🔲 ④

**24** 확률의 총합은 1이므로

$\dfrac{1}{2}+a+4a^2=1,\ 8a^2+2a-1=0$

$(4a-1)(2a+1)=0$

$\therefore a=\dfrac{1}{4}\ (\because a>0)$

$E(X) = 200 \times \dfrac{1}{2} + 300 \times \dfrac{1}{4} + 500 \times \dfrac{1}{4} = 300$

$\therefore E(aX+10) = aE(X)+10$

$\qquad = \dfrac{1}{4} \times 300 + 10 = 85$ **답 ③**

**25** $E(Y) = E(2X+3) = 2E(X)+3 = 10$

$\therefore E(X) = \dfrac{7}{2}$

$E(X) = 1 \times \dfrac{1}{4} + a \times \dfrac{1}{8} + a^2 \times \dfrac{1}{2} + a^3 \times \dfrac{1}{8} = \dfrac{7}{2}$이므로

$\dfrac{1}{8}a^3 + \dfrac{1}{2}a^2 + \dfrac{1}{8}a + \dfrac{1}{4} = \dfrac{7}{2}$

$a^3 + 4a^2 + a + 2 = 28$, $a^3 + 4a^2 + a - 26 = 0$

$(a-2)(a^2 + 6a + 13) = 0$

$\therefore a = 2$ ($\because a$는 실수) **답 2**

**26** 확률의 총합은 1이므로

$\displaystyle\sum_{k=1}^{10} P(X=k) = \sum_{k=1}^{10} ak = a \sum_{k=1}^{10} k$

$\qquad = a \times \dfrac{10 \times 11}{2} = 55a = 1$

$\therefore a = \dfrac{1}{55}$

즉, $P(X=k) = \dfrac{1}{55}k$ $(k=1, 2, \cdots, 10)$이므로

$E(X) = \displaystyle\sum_{k=1}^{10} kP(X=k)$

$\qquad = \displaystyle\sum_{k=1}^{10} k \times \dfrac{1}{55}k = \dfrac{1}{55} \sum_{k=1}^{10} k^2$

$\qquad = \dfrac{1}{55} \times \dfrac{10 \times 11 \times 21}{6} = 7$

$\therefore E(3X-7) = 3E(X) - 7$

$\qquad = 3 \times 7 - 7 = 14$ **답 14**

**27** 확률변수 $X$의 확률분포를 표로 나타내면 다음과 같다.

| $X$ | 1 | 2 | 3 | 4 | 5 | 6 | 합계 |
|---|---|---|---|---|---|---|---|
| $P(X=x)$ | $\dfrac{1}{6}$ | $\dfrac{1}{6}$ | $\dfrac{1}{6}$ | $\dfrac{1}{6}$ | $\dfrac{1}{6}$ | $\dfrac{1}{6}$ | 1 |

따라서 $E(X) = \dfrac{1}{6}(1+2+3+4+5+6) = \dfrac{7}{2}$이므로

$E(4X+3) = 4E(X) + 3$

$\qquad = 4 \times \dfrac{7}{2} + 3$

$\qquad = 17$ **답 ④**

**28** 확률변수 $X$의 확률분포를 표로 나타내면 다음과 같다.

| $X$ | 1 | 2 | 4 | 합계 |
|---|---|---|---|---|
| $P(X=x)$ | $\dfrac{2}{6}$ | $\dfrac{3}{6}$ | $\dfrac{1}{6}$ | 1 |

따라서 $E(X) = 1 \times \dfrac{2}{6} + 2 \times \dfrac{3}{6} + 4 \times \dfrac{1}{6} = 2$이므로

$E(5X+3) = 5E(X) + 3$

$\qquad = 5 \times 2 + 3 = 13$ **답 13**

**29** 확률변수 $X$의 확률분포를 표로 나타내면 다음과 같다.

| $X$ | 1 | 2 | 3 | 4 | 5 | 6 | 합계 |
|---|---|---|---|---|---|---|---|
| $P(X=x)$ | $\dfrac{1}{6}$ | $\dfrac{1}{6}$ | $\dfrac{1}{6}$ | $\dfrac{1}{6}$ | $\dfrac{1}{6}$ | $\dfrac{1}{6}$ | 1 |

따라서 $E(X) = \dfrac{1}{6}(1+2+3+4+5+6) = \dfrac{7}{2}$이므로

$E(4X - k^2) = 4E(X) - k^2$

$\qquad = 4 \times \dfrac{7}{2} - k^2$

$\qquad = -k^2 + 14$

따라서 $E(4X-k^2)$의 최댓값은 $k=0$일 때 14이다. **답 14**

**30** $E(Y) = E(aX+b) = aE(X) + b$

$\qquad = 4a + b = 13$ ……㉠

$V(Y) = V(aX+b) = a^2 V(X)$

$\qquad = 8a^2 = 32$

$a^2 = 4$ $\therefore a = 2$ ($\because a > 0$)

$a=2$를 ㉠에 대입하면

$8 + b = 13$ $\therefore b = 5$

$\therefore a^2 + b^2 = 2^2 + 5^2 = 29$ **답 ③**

**31** $E(X) = 0 \times \dfrac{1}{5} + 1 \times \dfrac{3}{10} + 2 \times \dfrac{3}{10} + 3 \times \dfrac{1}{5}$

$\qquad = \dfrac{3}{2}$

$V(X) = 0^2 \times \dfrac{1}{5} + 1^2 \times \dfrac{3}{10} + 2^2 \times \dfrac{3}{10} + 3^2 \times \dfrac{1}{5} - \left(\dfrac{3}{2}\right)^2$

$\qquad = \dfrac{21}{20}$

$\therefore V(Y) = V(10X+5)$

$\qquad = 10^2 V(X) = 105$ **답 105**

**32** 확률의 총합은 1이므로

$a + \dfrac{1}{8} + 2a + \dfrac{1}{8} = 1$ $\therefore a = \dfrac{1}{4}$

확률변수 $X$의 평균이 $\dfrac{1}{2}$이므로

$E(X) = (-2) \times \dfrac{1}{4} + 0 \times \dfrac{1}{8} + 1 \times \dfrac{1}{2} + b \times \dfrac{1}{8}$

$\qquad = \dfrac{1}{2}$

$\dfrac{b}{8} = \dfrac{1}{2}$ $\therefore b = 4$

$V(X) = (-2)^2 \times \dfrac{1}{4} + 0^2 \times \dfrac{1}{8} + 1^2 \times \dfrac{1}{2} + 4^2 \times \dfrac{1}{8} - \left(\dfrac{1}{2}\right)^2$

$\qquad = \dfrac{7}{2} - \left(\dfrac{1}{2}\right)^2 = \dfrac{13}{4}$

$\therefore V(12aX+b) = V\left(12 \times \dfrac{1}{4}X + 4\right)$

$\qquad = V(3X+4)$

$\qquad = 3^2 V(X) = 9 \times \dfrac{13}{4}$

$\qquad = \dfrac{117}{4}$ **답 $\dfrac{117}{4}$**

**33**

$$\mathrm{E}(T)=\mathrm{E}\left(\frac{a(X-m)}{\sigma}+b\right)$$
$$=\frac{a\mathrm{E}(X)}{\sigma}-\frac{am}{\sigma}+b$$
$$=\frac{am}{\sigma}-\frac{am}{\sigma}+b\ (\because\mathrm{E}(X)=m)$$
$$=b=100$$
$$\sigma(T)=\sigma\left(\frac{a(X-m)}{\sigma}+b\right)$$
$$=\frac{|a|\sigma(X)}{\sigma}=\frac{|a|\sigma}{\sigma}\ (\because\sigma(X)=\sigma)$$
$$=|a|=20$$
$$\therefore a=20\ (\because a>0)$$
$$\therefore a+b=20+100=120$$

**冒** ⑤

**34** 확률변수 $X$가 취할 수 있는 값은 0, 1, 2이고, 그 확률은 각각

$$\mathrm{P}(X=0)=\frac{{}_2\mathrm{C}_2}{{}_4\mathrm{C}_2}=\frac{1}{6},$$
$$\mathrm{P}(X=1)=\frac{{}_2\mathrm{C}_1\times{}_2\mathrm{C}_1}{{}_4\mathrm{C}_2}=\frac{2}{3},$$
$$\mathrm{P}(X=2)=\frac{{}_2\mathrm{C}_2}{{}_4\mathrm{C}_2}=\frac{1}{6}$$

이므로 $X$의 확률분포를 표로 나타내면 다음과 같다.

| $X$ | 0 | 1 | 2 | 합계 |
|---|---|---|---|---|
| $\mathrm{P}(X=x)$ | $\frac{1}{6}$ | $\frac{2}{3}$ | $\frac{1}{6}$ | 1 |

$X$의 평균과 분산은

$$\mathrm{E}(X)=0\times\frac{1}{6}+1\times\frac{2}{3}+2\times\frac{1}{6}=1$$
$$\mathrm{V}(X)=0^2\times\frac{1}{6}+1^2\times\frac{2}{3}+2^2\times\frac{1}{6}-1^2$$
$$=\frac{4}{3}-1^2=\frac{1}{3}$$

이므로

$$\mathrm{E}(3X+2)=3\mathrm{E}(X)+2=3\times1+2=5$$
$$\mathrm{V}(3X+2)=3^2\mathrm{V}(X)=3^2\times\frac{1}{3}=3$$
$$\therefore\mathrm{E}(3X+2)+\mathrm{V}(3X+2)=5+3=8$$

**冒** 8

**35**

ㄱ. $\mathrm{P}(Y=k)=\mathrm{P}(10-X=k)=\mathrm{P}(X=10-k)$이므로
　　$\mathrm{P}(5\le Y\le7)=\mathrm{P}(3\le X\le5)$ (참)

ㄴ. $\mathrm{E}(X)=\sum\limits_{k=0}^{10}k\mathrm{P}(X=k)=\sum\limits_{k=0}^{10}(10-k)\mathrm{P}(X=10-k)$
　　$=\mathrm{E}(10-X)=\mathrm{E}(Y)$ (참)

ㄷ. $\mathrm{V}(Y)=\mathrm{V}(10-X)=(-1)^2\mathrm{V}(X)=\mathrm{V}(X)$ (거짓)

따라서 옳은 것은 ㄱ, ㄴ이다.

**冒** ㄱ, ㄴ

**36**

$\mathrm{E}(Y)=\mathrm{E}(-3X+5)=-3\mathrm{E}(X)+5=-4$이므로
$\mathrm{E}(X)=3$
$\mathrm{V}(Y)=\mathrm{V}(-3X+5)=(-3)^2\mathrm{V}(X)=18$이므로
$\mathrm{V}(X)=2$
$\mathrm{V}(X)=\mathrm{E}(X^2)-\{\mathrm{E}(X)\}^2$에서
$2=\mathrm{E}(X^2)-3^2$
$\therefore\mathrm{E}(X^2)=2+3^2=11$

**冒** ④

**37**

$$\mathrm{V}(X)=\mathrm{E}(X^2)-\{\mathrm{E}(X)\}^2$$
$$=2a+3-a^2$$

이므로 $\sigma(X)=\sqrt{-a^2+2a+3}$

$$\therefore\sigma(2X)=2\sigma(X)=2\sqrt{-a^2+2a+3}$$
$$=2\sqrt{-(a-1)^2+4}$$

따라서 $\sigma(2X)$는 $a=1$일 때 최댓값 4를 갖는다.

**冒** 4

**38** 전체 공의 개수는

$$1+2+3+\cdots+n=\frac{n(n+1)}{2}$$

이므로

$$\mathrm{P}(X=k)=\frac{(k가\ 쓰여진\ 공의\ 개수)}{(전체\ 공의\ 개수)}=\frac{2k}{n(n+1)}$$
$$(단,\ k=1,\ 2,\ 3,\ \cdots,\ n)$$

$\mathrm{V}(X)=\mathrm{E}(X^2)-\{\mathrm{E}(X)\}^2$에서
$\mathrm{V}(X)+\{\mathrm{E}(X)\}^2=\mathrm{E}(X^2)$

$$=\sum_{k=1}^{n}k^2\mathrm{P}(X=k)$$
$$=\sum_{k=1}^{n}\left\{k^2\times\frac{2k}{n(n+1)}\right\}$$
$$=\frac{2}{n(n+1)}\left\{\frac{n(n+1)}{2}\right\}^2$$
$$=\frac{n(n+1)}{2}$$
$$=\frac{1}{2}n^2+\frac{1}{2}n$$

따라서 $a=\frac{1}{2}$, $b=\frac{1}{2}$이므로 $ab=\frac{1}{4}$

**冒** $\frac{1}{4}$

**39** 2회까지의 합이 2점일 확률은

$$\frac{1}{3}\times\frac{1}{3}=\frac{1}{9}$$

2회까지의 합이 4점일 확률은

$$2\times\frac{1}{3}\times\frac{2}{3}=\frac{4}{9}$$

2회까지의 합이 6점일 확률은

$$\frac{2}{3}\times\frac{2}{3}=\frac{4}{9}$$

A가 얻는 점수를 확률변수 $X$라 하고 $X$의 확률분포를 표로 나타내면 다음과 같다.

| $X$ | 3 | 4 | 5 | 6 | 합계 |
|---|---|---|---|---|---|
| $\mathrm{P}(X=x)$ | $\frac{1}{27}$ | $\frac{4}{9}$ | $\frac{2}{27}$ | $\frac{4}{9}$ | 1 |

$$\mathrm{E}(X)=3\times\frac{1}{27}+4\times\frac{4}{9}+5\times\frac{2}{27}+6\times\frac{4}{9}=\frac{133}{27}$$

B가 얻는 점수를 확률변수 $Y$라 하고 $Y$의 확률분포를 표로 나타내면 다음과 같다.

| $Y$ | 0 | 3 | 5 | 6 | 합계 |
|---|---|---|---|---|---|
| $\mathrm{P}(Y=y)$ | $\frac{8}{27}$ | $\frac{1}{27}$ | $\frac{6}{27}$ | $\frac{4}{9}$ | 1 |

$$\mathrm{E}(Y)=0\times\frac{8}{27}+3\times\frac{1}{27}+5\times\frac{6}{27}+6\times\frac{4}{9}=\frac{105}{27}$$

따라서 점수의 기댓값의 차는

$$\frac{133}{27}-\frac{105}{27}=\frac{28}{27}$$

**冒** $\frac{28}{27}$

B가 5점을 얻는 경우

(i) 2회까지 2점을 얻고, 3회 시행에서 3점을 얻으면 되므로
그 확률은

$$\frac{1}{9} \times \frac{2}{3} = \frac{2}{27}$$

(ii) 2회까지 4점을 얻고, 3회 시행에서 1점을 얻으면 되므로
그 확률은

$$\frac{4}{9} \times \frac{1}{3} = \frac{4}{27}$$

(i), (ii)에서 $\frac{2}{27} + \frac{4}{27} = \frac{6}{27}$

**40** 동전의 앞면을 H, 뒷면을 T라 할 때, 확률변수 $X$의 확률분포를 표로 나타내면 다음과 같다.

|  | HTH, THT | THH, TTH, HHT, HTT | TTT, HHH |  |
|---|---|---|---|---|
| $X$ | 0 | 1 | 3 | 합계 |
| $P(X=x)$ | $\frac{2}{8}$ | $\frac{4}{8}$ | $\frac{2}{8}$ | 1 |

$$E(X) = 0 \times \frac{2}{8} + 1 \times \frac{4}{8} + 3 \times \frac{2}{8} = \frac{5}{4}$$

$$E(X^2) = 0^2 \times \frac{2}{8} + 1^2 \times \frac{4}{8} + 3^2 \times \frac{2}{8} = \frac{22}{8}$$

$$\therefore V(X) = E(X^2) - \{E(X)\}^2$$
$$= \frac{22}{8} - \left(\frac{5}{4}\right)^2 = \frac{19}{16}$$

**답** $\frac{19}{16}$

**41** A반 학생의 점수를 $x_1, x_2, x_3, \cdots, x_{30}$이라 하고,
B반 학생의 점수를 $y_1, y_2, y_3, \cdots, y_{30}$이라 하자.
A반과 B반 전체 학생의 수행평가 점수에 대한 평균을 $m$이라 하면

$$m = \frac{30(18+16)}{60} = 17$$

A반의 분산은 $\dfrac{x_1^2 + x_2^2 + \cdots + x_{30}^2}{30} - 18^2 = 4$

B반의 분산은 $\dfrac{y_1^2 + y_2^2 + \cdots + y_{30}^2}{30} - 16^2 = 8$이므로

A반과 B반 전체 학생의 수행평가 점수에 대한 분산을 $\sigma^2$이라 하면

$$\sigma^2 = \frac{x_1^2 + x_2^2 + \cdots + x_{30}^2 + y_1^2 + y_2^2 + \cdots + y_{30}^2}{60} - m^2$$

$$= \frac{(4+18^2) \times 30 + (8+16^2) \times 30}{60} - 17^2$$

$$= 7$$

**답** ③

**42** 확률변수 $X$의 확률분포를 표로 나타내면 다음과 같다.

| $X$ | 1 | 2 | 3 | $\cdots$ | $2n$ | 합계 |
|---|---|---|---|---|---|---|
| $P(X=k)$ | $\frac{1}{10}-p$ | $\frac{1}{10}+p$ | $\frac{1}{10}-p$ | $\cdots$ | $\frac{1}{10}+p$ | 1 |

$\left(\dfrac{1}{10}-p\right) + \left(\dfrac{1}{10}+p\right) + \left(\dfrac{1}{10}-p\right) + \cdots + \left(\dfrac{1}{10}+p\right) = 1$이므로

$$\frac{2n}{10} = 1 \qquad \therefore n = 5$$

$$E(X) = 1 \times \left(\frac{1}{10}-p\right) + 2 \times \left(\frac{1}{10}+p\right) + \cdots + 10 \times \left(\frac{1}{10}+p\right)$$

$$= \frac{1}{10}(1+2+\cdots+10) + (-p+2p-\cdots+10p)$$

$$= \frac{55}{10} + 5p$$

$$E(4X-3) = 4E(X) - 3$$
$$= 4\left(\frac{55}{10} + 5p\right) - 3$$
$$= 19 + 20p = 20$$

따라서 $p = \dfrac{1}{20}$이므로 $\dfrac{1}{p} = 20$

**답** 20

**43** 확률변수 $X$가 취할 수 있는 값은 1, 2, 3이고 그 확률은 각각

$$P(X=1) = \frac{{}_4C_2}{{}_5C_3} = \frac{6}{10}$$

$$P(X=2) = \frac{{}_3C_2}{{}_5C_3} = \frac{3}{10}$$

$$P(X=3) = \frac{{}_2C_2}{{}_5C_3} = \frac{1}{10}$$

이므로 $X$의 확률분포를 표로 나타내면 다음과 같다.

| $X$ | 1 | 2 | 3 | 합계 |
|---|---|---|---|---|
| $P(X=x)$ | $\frac{6}{10}$ | $\frac{3}{10}$ | $\frac{1}{10}$ | 1 |

$$E(X) = 1 \times \frac{6}{10} + 2 \times \frac{3}{10} + 3 \times \frac{1}{10} = \frac{3}{2}$$

$$E(X^2) = 1^2 \times \frac{6}{10} + 2^2 \times \frac{3}{10} + 3^2 \times \frac{1}{10} = \frac{27}{10}$$

$$\therefore E((10X-a)^2) = E(100X^2 - 20aX + a^2)$$
$$= 100E(X^2) - 20aE(X) + a^2$$
$$= 270 - 30a + a^2$$
$$= (a-15)^2 + 45$$

따라서 $a = 15$일 때 확률변수 $(10X-a)^2$의 기댓값이 최소이다.

**답** 15

**44** 8개의 꼭짓점 중에서 3개를 택하여 만들 수 있는 삼각형의 개수는
$${}_8C_3 = 56$$
이 중에서 삼각형 ABD와 합동인 직각이등변삼각형,
즉 넓이가 $\dfrac{1}{2}$인 삼각형의 개수는 $4 \times 6 = 24$

삼각형 ABG와 합동인 직각삼각형, 즉 넓이가 $\dfrac{\sqrt{2}}{2}$인 삼각형의 개수는 $2 \times 12 = 24$

삼각형 ACF와 합동인 정삼각형, 즉 넓이가 $\dfrac{\sqrt{3}}{2}$인 삼각형의 개수는 $56 - (24+24) = 8$

따라서 확률변수 $X$의 확률분포를 표로 나타내면 다음과 같다.

| $X$ | $\frac{1}{2}$ | $\frac{\sqrt{2}}{2}$ | $\frac{\sqrt{3}}{2}$ | 합계 |
|---|---|---|---|---|
| $P(X=x)$ | $\frac{3}{7}$ | $\frac{3}{7}$ | $\frac{1}{7}$ | 1 |

$$\therefore \{E(X)\}^2 + V(X) = E(X^2)$$
$$= \left(\frac{1}{2}\right)^2 \times \frac{3}{7} + \left(\frac{\sqrt{2}}{2}\right)^2 \times \frac{3}{7} + \left(\frac{\sqrt{3}}{2}\right)^2 \times \frac{1}{7}$$
$$= \frac{3}{7}$$

**답** ②

**45** $a_1, a_2, a_3, \cdots, a_9$의 평균을 $E(X)$, 분산을 $V(X)$라 하면

$$f(x) = \frac{1}{9}\sum_{k=1}^{9}(a_k-x)^2 = \sum_{k=1}^{9}\frac{a_k^2-2a_kx+x^2}{9}$$

$$= \frac{x^2}{9}\sum_{k=1}^{9}1 - 2x\sum_{k=1}^{9}\frac{a_k}{9} + \sum_{k=1}^{9}\frac{a_k^2}{9}$$

$$= x^2 - 2x E(X) + E(X^2)$$

$$= x^2 - 2x E(X) + V(X) + \{E(X)\}^2$$

$$= \{x - E(X)\}^2 + V(X)$$

즉, $f(x)$는 $x = E(X)$일 때, 최솟값 $V(X)$를 갖는다.

따라서 $E(X) = 10$, $V(X) = \frac{50}{9}$이므로

$m = 10$, $\sigma = \frac{5\sqrt{2}}{3}$    $\therefore \dfrac{m}{\sigma} = 3\sqrt{2}$    🗒 $3\sqrt{2}$

**46** $E(X) = 2$이고, $\sigma(X) = 5$이므로 $V(X) = 25$

$\sum_{i=1}^{10}x_i = 10E(X)$, $\sum_{i=1}^{10}x_i^2 = 10E(X^2)$이므로

$$f(t) = \sum_{i=1}^{10}(x_i^2 - 2x_i t + t^2)$$

$$= \sum_{i=1}^{10}x_i^2 - 2t\sum_{i=1}^{10}x_i + 10t^2$$

$$= 10E(X^2) - 20t E(X) + 10t^2$$

$$= 10[V(X) + \{E(X)\}^2] - 20t E(X) + 10t^2$$

$$= 290 - 40t + 10t^2 = 10(t^2-4t) + 290$$

$$= 10(t-2)^2 + 250$$

따라서 $f(t)$는 $t = 2$일 때, 최솟값 250을 갖는다.

🗒 250

**47** 확률의 총합은 1이므로

$$\sum_{k=1}^{n}P(X=k) = \sum_{k=1}^{n}ck = c\sum_{k=1}^{n}k$$

$$= c \times \frac{n(n+1)}{2} = 1$$

$\therefore c = \dfrac{2}{n(n+1)}$

확률변수 $X$의 평균은

$$E(X) = \sum_{k=1}^{n}kP(X=k)$$

$$= \sum_{k=1}^{n}(k \times ck) = c\sum_{k=1}^{n}k^2$$

$$= c \times \frac{n(n+1)(2n+1)}{6}$$

$$= \frac{2}{n(n+1)} \times \frac{n(n+1)(2n+1)}{6}$$

$$= \frac{2n+1}{3}$$

$X^2$의 평균은

$$E(X^2) = \sum_{k=1}^{n}k^2 P(X=k)$$

$$= \sum_{k=1}^{n}(k^2 \times ck) = c\sum_{k=1}^{n}k^3$$

$$= c\left\{\frac{n(n+1)}{2}\right\}^2$$

$$= \frac{2}{n(n+1)}\left\{\frac{n(n+1)}{2}\right\}^2$$

$$= \frac{n(n+1)}{2}$$

$X$의 분산은

$$V(X) = E(X^2) - \{E(X)\}^2$$

$$= \frac{n(n+1)}{2} - \left(\frac{2n+1}{3}\right)^2$$

$$= \frac{n(n+1)}{2} - \frac{(2n+1)^2}{9} \quad \cdots\cdots \text{㉠}$$

확률변수 $Y = 3X - 2$의 표준편차가 $\sqrt{5}$이므로

$V(Y) = V(3X-2) = 9V(X) = 5$

$\therefore V(X) = \dfrac{5}{9}$    $\cdots\cdots \text{㉡}$

㉠, ㉡에서

$$\frac{n(n+1)}{2} - \frac{(2n+1)^2}{9} = \frac{5}{9}$$

$$9n(n+1) - 2(2n+1)^2 = 10$$

$$n^2 + n - 12 = 0, \ (n+4)(n-3) = 0$$

$\therefore n = 3$ ($\because n$은 자연수)    🗒 3

**48** 확률변수 $Y = aX + b$의 평균과 분산은

$$E(Y) = E(aX+b) = aE(X) + b$$

$$= a \times 0 + b = b$$

$$V(Y) = V(aX+b) = a^2 V(X)$$

$$= a^2 \times 1 = a^2$$

$V(Y) = E(Y^2) - \{E(Y)\}^2$에서

$a^2 = E(Y^2) - b^2$

$\therefore E(Y^2) = a^2 + b^2$

$$\therefore E((Y-2)^2) = E(Y^2 - 4Y + 4)$$

$$= E(Y^2) - 4E(Y) + 4$$

$$= a^2 + b^2 - 4b + 4$$

$E((Y-2)^2) \leq 4$, 즉 $a^2 + (b-2)^2 \leq 4$를 만족시키는 $a, b$는 자연수이므로

(i) $a = 1$일 때

$\quad 1^2 + (b-2)^2 \leq 4$, $(b-2)^2 \leq 3$

$\quad \therefore b = 1, 2, 3$

(ii) $a = 2$일 때

$\quad 2^2 + (b-2)^2 \leq 4$, $(b-2)^2 \leq 0$

$\quad \therefore b = 2$

(i), (ii)에서 $E((Y-2)^2) \leq 4$를 만족시키는 순서쌍 $(a, b)$의 개수는 $(1, 1)$, $(1, 2)$, $(1, 3)$, $(2, 2)$의 4이다.

🗒 4

**01** 확률변수 $X$의 확률질량함수가

$$P(X=k)={}_{30}C_k\left(\frac{1}{6}\right)^k\left(\frac{5}{6}\right)^{30-k} (k=0, 1, 2, \cdots, 30)$$

이므로 1회의 시행에서 사건이 일어날 확률은 $\frac{1}{6}$이고, 시행횟

수는 30이므로 확률변수 $X$는 이항분포 $B\left(30, \frac{1}{6}\right)$을 따른다.

따라서 $n=30$, $p=\frac{1}{6}$이므로

$$n-6p=30-6\times\frac{1}{6}=29$$

**目** 29

**02** 확률변수 $X$가 이항분포 $B\left(100, \frac{1}{5}\right)$을 따르므로

$$n=100, p=\frac{1}{5}$$

$$\therefore n+5p=100+5\times\frac{1}{5}=101$$

**目** 101

**03** 확률변수 $X$가 이항분포 $B\left(5, \frac{1}{2}\right)$을 따르므로 $X$의 확률질량

함수는

$$P(X=x)={}_5C_x\left(\frac{1}{2}\right)^x\left(\frac{1}{2}\right)^{5-x}$$

$$={}_5C_x\left(\frac{1}{2}\right)^5 (x=0, 1, 2, 3, 4, 5)$$

$X^2-4X+3=0$에서 $(X-1)(X-3)=0$

$\therefore X=1$ 또는 $X=3$

$\therefore P(X^2-4X+3=0)$

$=P(X=1)+P(X=3)$

$={}_5C_1\left(\frac{1}{2}\right)^5+{}_5C_3\left(\frac{1}{2}\right)^5=\frac{5}{32}+\frac{10}{32}=\frac{15}{32}$

**目** ③

**04** 확률변수 $X$가 이항분포 $B(5, p)$를 따르므로 $X$의 확률질량함

수는

$$P(X=x)={}_5C_x p^x(1-p)^{5-x} (x=0, 1, 2, 3, 4, 5)$$

$P(X=4)=5P(X=5)$에서

$${}_5C_4 p^4(1-p)=5\,{}_5C_5 p^5$$

$5(1-p)=5p \quad \therefore p=\frac{1}{2}$

$X^2-4X+4>0$에서 $(X-2)^2>0$

$\therefore X\neq 2$

$\therefore P(X^2-4X+4>0)=1-P(X=2)$

$$=1-{}_5C_2\left(\frac{1}{2}\right)^2\left(\frac{1}{2}\right)^3$$

$$=\frac{11}{16}$$

**目** $\frac{11}{16}$

**05** 확률변수 $X$가 이항분포 $B(n, p)$를 따르고, $X$의 평균과 표준

편차가 각각 20, 4이므로

$$E(X)=np=20 \qquad \cdots\cdots \text{㉠}$$

$$V(X)=np(1-p)=4^2 \qquad \cdots\cdots \text{㉡}$$

㉡÷㉠을 하면 $1-p=\frac{4}{5}$

$$\therefore p=\frac{1}{5}$$

$p=\frac{1}{5}$을 ㉠에 대입하면 $\frac{1}{5}n=20$

$$\therefore n=100$$

**目** 100

**06** 1회의 시행에서 동전의 뒷면이 나올 확률은 $\frac{1}{2}$이고, 동전을 3번

던지는 시행에서 확률변수 $X$의 확률분포는 독립시행의 확률을

따르므로 $X$는 이항분포 $B\left(3, \frac{1}{2}\right)$을 따른다.

따라서 $X$의 평균은

$$E(X)=3\times\frac{1}{2}=\frac{3}{2}$$

**目** ③

**07** 정답을 맞힐 확률이 $\frac{2}{3}$이므로 틀릴 확률은 $1-\frac{2}{3}=\frac{1}{3}$이고, 50

문제 중에서 틀린 문제의 수인 확률변수 $X$의 확률분포는 독립

시행의 확률을 따르므로 $X$는 이항분포 $B\left(50, \frac{1}{3}\right)$을 따른다.

따라서 $X$의 평균과 표준편차는

$$E(X)=50\times\frac{1}{3}=\frac{50}{3}$$

$$\sigma(X)=\sqrt{50\times\frac{1}{3}\times\frac{2}{3}}=\sqrt{\frac{100}{9}}=\frac{10}{3}$$

$$\therefore E(X)+\sigma(X)=\frac{50}{3}+\frac{10}{3}=20$$

**目** 20

**08** 확률변수 $X$의 확률질량함수가

$$P(X=x)={}_nC_x p^x(1-p)^{n-x} (x=0, 1, 2, \cdots, n)$$

이므로 $X$는 이항분포 $B(n, p)$를 따른다.

$E(X)=np=20 \qquad \cdots\cdots \text{㉠}$

$V(X)=np(1-p)=15$이므로

$20(1-p)=15 \qquad \therefore p=\frac{1}{4}$

$p=\frac{1}{4}$을 ㉠에 대입하면 $n=80$

$$\therefore \frac{n}{p}=\frac{80}{\frac{1}{4}}=320$$

**目** 320

**09** 확률변수 $X$의 확률질량함수가

$$P(X=x)={}_{36}C_x\left(\frac{2}{3}\right)^x 3^{x-36}$$

$$={}_{36}C_x\left(\frac{2}{3}\right)^x\left(\frac{1}{3}\right)^{36-x} (x=0, 1, 2, \cdots, 36)$$

이므로 $X$는 이항분포 $B\left(36, \frac{2}{3}\right)$를 따른다.

따라서 $n=36$, $p=\frac{2}{3}$이므로

$$np=36\times\frac{2}{3}=24$$

**目** 24

**10** 1의 눈이 나올 확률은 $\frac{1}{6}$이고, 주사위를 36번 던지는 시행에서

확률변수 $X$의 확률분포는 독립시행의 확률을 따르므로 $X$는

이항분포 $B\left(36, \frac{1}{6}\right)$을 따른다.

따라서 $n=36$, $p=\dfrac{1}{6}$이므로

$$\dfrac{n}{p}=\dfrac{36}{\dfrac{1}{6}}=36\times6=216$$  **답 ④**

**11** 5 이상의 눈이 나올 확률은 $\dfrac{2}{6}=\dfrac{1}{3}$이고, 주사위를 90번 던지는 시행에서 확률변수 $X$의 확률분포는 독립시행의 확률을 따르므로 $X$는 이항분포 $\mathrm{B}\left(90,\dfrac{1}{3}\right)$을 따른다.

따라서 $X$의 확률질량함수는

$$\mathrm{P}(X=r)={}_{90}\mathrm{C}_r\left(\dfrac{1}{3}\right)^r\left(\dfrac{2}{3}\right)^{90-r}\ (r=0,\ 1,\ 2,\ \cdots,\ 90)$$

이므로 $n=90$, $a=\dfrac{1}{3}$

$$\therefore na=90\times\dfrac{1}{3}=30$$  **답 30**

**12** 앞면이 나올 확률은 $\dfrac{1}{2}$이고, 동전을 2번 던지는 시행에서 확률변수 $X$의 확률분포는 독립시행의 확률을 따르므로 $X$는 이항분포 $\mathrm{B}\left(2,\dfrac{1}{2}\right)$을 따른다.

$$\therefore n=2,\ p=\dfrac{1}{2}$$

따라서 $X$의 확률질량함수는

$$\mathrm{P}(X=x)={}_{2}\mathrm{C}_x\left(\dfrac{1}{2}\right)^x\left(\dfrac{1}{2}\right)^{2-x}$$
$$={}_{2}\mathrm{C}_x\left(\dfrac{1}{2}\right)^2\ (x=0,\ 1,\ 2)$$

$$\therefore p_1=\mathrm{P}(X=1)={}_{2}\mathrm{C}_1\left(\dfrac{1}{2}\right)^2$$
$$=2\times\dfrac{1}{4}=\dfrac{1}{2}$$

$$\therefore 10n(p+p_1)=10\times2\times\left(\dfrac{1}{2}+\dfrac{1}{2}\right)$$
$$=20$$  **답 20**

**13** 완치율이 $\dfrac{80}{100}=\dfrac{4}{5}$이고, 5명의 환자가 동일한 치료를 받을 때, 확률변수 $X$의 확률분포는 독립시행의 확률을 따르므로 $X$는 이항분포 $\mathrm{B}\left(5,\dfrac{4}{5}\right)$를 따른다.

따라서 $X$의 확률질량함수는

$$\mathrm{P}(X=r)={}_{5}\mathrm{C}_r\left(\dfrac{4}{5}\right)^r\left(\dfrac{1}{5}\right)^{5-r}\ (r=0,\ 1,\ 2,\ 3,\ 4,\ 5)$$

이므로

$$\mathrm{P}(X\geq4)=\mathrm{P}(X=4)+\mathrm{P}(X=5)$$
$$={}_{5}\mathrm{C}_4\left(\dfrac{4}{5}\right)^4\left(\dfrac{1}{5}\right)^1+{}_{5}\mathrm{C}_5\left(\dfrac{4}{5}\right)^5$$
$$=\left(\dfrac{4}{5}\right)^4+\dfrac{4}{5}\left(\dfrac{4}{5}\right)^4$$
$$=\dfrac{9}{5}\left(\dfrac{4}{5}\right)^4$$

$$\therefore k=\dfrac{9}{5}$$  **답 ④**

**14** 확률변수 $X$가 이항분포 $\mathrm{B}\left(50,\dfrac{1}{4}\right)$을 따르므로

$$\dfrac{\mathrm{P}(X=k)}{\mathrm{P}(X=k+1)}=\dfrac{{}_{50}\mathrm{C}_k\left(\dfrac{1}{4}\right)^k\left(\dfrac{3}{4}\right)^{50-k}}{{}_{50}\mathrm{C}_{k+1}\left(\dfrac{1}{4}\right)^{k+1}\left(\dfrac{3}{4}\right)^{49-k}}$$

$$=\dfrac{\dfrac{50!}{k!(50-k)!}}{\dfrac{50!}{(k+1)!(49-k)!}}\times\dfrac{\dfrac{3}{4}}{\dfrac{1}{4}}$$

$$=\dfrac{k+1}{50-k}\times3=\dfrac{2}{5}$$

$$15(k+1)=2(50-k)$$
$$17k=85\quad\therefore k=5$$  **답 5**

**15** 확률변수 $X$가 이항분포 $\mathrm{B}\left(100,\dfrac{1}{5}\right)$을 따르므로

$$\sigma(X)=\sqrt{100\times\dfrac{1}{5}\times\dfrac{4}{5}}=4$$

$$\therefore \sigma(3X-4)=3\sigma(X)=3\times4=12$$  **답 12**

**16** 확률변수 $X$가 이항분포 $\mathrm{B}(20,\ p)$를 따르므로 $X$의 분산은

$$\mathrm{V}(X)=20\times p\times(1-p)$$
$$=-20p^2+20p$$
$$=-20\left(p-\dfrac{1}{2}\right)^2+5$$

따라서 $p=\dfrac{1}{2}$일 때, 분산의 최댓값은 5이다.  **답 5**

**17** 확률변수 $X$가 이항분포 $\mathrm{B}(n,\ p)$를 따를 때, $X$의 평균이 $\dfrac{4}{5}$이므로

$$\mathrm{E}(X)=np=\dfrac{4}{5}\qquad\cdots\cdots\ \bigcirc$$

또 $X^2$의 평균이 $\dfrac{32}{25}$이므로

$$\mathrm{V}(X)=np(1-p)=\mathrm{E}(X^2)-\{\mathrm{E}(X)\}^2$$에서

$$np(1-p)=\dfrac{32}{25}-\left(\dfrac{4}{5}\right)^2=\dfrac{16}{25}\qquad\cdots\cdots\ \bigcirc$$

$\bigcirc\div\bigcirc$을 하면

$$1-p=\dfrac{4}{5}\qquad\therefore p=\dfrac{1}{5}$$

$p=\dfrac{1}{5}$을 $\bigcirc$에 대입하면

$$\dfrac{1}{5}n=\dfrac{4}{5}\qquad\therefore n=4$$

따라서 확률변수 $X$가 이항분포 $\mathrm{B}\left(4,\dfrac{1}{5}\right)$을 따르므로

$$\mathrm{P}(X=3)={}_{4}\mathrm{C}_3\left(\dfrac{1}{5}\right)^3\left(\dfrac{4}{5}\right)=\dfrac{16}{5^4}$$  **답 ④**

**18** 확률변수 $X$가 이항분포 $\mathrm{B}\left(3,\dfrac{1}{4}\right)$을 따르므로 $X$의 평균은

$$\sum_{i=0}^{3}i\times p_i=\mathrm{E}(X)=3\times\dfrac{1}{4}=\dfrac{3}{4}$$

즉, $\mathrm{E}(X)=0\times p_0+1\times p_1+2\times p_2+3\times p_3=\dfrac{3}{4}$이므로

$$p_1+2p_2+3p_3=\dfrac{3}{4}$$  **답 ③**

**19** 확률변수 $X$가 이항분포 $\mathrm{B}\!\left(7, \frac{1}{3}\right)$을 따르므로 $X$의 평균은

$$\sum_{i=0}^{7} i \times p_i = \mathrm{E}(X) = 7 \times \frac{1}{3} = \frac{7}{3}$$

$$\therefore \sum_{i=0}^{7} (9i-4)p_i = 9\sum_{i=0}^{7} i \times p_i - 4\sum_{i=0}^{7} p_i$$

$$= 9 \times \frac{7}{3} - 4 \times 1 = 17$$

🔳 17

**20** 이항분포 $\mathrm{B}\!\left(45, \frac{2}{3}\right)$를 따르는 확률변수 $X$의 평균과 분산은

$$\mathrm{E}(X) = 45 \times \frac{2}{3} = 30$$

$$\mathrm{V}(X) = 45 \times \frac{2}{3} \times \frac{1}{3} = 10$$

$\mathrm{V}(X) = \mathrm{E}(X^2) - \{\mathrm{E}(X)\}^2$에서

$$10 = \mathrm{E}(X^2) - 30^2$$

$$\therefore \mathrm{E}(X^2) = 10 + 30^2 = 910$$

$$\therefore \sum_{i=0}^{45} i^2 \times p_i = \mathrm{E}(X^2) = 910$$

🔳 910

**21** 두 주사위의 눈의 수의 합이 4의 배수가 되는 경우는 다음과 같다.
(ⅰ) 합이 4인 경우
　$(1, 3)$, $(2, 2)$, $(3, 1)$의 3가지
(ⅱ) 합이 8인 경우
　$(2, 6)$, $(3, 5)$, $(4, 4)$, $(5, 3)$, $(6, 2)$의 5가지
(ⅲ) 합이 12인 경우
　$(6, 6)$의 1가지
(ⅰ), (ⅱ), (ⅲ)에서 두 주사위의 눈의 수의 합이 4의 배수가 될 확률은 $\frac{9}{36} = \frac{1}{4}$이고, 두 주사위를 180번 던지는 시행에서 확률변수 $X$의 확률분포는 독립시행의 확률을 따르므로 $X$는 이항분포 $\mathrm{B}\!\left(180, \frac{1}{4}\right)$을 따른다. 따라서 $X$의 평균은

$$\mathrm{E}(X) = 180 \times \frac{1}{4} = 45$$

🔳 ②

**22** 학생의 혈액형이 A형일 확률이 $\frac{25}{100} = \frac{1}{4}$,

AB형일 확률이 $\frac{20}{100} = \frac{1}{5}$이고,

400명 중에서 A형, AB형인 학생 수를 각각 나타내는 두 확률변수 $X$, $Y$의 확률분포는 각각 독립시행의 확률을 따르므로 $X$는 이항분포 $\mathrm{B}\!\left(400, \frac{1}{4}\right)$, $Y$는 이항분포 $\mathrm{B}\!\left(400, \frac{1}{5}\right)$을 따른다.

$$\therefore \mathrm{V}(X) = 400 \times \frac{1}{4} \times \frac{3}{4} = 75$$

$$\mathrm{V}(Y) = 400 \times \frac{1}{5} \times \frac{4}{5} = 64$$

$$\therefore \mathrm{V}(X) + \mathrm{V}(Y) = 75 + 64 = 139$$

🔳 139

**23** 두 주사위의 눈의 수의 합이 5의 배수가 되는 경우는 다음과 같다.
(ⅰ) 합이 5인 경우
　$(1, 4)$, $(2, 3)$, $(3, 2)$, $(4, 1)$의 4가지
(ⅱ) 합이 10인 경우
　$(4, 6)$, $(5, 5)$, $(6, 4)$의 3가지

(ⅰ), (ⅱ)에서 두 주사위의 눈의 수의 합이 5의 배수가 될 확률은 $\frac{7}{36}$이고, 두 주사위를 180번 던지는 시행에서 확률변수 $X$의 확률분포는 독립시행의 확률을 따르므로 $X$는 이항분포 $\mathrm{B}\!\left(180, \frac{7}{36}\right)$을 따른다. 따라서 $X$의 평균은

$$\mathrm{E}(X) = 180 \times \frac{7}{36} = 35$$

$$\therefore \sum_{i=0}^{180} (3i-2)p_i = 3\sum_{i=0}^{180} i \times p_i - 2\sum_{i=0}^{180} p_i$$

$$= 3 \times 35 - 2 = 103$$

🔳 103

**24** 흡연하는 사람이 폐암에 걸릴 확률은 $\frac{3}{10}$이고, 확률변수 $X$의 확률분포는 독립시행의 확률을 따르므로 $X$는 이항분포 $\mathrm{B}\!\left(200, \frac{3}{10}\right)$을 따른다. 따라서 $X$의 평균과 분산은

$$\mathrm{E}(X) = 200 \times \frac{3}{10} = 60$$

$$\mathrm{V}(X) = 200 \times \frac{3}{10} \times \frac{7}{10} = 42$$

$\mathrm{V}(X) = \mathrm{E}(X^2) - \{\mathrm{E}(X)\}^2$에서

$$42 = \mathrm{E}(X^2) - 60^2$$

$$\therefore \mathrm{E}(X^2) = 42 + 60^2 = 3642$$

🔳 3642

**25** 복권이 당첨될 확률은 $\frac{1}{3}$이고, 9장의 복권 중에서 당첨되는 복권의 개수인 확률변수 $X$의 확률분포는 독립시행의 확률을 따르므로 $X$는 이항분포 $\mathrm{B}\!\left(9, \frac{1}{3}\right)$을 따른다.

$X$의 평균과 분산은

$$\mathrm{E}(X) = 9 \times \frac{1}{3} = 3, \quad \mathrm{V}(X) = 9 \times \frac{1}{3} \times \frac{2}{3} = 2$$

$\mathrm{V}(X) = \mathrm{E}(X^2) - \{\mathrm{E}(X)\}^2$에서

$$2 = \mathrm{E}(X^2) - 3^2$$

$$\therefore \mathrm{E}(X^2) = 2 + 3^2 = 11$$

$$\therefore \mathrm{E}((2X-1)^2) = \mathrm{E}(4X^2 - 4X + 1)$$

$$= 4\mathrm{E}(X^2) - 4\mathrm{E}(X) + 1$$

$$= 44 - 12 + 1 = 33$$

🔳 33

**26** 1회의 시행에서 동전의 앞면이 나올 확률은 $\frac{1}{2}$이고, 동전을 4번 던지는 시행에서 확률변수 $X$의 확률분포는 독립시행의 확률을 따르므로 $X$는 이항분포 $\mathrm{B}\!\left(4, \frac{1}{2}\right)$을 따른다.

$X$의 평균과 분산은

$$\mathrm{E}(X) = 4 \times \frac{1}{2} = 2, \quad \mathrm{V}(X) = 4 \times \frac{1}{2} \times \frac{1}{2} = 1$$

$\mathrm{V}(X) = \mathrm{E}(X^2) - \{\mathrm{E}(X)\}^2$에서

$$1 = \mathrm{E}(X^2) - 2^2$$

$$\therefore \mathrm{E}(X^2) = 1 + 2^2 = 5$$

$(X-a)^2$의 기댓값은

$$f(a) = \mathrm{E}((X-a)^2) = \mathrm{E}(X^2 - 2aX + a^2)$$

$$= \mathrm{E}(X^2) - 2a\mathrm{E}(X) + a^2$$

$$= 5 - 4a + a^2 = (a-2)^2 + 1$$

따라서 $f(a)$의 최솟값은 1이다.

🔳 ①

**27** 주어진 확률분포표로부터 확률변수 $X$의 확률질량함수는

$$P(X=x)=3^x \times {}_{160}C_x \left(\frac{1}{2}\right)^{320}$$
$$=3^x \times {}_{160}C_x \left(\frac{1}{4}\right)^{160}$$
$$=3^x \times {}_{160}C_x \left(\frac{1}{4}\right)^x \left(\frac{1}{4}\right)^{160-x}$$
$$={}_{160}C_x \left(\frac{3}{4}\right)^x \left(\frac{1}{4}\right)^{160-x} (x=0, 1, 2, \cdots, 160)$$

이므로 확률변수 $X$는 이항분포 $B\left(160, \frac{3}{4}\right)$을 따른다.

$X$의 평균과 분산은

$$E(X)=160 \times \frac{3}{4}=120$$

$$V(X)=160 \times \frac{3}{4} \times \frac{1}{4}=30$$

$$\therefore E(X)+V(X)=120+30=150 \qquad \text{달} ⑤$$

**28** 확률변수 $X$의 확률질량함수가

$$P(X=x)={}_9C_x \left(\frac{1}{3}\right)^x \left(\frac{2}{3}\right)^{9-x} (x=0, 1, 2, \cdots, 9)$$

이므로 확률변수 $X$는 이항분포 $B\left(9, \frac{1}{3}\right)$을 따른다.

$X$의 평균과 분산은

$$E(X)=9 \times \frac{1}{3}=3$$

$$V(X)=9 \times \frac{1}{3} \times \frac{2}{3}=2$$

$V(X)=E(X^2)-\{E(X)\}^2$에서

$$2=E(X^2)-3^2$$

$$\therefore E(X^2)=2+3^2=11 \qquad \text{달} ②$$

**29** 확률변수 $X$의 확률질량함수가

$$P(X=x)={}_{49}C_x \frac{6^x}{7^{49}}={}_{49}C_x \frac{6^x}{7^x \times 7^{49-x}}$$
$$={}_{49}C_x \left(\frac{6}{7}\right)^x \left(\frac{1}{7}\right)^{49-x} (x=0, 1, 2, \cdots, 49)$$

이므로 $X$는 이항분포 $B\left(49, \frac{6}{7}\right)$을 따른다.

$X$의 평균과 분산은

$$E(X)=49 \times \frac{6}{7}=42$$

$$V(X)=49 \times \frac{6}{7} \times \frac{1}{7}=6$$

$V(X)=E(X^2)-\{E(X)\}^2$에서

$$6=E(X^2)-42^2$$

$$\therefore E(X^2)=6+42^2=1770 \qquad \text{달} 1770$$

**30** $\sum\limits_{x=0}^{72} x \times {}_{72}C_x \left(\frac{1}{6}\right)^x \left(\frac{5}{6}\right)^{72-x}$의 값은 이항분포 $B\left(72, \frac{1}{6}\right)$을 따르는 확률변수 $X$의 평균을 나타내므로

$$\sum\limits_{x=0}^{72} x \times {}_{72}C_x \left(\frac{1}{6}\right)^x \left(\frac{5}{6}\right)^{72-x}=E(X)$$
$$=72 \times \frac{1}{6}=12 \qquad \text{달} ③$$

**31** $\sum\limits_{x=0}^{36} x^2 \times {}_{36}C_x \left(\frac{1}{3}\right)^x \left(\frac{2}{3}\right)^{36-x}$의 값은 이항분포 $B\left(36, \frac{1}{3}\right)$을 따르는 확률변수 $X$에 대하여 $X^2$의 평균과 같다.

$X$의 평균과 분산은

$$E(X)=36 \times \frac{1}{3}=12, \ V(X)=36 \times \frac{1}{3} \times \frac{2}{3}=8$$

$V(X)=E(X^2)-\{E(X)\}^2$에서

$$8=E(X^2)-12^2$$

$$\therefore E(X^2)=8+144=152$$

$$\therefore \sum\limits_{x=0}^{36} x^2 \times {}_{36}C_x \left(\frac{1}{3}\right)^x \left(\frac{2}{3}\right)^{36-x}=E(X^2)=152 \qquad \text{달} ④$$

**32** 이항분포 $B(n, p)$를 따르는 확률변수 $X$의 분산이 $\frac{16}{9}$이므로

$$V(X)=np(1-p)=\frac{16}{9} \qquad \cdots\cdots ㉠$$

또 $X$의 확률질량함수가

$$P(X=k)={}_nC_k p^k (1-p)^{n-k} (k=0, 1, 2, \cdots, n)$$

이므로

$$\frac{P(X=n-1)}{P(X=n)}=\frac{{}_nC_{n-1} p^{n-1}(1-p)}{{}_nC_n p^n (1-p)^0}=\frac{n(1-p)}{p}=4$$

$$\therefore n(1-p)=4p \qquad \cdots\cdots ㉡$$

㉠÷㉡을 하면 $p=\frac{4}{9p}$, $p^2=\frac{4}{9}$

$p>0$이므로 $p=\frac{2}{3}$

$p=\frac{2}{3}$를 ㉠에 대입하면

$$n \times \frac{2}{3} \times \frac{1}{3}=\frac{16}{9} \qquad \therefore n=\frac{16}{9} \times \frac{9}{2}=8$$

따라서 확률변수 $X$가 이항분포 $B\left(8, \frac{2}{3}\right)$를 따르므로

$$E(X)=8 \times \frac{2}{3}=\frac{16}{3}$$

$V(X)=E(X^2)-\{E(X)\}^2$에서

$$\frac{16}{9}=E(X^2)-\left(\frac{16}{3}\right)^2$$

$$\therefore E(X^2)=\frac{16}{9}+\left(\frac{16}{3}\right)^2=\frac{272}{9}$$

$$\therefore a+b=9+272=281 \qquad \text{달} 281$$

**33** 주머니에서 꺼낸 1개의 공이 흰 공일 확률은 $\frac{4}{4+m}$이고, 확률변수 $X$의 확률분포는 독립시행의 확률을 따르므로 $X$는 이항분포 $B\left(n, \frac{4}{4+m}\right)$를 따른다.

$$E(X)=n \times \frac{4}{4+m}=40 \qquad \cdots\cdots ㉠$$

$$V(X)=n \times \frac{4}{4+m} \times \left(1-\frac{4}{4+m}\right)=24 \qquad \cdots\cdots ㉡$$

㉡÷㉠을 하면 $1-\frac{4}{4+m}=\frac{24}{40}$

$$\frac{4}{4+m}=\frac{4}{10}, \ 4+m=10 \qquad \therefore m=6$$

$m=6$을 ㉠에 대입하면

$$n \times \frac{4}{10}=40 \qquad \therefore n=100$$

$$\therefore n-m=100-6=94 \qquad \text{달} ④$$

**34** 한 명이 하루에 한 번 이상 매점을 이용할 확률은 $\dfrac{2}{5}$이고, 50명을 임의로 택하는 것은 50회의 독립시행이므로 확률변수 $X$는 이항분포 $B\left(50, \dfrac{2}{5}\right)$를 따른다.

$X$의 평균과 분산은

$E(X) = 50 \times \dfrac{2}{5} = 20$

$V(X) = 50 \times \dfrac{2}{5} \times \dfrac{3}{5} = 12$

$\displaystyle\sum_{k=0}^{50} k^2 P(X=k) = E(X^2)$이므로

$V(X) = E(X^2) - \{E(X)\}^2$에서

$12 = E(X^2) - 20^2$

$\therefore E(X^2) = 12 + 20^2 = 412$

$\therefore \displaystyle\sum_{k=0}^{50} k^2 P(X=k) = 412$ 📋 412

**35** 확률변수 $X = \dfrac{1}{3}Y + 2$라 하면 $Y = 3X - 6$이므로 확률변수 $Y$의 확률분포를 표로 나타내면 다음과 같다.

| $Y$ | 0 | 1 | 2 |
|---|---|---|---|
| $P(Y=y)$ | $_{15}C_0 \left(\dfrac{2}{5}\right)^{15}$ | $_{15}C_1 \left(\dfrac{3}{5}\right)\left(\dfrac{2}{5}\right)^{14}$ | $_{15}C_2 \left(\dfrac{3}{5}\right)^2\left(\dfrac{2}{5}\right)^{13}$ |

| 3 | $\cdots$ | 15 | 합계 |
|---|---|---|---|
| $_{15}C_3 \left(\dfrac{3}{5}\right)^3\left(\dfrac{2}{5}\right)^{12}$ | $\cdots$ | $_{15}C_{15} \left(\dfrac{3}{5}\right)^{15}$ | 1 |

따라서 확률변수 $Y$는 이항분포 $B\left(15, \dfrac{3}{5}\right)$을 따르므로 $Y$의 평균과 분산은

$E(Y) = 15 \times \dfrac{3}{5} = 9$

$V(Y) = 15 \times \dfrac{3}{5} \times \dfrac{2}{5} = \dfrac{18}{5}$

$X = \dfrac{1}{3}Y + 2$이므로

$E(X) = E\left(\dfrac{1}{3}Y + 2\right) = \dfrac{1}{3}E(Y) + 2$

$\qquad = \dfrac{1}{3} \times 9 + 2 = 5$

$V(X) = V\left(\dfrac{1}{3}Y + 2\right) = \left(\dfrac{1}{3}\right)^2 V(Y)$

$\qquad = \dfrac{1}{9} \times \dfrac{18}{5} = \dfrac{2}{5}$

$\therefore E(X) + V(X) = 5 + \dfrac{2}{5} = \dfrac{27}{5}$ 📋 $\dfrac{27}{5}$

**36** 확률변수 $X$의 확률질량함수가

$P(X=x) = {}_{100}C_x \left(\dfrac{1}{5}\right)^x \left(\dfrac{4}{5}\right)^{100-x}$ $(x=0, 1, 2, \cdots, 100)$

이므로 $X$는 이항분포 $B\left(100, \dfrac{1}{5}\right)$을 따른다.

$\displaystyle\sum_{x=0}^{100} x \,{}_{100}C_x \left(\dfrac{1}{5}\right)^x \left(\dfrac{4}{5}\right)^{100-x} = E(X)$,

$\displaystyle\sum_{x=0}^{100} x^2 \,{}_{100}C_x \left(\dfrac{1}{5}\right)^x \left(\dfrac{4}{5}\right)^{100-x} = E(X^2)$이므로

(주어진 식) $= E(X^2) - \{E(X)\}^2 = V(X)$

$\qquad = 100 \times \dfrac{1}{5} \times \dfrac{4}{5} = 16$ 📋 16

**37** 확률의 총합은 1이므로

$\displaystyle\sum_{x=1}^{6} P(X=x) = \dfrac{1}{k} \sum_{x=1}^{6} {}_6C_x = \dfrac{1}{k}\left(\sum_{x=0}^{6} {}_6C_x - {}_6C_0\right)$

$\qquad = \dfrac{1}{k}({}_6C_0 + {}_6C_1 + \cdots + {}_6C_6 - {}_6C_0) = 1$

$\therefore k = 2^6 - 1 = 63$

$E(X^2) = \displaystyle\sum_{x=1}^{6} x^2 \times P(X=x) = \sum_{x=1}^{6} x^2 \times \dfrac{{}_6C_x}{63}$

$\qquad = \dfrac{2^6}{63} \sum_{x=1}^{6} x^2 \times {}_6C_x \left(\dfrac{1}{2}\right)^6$

$\qquad = \dfrac{2^6}{63} \sum_{x=0}^{6} x^2 \times {}_6C_x \left(\dfrac{1}{2}\right)^6$ $\qquad$ …… ㉠

확률변수 $Y$가 이항분포 $B\left(6, \dfrac{1}{2}\right)$을 따른다고 하면 $Y$의 확률질량함수는

$P(Y=y) = {}_6C_y \left(\dfrac{1}{2}\right)^6$ $(y=0, 1, 2, 3, 4, 5, 6)$

이고, $Y$의 평균과 분산은

$E(Y) = 6 \times \dfrac{1}{2} = 3$, $V(Y) = 6 \times \dfrac{1}{2} \times \dfrac{1}{2} = \dfrac{3}{2}$

$\therefore E(Y^2) = V(Y) + \{E(Y)\}^2$

$\qquad = \dfrac{3}{2} + 3^2 = \dfrac{21}{2}$

$E(Y^2) = \displaystyle\sum_{y=0}^{6} y^2 \times {}_6C_y \left(\dfrac{1}{2}\right)^6$이므로 ㉠에서

$E(X^2) = \dfrac{2^6}{63} E(Y^2) = \dfrac{2^6}{63} \times \dfrac{21}{2} = \dfrac{32}{3}$

$\therefore E(21X^2 + 3) = 21E(X^2) + 3$

$\qquad = 21 \times \dfrac{32}{3} + 3 = 227$ 📋 227

다른 풀이

$\displaystyle\sum_{x=1}^{6} P(X=x) = \dfrac{1}{k} \sum_{x=1}^{6} {}_6C_x = \dfrac{1}{k}(2^6 - 1) = 1$ $\quad \therefore k = 63$

따라서 확률변수 $X$의 확률질량함수는

$P(X=x) = \dfrac{{}_6C_x}{63}$ $(x=1, 2, 3, 4, 5, 6)$

이므로 $X$의 확률분포를 표로 나타내면 다음과 같다.

| $X$ | 1 | 2 | 3 | 4 | 5 | 6 | 합계 |
|---|---|---|---|---|---|---|---|
| $P(X=x)$ | $\dfrac{{}_6C_1}{63}$ | $\dfrac{{}_6C_2}{63}$ | $\dfrac{{}_6C_3}{63}$ | $\dfrac{{}_6C_4}{63}$ | $\dfrac{{}_6C_5}{63}$ | $\dfrac{{}_6C_6}{63}$ | 1 |

$E(X^2) = \dfrac{1}{63}(1^2 \times {}_6C_1 + 2^2 \times {}_6C_2 + 3^2 \times {}_6C_3 + 4^2 \times {}_6C_4$

$\qquad\qquad\qquad + 5^2 \times {}_6C_5 + 6^2 \times {}_6C_6)$

$\qquad = \dfrac{1}{63}(1 \times 6 + 4 \times 15 + 9 \times 20 + 16 \times 15 + 25 \times 6$

$\qquad\qquad\qquad + 36 \times 1)$

$\qquad = \dfrac{1}{63} \times 672 = \dfrac{32}{3}$

$\therefore E(21X^2 + 3) = 21E(X^2) + 3$

$\qquad = 21 \times \dfrac{32}{3} + 3 = 227$

**01** 정규분포곡선은 직선 $x=m$에 대하여 대칭이므로

$P(X \le 12) = P(X \ge 18)$에서

$m = \dfrac{12+18}{2} = 15$      **답** 15

**02** 확률변수 $X$가 정규분포 $N(m, \sigma^2)$을 따르므로 그림과 같이 정규분포곡선은 직선 $x=m$에 대하여 대칭이다.

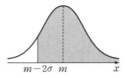

$\therefore P(X \ge m-2\sigma) = P(m-2\sigma \le X \le m) + P(X \ge m)$
$\qquad = P(m \le X \le m+2\sigma) + 0.5$
$\qquad = 0.4772 + 0.5$
$\qquad = 0.9772$      **답** ⑤

**03** 확률변수 $X$가 정규분포 $N(70, 10^2)$을 따르므로 $Z = \dfrac{X-70}{10}$

으로 놓으면 $Z$는 표준정규분포 $N(0, 1)$을 따른다.

$\therefore P(60 \le X \le 90) = P\left( \dfrac{60-70}{10} \le Z \le \dfrac{90-70}{10} \right)$
$\qquad = P(-1 \le Z \le 2)$
$\qquad = P(-1 \le Z \le 0) + P(0 \le Z \le 2)$
$\qquad = P(0 \le Z \le 1) + P(0 \le Z \le 2)$
$\qquad = 0.3413 + 0.4772$
$\qquad = 0.8185$      **답** 0.8185

**04** 두 확률변수 $X$, $Y$가 각각 정규분포 $N(2, 3^2)$, $N(2, 4^2)$을 따르므로

$Z_X = \dfrac{X-2}{3}$, $Z_Y = \dfrac{Y-2}{4}$

로 놓으면 $Z_X$, $Z_Y$는 모두 표준정규분포 $N(0, 1)$을 따른다.

$P(X \ge 2k) = P(Y \ge k)$에서

$P\left( Z_X \ge \dfrac{2k-2}{3} \right) = P\left( Z_Y \ge \dfrac{k-2}{4} \right)$

따라서 $\dfrac{2k-2}{3} = \dfrac{k-2}{4}$이므로

$8k-8 = 3k-6$    $\therefore k = \dfrac{2}{5}$      **답** $\dfrac{2}{5}$

**05** 테니스공 한 개의 무게를 확률변수 $X$라 하면 $X$는 정규분포 $N(56, 0.5^2)$을 따르므로 $Z = \dfrac{X-56}{0.5}$으로 놓으면 $Z$는 표준정규분포 $N(0, 1)$을 따른다.

$\therefore P(55.5 \le X \le 56.5) = P\left( \dfrac{55.5-56}{0.5} \le Z \le \dfrac{56.5-56}{0.5} \right)$
$\qquad = P(-1 \le Z \le 1)$
$\qquad = 2P(0 \le Z \le 1)$
$\qquad = 2 \times 0.3413$
$\qquad = 0.6826$      **답** 0.6826

**06** 학생들의 몸무게를 확률변수 $X$라 하면 $X$는 정규분포

$N(50, 4^2)$을 따르므로 $Z = \dfrac{X-50}{4}$으로 놓으면 $Z$는 표준정규분포 $N(0, 1)$을 따른다.

$\therefore P(44 \le X \le 58) = P\left( \dfrac{44-50}{4} \le Z \le \dfrac{58-50}{4} \right)$
$\qquad = P(-1.5 \le Z \le 2)$
$\qquad = P(0 \le Z \le 1.5) + P(0 \le Z \le 2)$
$\qquad = 0.433 + 0.477 = 0.91$

따라서 구하는 학생 수는

$400 \times 0.91 = 364$      **답** 364

**07** 확률변수 $X$는 이항분포 $B\left(720, \dfrac{1}{6}\right)$을 따르므로

$E(X) = 720 \times \dfrac{1}{6} = 120$,

$V(X) = 720 \times \dfrac{1}{6} \times \dfrac{5}{6} = 100$

따라서 확률변수 $X$는 근사적으로 정규분포 $N(120, 10^2)$을 따르므로

$P(100 \le X \le 140) = P\left( \dfrac{100-120}{10} \le Z \le \dfrac{140-120}{10} \right)$
$\qquad = P(-2 \le Z \le 2) = 2P(0 \le Z \le 2)$
$\qquad = 2 \times 0.4772 = 0.9544$      **답** ⑤

**08** 확률변수 $X$는 이항분포 $B\left(48, \dfrac{1}{4}\right)$을 따르므로

$E(X) = 48 \times \dfrac{1}{4} = 12$, $V(X) = 48 \times \dfrac{1}{4} \times \dfrac{3}{4} = 9$

따라서 확률변수 $X$는 근사적으로 정규분포 $N(12, 3^2)$을 따르므로

$P(12 \le X \le 18) = P\left( \dfrac{12-12}{3} \le Z \le \dfrac{18-12}{3} \right)$
$\qquad = P(0 \le Z \le 2)$
$\qquad = 0.4772$      **답** 0.4772

**09** 정규분포곡선은 직선 $x=m$에 대하여 대칭이고, 정규분포곡선과 $x$축으로 둘러싸인 부분의 넓이가 1이다.

ㄱ. $P(X \ge m) = 0.5$ (참)

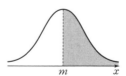

ㄴ. $P(X \ge m+\sigma) = P(X \le m-\sigma)$ (참)

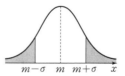

ㄷ. $P(X \ge m+\sigma) > P(X \ge m+2\sigma)$ (거짓)

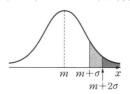

따라서 옳은 것은 ㄱ, ㄴ이다.      **답** ㄱ, ㄴ

**10** 정규분포 $N(m, \sigma^2)$을 나타내는 정규분포곡선은 그림과 같이 직선 $x=m$에 대하여 대칭이므로 $P(c \le X \le c+2)$가 최대가 되려면 $c$와 $c+2$의 중점이 $m$이어야 한다.

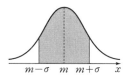

즉, $\dfrac{c+(c+2)}{2}=m$이므로 $c=m-1$　　　**답** ②

**11** $P(|X-m| \le \sigma)=a$에서
$P(-\sigma \le X-m \le \sigma)=a$
$\therefore P(m-\sigma \le X \le m+\sigma)=a$　　　……㉠
$P(|X-m| \le 2\sigma)=b$에서
$P(-2\sigma \le X-m \le 2\sigma)=b$
$\therefore P(m-2\sigma \le X \le m+2\sigma)=b$　　　……㉡
$\therefore P(m-\sigma \le X \le m+2\sigma)$
$\quad = P(m-\sigma \le X \le m)+P(m \le X \le m+2\sigma)$
$\quad = \dfrac{1}{2}P(m-\sigma \le X \le m+\sigma)$
$\qquad\qquad\qquad + \dfrac{1}{2}P(m-2\sigma \le X \le m+2\sigma)$
$\quad = \dfrac{1}{2}a + \dfrac{1}{2}b \ (\because ㉠, ㉡)$
$\quad = \dfrac{a+b}{2}$　　　**답** ③

**12** 정규분포곡선은 직선 $x=m$에 대하여 대칭이므로
$P(X \le 6)=P(X \ge 10)$에서
$m=\dfrac{6+10}{2}=8$

또 $E(X^2)=100$이므로
$V(X)=E(X^2)-\{E(X)\}^2$
$\qquad = 100-8^2=36$
$\therefore \sigma=\sqrt{V(X)}=6$
$\therefore m+\sigma=8+6=14$　　　**답** 14

**13** 확률변수 $X$가 정규분포 $N(8, 2^2)$을 따르므로
$m=8, \sigma=2$
ㄱ. $P(X \le 10)=P(X \le 8+2)$
$\qquad\qquad = P(X \le m+\sigma)$
$\qquad\qquad = P(X \le m)+P(m \le X \le m+\sigma)$
$\qquad\qquad = 0.5+0.3413=0.8413$ (거짓)
ㄴ. $P(4 \le X \le 12)$
$\quad = P(8-2\times2 \le X \le 8+2\times2)$
$\quad = P(m-2\sigma \le X \le m+2\sigma)$
$\quad = P(m-2\sigma \le X \le m)+P(m \le X \le m+2\sigma)$
$\quad = 2P(m \le X \le m+2\sigma)$
$\quad = 2\times0.4772=0.9544$ (참)
ㄷ. $P(X \ge 14)=P(X \ge 8+3\times2)$
$\qquad\qquad = P(X \ge m+3\sigma)$
$\qquad\qquad = P(X \ge m)-P(m \le X \le m+3\sigma)$
$\qquad\qquad = 0.5-0.4987=0.0013$ (참)
따라서 옳은 것은 ㄴ, ㄷ이다.　　　**답** ④

**14** $P(X \ge a)=0.8849$에서
$P(a \le X \le m)+P(X \ge m)=0.8849$
$\therefore P(a \le X \le m)=0.8849-0.5=0.3849$
$P(X \ge m+1.2\sigma)=0.1151$이므로
$P(X \ge m)-P(m \le X \le m+1.2\sigma)=0.1151$
$\therefore P(m \le X \le m+1.2\sigma)=0.5-0.1151=0.3849$
즉, $P(m-1.2\sigma \le X \le m)=0.3849$이므로
$a=m-1.2\sigma$
$\ = 80-1.2\times5=74$　　　**답** 74

**15** 확률변수 $X$가 정규분포 $N(m, 5^2)$을 따르므로 $Z=\dfrac{X-m}{5}$
으로 놓으면 $Z$는 표준정규분포 $N(0, 1)$을 따른다.
$P(X \ge 120)=P\left(Z \ge \dfrac{120-m}{5}\right)$
$\qquad\qquad = P(Z \ge 0)-P\left(0 \le Z \le \dfrac{120-m}{5}\right)$
$\qquad\qquad = 0.5-P\left(0 \le Z \le \dfrac{120-m}{5}\right)=0.0228$
$\therefore P\left(0 \le Z \le \dfrac{120-m}{5}\right)=0.4772$
한편, $P(|Z| \le 2)=0.9544$에서
$P(-2 \le Z \le 2)=2P(0 \le Z \le 2)=0.9544$
즉, $P(0 \le Z \le 2)=0.4772$이므로
$\dfrac{120-m}{5}=2 \qquad \therefore m=110$　　　**답** 110

**16** 두 확률변수 $X, Y$가 각각 정규분포 $N(1, 1^2)$, $N(1, 2^2)$을 따르므로 $Z_X=\dfrac{X-1}{1}$, $Z_Y=\dfrac{Y-1}{2}$로 놓으면 $Z_X, Z_Y$는 모두 표준정규분포 $N(0, 1)$을 따른다.
$a=P(0 < X < 2)=P\left(\dfrac{0-1}{1} < Z_X < \dfrac{2-1}{1}\right)$
$\ = P(-1 < Z_X < 1)$
$b=P(1 < Y < 5)=P\left(\dfrac{1-1}{2} < Z_Y < \dfrac{5-1}{2}\right)$
$\ = P(0 < Z_Y < 2)$
$c=P(-3 < Y < 3)=P\left(\dfrac{-3-1}{2} < Z_Y < \dfrac{3-1}{2}\right)$
$\ = P(-2 < Z_Y < 1)$
따라서 그림의 표준정규분포곡선에서
$b < a < c$

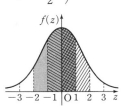

**답** ③

**17** 한국, 미국, 일본의 대졸 신입 사원의 월급을 각각 확률변수 $X_1, X_2, X_3$이라 하면
$X_1, X_2, X_3$은 각각 정규분포 $N(1800000, 100000^2)$, $N(3000, 300^2)$, $N(280000, 25000^2)$을 따르므로
$Z_1=\dfrac{X_1-1800000}{100000}$, $Z_2=\dfrac{X_2-3000}{300}$,
$Z_3=\dfrac{X_3-280000}{25000}$으로 놓으면

세 확률변수 $Z_1$, $Z_2$, $Z_3$은 모두 표준정규분포 $N(0, 1)$을 따른다. A, B, C 세 사람의 월급을 각각 표준화하면

$$Z_A = \frac{1940000-1800000}{100000} = 1.4,$$

$$Z_B = \frac{3250-3000}{300} = 0.83 \times \times \times,$$

$$Z_C = \frac{310000-280000}{25000} = 1.2$$

이고, 그 값이 클수록 상대적으로 월급을 많이 받는다.
따라서 $Z_B < Z_C < Z_A$이므로 자국 내에서 상대적으로 월급을 많이 받는 사람부터 순서대로 적으면 A, C, B이다.

　답 ②

**18** 확률변수 $X$는 정규분포 $N(50, 5^2)$을 따르므로 $Z = \frac{X-50}{5}$으로 놓으면 $Z$는 표준정규분포 $N(0, 1)$을 따른다.

$$P(X \geq a) = P\left(Z \geq \frac{a-50}{5}\right)$$

$$= 0.5 - P\left(0 \leq Z \leq \frac{a-50}{5}\right)$$

$$= 0.0013$$

즉, $P\left(0 \leq Z \leq \frac{a-50}{5}\right) = 0.4987$이므로

$$\frac{a-50}{5} = 3$$

$$\therefore a = 65$$

　답 65

**19** 정규분포곡선은 직선 $x=5$에 대하여 대칭이므로 $f(x)$의 최댓값은 $x$와 $x+6$의 중점이 5일 때이다.

즉, $\frac{x+(x+6)}{2} = 5$에서

$$2x+6 = 10 \qquad \therefore x = 2$$

$Z = \frac{X-5}{2}$로 놓으면 $Z$는 표준정규분포 $N(0, 1)$을 따르므로 구하는 최댓값은

$$f(2) = P(2 \leq X \leq 8) = P\left(\frac{2-5}{2} \leq Z \leq \frac{8-5}{2}\right)$$

$$= P(-1.5 \leq Z \leq 1.5) = 2P(0 \leq Z \leq 1.5)$$

$$= 2 \times 0.43 = 0.86$$

　답 0.86

**20** 확률변수 $X$가 정규분포 $N(65, 10^2)$을 따르므로 $Z_X = \frac{X-65}{10}$로 놓으면 $Z_X$는 표준정규분포 $N(0, 1)$을 따른다.

$$P(X \leq 55) = P\left(Z_X \leq \frac{55-65}{10}\right)$$

$$= P(Z_X \leq -1)$$

$$= P(Z_X \geq 1) = 0.1587$$

확률변수 $Y$가 $Y = 2X + 2$이므로

$$E(Y) = E(2X+2) = 2E(X) + 2$$

$$= 2 \times 65 + 2 = 132$$

$$V(Y) = V(2X+2) = 2^2 V(X) = 4 \times 10^2 = 20^2$$

따라서 확률변수 $Y$가 정규분포 $N(132, 20^2)$을 따르므로

$Z_Y = \frac{Y-132}{20}$로 놓으면 $Z_Y$는 표준정규분포 $N(0, 1)$을 따른다.

$$\therefore P(Y \leq 152) = P\left(Z_Y \leq \frac{152-132}{20}\right)$$

$$= P(Z_Y \leq 1) = 1 - P(Z_Y \geq 1)$$

$$= 1 - 0.1587 = 0.8413$$

　답 ④

다른 풀이

$$P(X \leq 55) = P\left(Z \leq \frac{55-65}{10}\right) = P(Z \leq -1)$$

$$= P(Z \geq 1) = 0.1587$$

확률변수 $Y$가 $Y = 2X + 2$이므로

$$P(Y \leq 152) = P(2X+2 \leq 152) = P(X \leq 75)$$

$$= P\left(Z \leq \frac{75-65}{10}\right) = P(Z \leq 1)$$

$$= 1 - P(Z \geq 1)$$

$$= 1 - 0.1587 = 0.8413$$

**21** 물고기 한 마리의 무게를 확률변수 $X$라 하면 $X$는 정규분포 $N(800, 50^2)$을 따르므로 $Z = \frac{X-800}{50}$으로 놓으면 $Z$는 표준정규분포 $N(0, 1)$을 따른다.

$$\therefore P(X \geq 830) = P\left(Z \geq \frac{830-800}{50}\right)$$

$$= P(Z \geq 0.6) = 0.5 - P(0 \leq Z \leq 0.6)$$

$$= 0.5 - 0.2257 = 0.2743$$

　답 ②

**22** 수학 시험 성적을 확률변수 $X$라 하면 $X$는 정규분포 $N(70, 5^2)$을 따르므로 $Z = \frac{X-70}{5}$으로 놓으면 $Z$는 표준정규분포 $N(0, 1)$을 따른다.

$$\therefore P(65 \leq X \leq 80) = P\left(\frac{65-70}{5} \leq Z \leq \frac{80-70}{5}\right)$$

$$= P(-1 \leq Z \leq 2)$$

$$= P(0 \leq Z \leq 1) + P(0 \leq Z \leq 2)$$

$$= 0.34 + 0.48 = 0.82$$

따라서 성적이 65점 이상 80점 이하인 학생은 전체의 82 %이다.

　답 82 %

**23** 이차방정식 $y^2 - 2Xy + 3X = 0$의 판별식을 $D$라 하면 허근을 갖기 위한 조건은

$$\frac{D}{4} = X^2 - 3X < 0$$에서 $X(X-3) < 0$ $\qquad \therefore 0 < X < 3$

즉, 구하는 확률은

$$P(0 < X < 3) = P(0 \leq X \leq 3)$$

$$(\because P(X=0) = 0, P(X=3) = 0)$$

확률변수 $X$가 정규분포 $N(1, 1^2)$을 따르므르 $Z = \frac{X-1}{1}$로 놓으면 $Z$는 표준정규분포 $N(0, 1)$을 따른다.

$$\therefore P(0 \leq X \leq 3) = P\left(\frac{0-1}{1} \leq Z \leq \frac{3-1}{1}\right)$$

$$= P(-1 \leq Z \leq 2)$$

$$= P(0 \leq Z \leq 1) + P(0 \leq Z \leq 2)$$

$$= 0.34 + 0.48 = 0.82$$

　답 0.82

**24** 제품 한 개의 무게를 확률변수 $X$라 하면 $X$는 정규분포 $N(50, 2^2)$을 따르므로 $Z=\dfrac{X-50}{2}$으로 놓으면 $Z$는 표준정규분포 $N(0, 1)$을 따른다.

$$\therefore P(X\geq 52.56)=P\left(Z\geq \dfrac{52.56-50}{2}\right)$$
$$=P(Z\geq 1.28)$$
$$=0.5-P(0\leq Z\leq 1.28)$$
$$=0.5-0.4=0.1$$

따라서 최상품으로 분류 받은 것은
$3650\times 0.1=365$(개)      답 365개

**25** 입사 시험 성적을 확률변수 $X$라 하면 $X$는 정규분포 $N(70, 12^2)$을 따르므로 $Z=\dfrac{X-70}{12}$으로 놓으면 $Z$는 표준정규분포 $N(0, 1)$을 따른다.

$$\therefore P(X\geq 88)=P\left(Z\geq \dfrac{88-70}{12}\right)$$
$$=P(Z\geq 1.5)$$
$$=0.5-P(0\leq Z\leq 1.5)$$
$$=0.5-0.43=0.07$$

따라서 구하는 등수는
$1000\times 0.07=70$(등)      답 70등

**26** 응시생의 성적을 확률변수 $X$라 하면 $X$는 정규분포 $N(395, 10^2)$을 따르므로 $Z=\dfrac{X-395}{10}$로 놓으면 $Z$는 표준정규분포 $N(0, 1)$을 따른다.

$$\therefore P(X\geq 410)=P\left(Z\geq \dfrac{410-395}{10}\right)$$
$$=P(Z\geq 1.5)$$
$$=0.5-P(0\leq Z\leq 1.5)$$
$$=0.5-0.43=0.07$$
$$\therefore n=400\times 0.07=28$$
     답 28

**27** 돼지의 무게를 확률변수 $X$라 하면 $X$는 정규분포 $N(110, 10^2)$을 따르므로 $Z=\dfrac{X-110}{10}$으로 놓으면 $Z$는 표준정규분포 $N(0, 1)$을 따른다.

우량 돼지 선발대회에 보낼 돼지의 최소 무게를 $k\,kg$이라 하면
$$P(X\geq k)=\dfrac{3}{200}=0.015$$
$$P\left(Z\geq \dfrac{k-110}{10}\right)=0.015$$
$$0.5-P\left(0\leq Z\leq \dfrac{k-110}{10}\right)=0.015$$

즉, $P\left(0\leq Z\leq \dfrac{k-110}{10}\right)=0.485$이므로

$$\dfrac{k-110}{10}=2.17 \quad \therefore k=131.7$$

따라서 구하는 최소 무게는 131.7 kg이다.      답 ②

**28** 전체 400명 중에서 상위 2 % 안에 드는 학생 수는
$a=400\times 0.02=8$

기말고사 성적을 확률변수 $X$라 하면 $X$는 정규분포 $N(77, 3^2)$을 따르므로 $Z=\dfrac{X-77}{3}$로 놓으면 $Z$는 표준정규분포 $N(0, 1)$을 따른다.
$$P(X\geq b)=0.02$$
$$P\left(Z\geq \dfrac{b-77}{3}\right)=0.02$$
$$0.5-P\left(0\leq Z\leq \dfrac{b-77}{3}\right)=0.02$$

즉, $P\left(0\leq Z\leq \dfrac{b-77}{3}\right)=0.48$이므로

$$\dfrac{b-77}{3}=2 \quad \therefore b=83$$
$$\therefore a+b=8+83=91$$
     답 91

**29** 확률변수 $X$가 이항분포 $B\left(100, \dfrac{1}{2}\right)$을 따르므로
$$E(X)=100\times \dfrac{1}{2}=50, \ V(X)=100\times \dfrac{1}{2}\times \dfrac{1}{2}=25$$

따라서 확률변수 $X$는 근사적으로 정규분포 $N(50, 5^2)$을 따르므로

$$P(40\leq X\leq 50)=P\left(\dfrac{40-50}{5}\leq Z\leq \dfrac{50-50}{5}\right)$$
$$=P(-2\leq Z\leq 0)$$
$$=P(0\leq Z\leq 2)$$
$$\therefore c=2$$
     답 ④

**30** 주어진 식의 값은 이항분포 $B\left(48, \dfrac{1}{4}\right)$을 따르는 확률변수 $X$에 대하여 확률 $P(9\leq X\leq 21)$과 같다.

$$E(X)=48\times \dfrac{1}{4}=12, \ V(X)=48\times \dfrac{1}{4}\times \dfrac{3}{4}=9$$

따라서 확률변수 $X$는 근사적으로 정규분포 $N(12, 3^2)$을 따르므로

$$P(9\leq X\leq 21)=P\left(\dfrac{9-12}{3}\leq Z\leq \dfrac{21-12}{3}\right)$$
$$=P(-1\leq Z\leq 3)$$
$$=P(0\leq Z\leq 1)+P(0\leq Z\leq 3)$$
$$=0.3413+0.4987$$
$$=0.84$$
     답 0.84

**31** 확률변수 $X$는 이항분포 $B(100, p)$를 따르므로
$E(X)=20$에서 $100p=20$
$$\therefore p=\dfrac{1}{5}$$
$$\therefore V(X)=100\times \dfrac{1}{5}\times \dfrac{4}{5}=16$$

따라서 확률변수 $X$는 근사적으로 정규분포 $N(20, 4^2)$을 따르므로

$$P(X\leq 30)=P\left(Z\leq \dfrac{30-20}{4}\right)$$
$$=P(Z\leq 2.5)$$
$$=0.5+P(0\leq Z\leq 2.5)$$
$$=0.5+0.4938$$
$$=0.9938$$
     답 0.9938

**32** 한 개의 주사위를 던져 6의 약수의 눈이 나오는 확률은 $\dfrac{2}{3}$이므로

확률변수 $X$는 이항분포 $\mathrm{B}\left(72, \dfrac{2}{3}\right)$를 따른다.

$\therefore \mathrm{E}(X)=72\times\dfrac{2}{3}=48$, $\mathrm{V}(X)=72\times\dfrac{2}{3}\times\dfrac{1}{3}=16$

따라서 확률변수 $X$는 근사적으로 정규분포 $\mathrm{N}(48, 4^2)$을 따르므로

$$\begin{aligned}\mathrm{P}(52\le X\le 60)&=\mathrm{P}\left(\dfrac{52-48}{4}\le Z\le\dfrac{60-48}{4}\right)\\&=\mathrm{P}(1\le Z\le 3)\\&=\mathrm{P}(0\le Z\le 3)-\mathrm{P}(0\le Z\le 1)\\&=0.4987-0.3413\\&=0.1574\end{aligned}$$

閤 0.1574

**33** 접속에 성공한 이용자 수를 확률변수 $X$라 하면 $X$는 이항분포 $\mathrm{B}\left(100, \dfrac{1}{2}\right)$을 따르므로

$\mathrm{E}(X)=100\times\dfrac{1}{2}=50$, $\mathrm{V}(X)=100\times\dfrac{1}{2}\times\dfrac{1}{2}=25$

즉, 확률변수 $X$는 근사적으로 정규분포 $\mathrm{N}(50, 5^2)$을 따르므로

$$\begin{aligned}\mathrm{P}(X\le 45)&=\mathrm{P}\left(Z\le\dfrac{45-50}{5}\right)\\&=\mathrm{P}(Z\le -1)=\mathrm{P}(Z\ge 1)\\&=0.5-\mathrm{P}(0\le Z\le 1)\\&=0.5-0.3413=0.1587\end{aligned}$$

閤 0.1587

**34** C 회사 제품을 선택할 고객의 수를 확률변수 $X$라 하면 C 회사 제품을 선택할 확률은 $\dfrac{25}{100}=\dfrac{1}{4}$이므로 $X$는 이항분포 $\mathrm{B}\left(192, \dfrac{1}{4}\right)$을 따른다.

$\therefore \mathrm{E}(X)=192\times\dfrac{1}{4}=48$, $\mathrm{V}(X)=192\times\dfrac{1}{4}\times\dfrac{3}{4}=36$

따라서 확률변수 $X$는 근사적으로 정규분포 $\mathrm{N}(48, 6^2)$을 따르므로

$$\begin{aligned}\mathrm{P}(X\ge 42)&=\mathrm{P}\left(Z\ge\dfrac{42-48}{6}\right)\\&=\mathrm{P}(Z\ge -1)\\&=0.5+\mathrm{P}(0\le Z\le 1)\\&=0.5+0.3413=0.8413\end{aligned}$$

閤 0.8413

**35** 맞힌 문제의 개수를 확률변수 $X$라 하면 $X$는 이항분포 $\mathrm{B}\left(100, \dfrac{1}{5}\right)$을 따르므로

$\mathrm{E}(X)=100\times\dfrac{1}{5}=20$, $\mathrm{V}(X)=100\times\dfrac{1}{5}\times\dfrac{4}{5}=16$

따라서 확률변수 $X$는 근사적으로 정규분포 $\mathrm{N}(20, 4^2)$을 따르고, $\mathrm{P}(X\ge k)=0.01$이므로

$$\begin{aligned}\mathrm{P}(X\ge k)&=\mathrm{P}\left(Z\ge\dfrac{k-20}{4}\right)\\&=0.5-\mathrm{P}\left(0\le Z\le\dfrac{k-20}{4}\right)=0.01\end{aligned}$$

즉, $\mathrm{P}\left(0\le Z\le\dfrac{k-20}{4}\right)=0.49$이므로

$\dfrac{k-20}{4}=2.5$   $\therefore k=30$

閤 30

**36** 180번의 독립시행에서 이익금으로 900원을 얻는 횟수를 $X$, 100원을 손해 보는 횟수를 $Y$라 하자. 이익금으로 22000원 이상을 얻기 위해서는

$$\begin{cases}X+Y=180\\900X-100Y\ge 22000\end{cases}$$

이 성립해야 한다.

$\therefore X\ge 40$

확률변수 $X$가 이항분포 $\mathrm{B}\left(180, \dfrac{1}{6}\right)$을 따르므로

$\mathrm{E}(X)=180\times\dfrac{1}{6}=30$, $\mathrm{V}(X)=180\times\dfrac{1}{6}\times\dfrac{5}{6}=25$

따라서 확률변수 $X$는 근사적으로 정규분포 $\mathrm{N}(30, 5^2)$을 따르므로

$$\begin{aligned}\mathrm{P}(X\ge 40)&=\mathrm{P}\left(Z\ge\dfrac{40-30}{5}\right)\\&=\mathrm{P}(Z\ge 2)\\&=0.5-\mathrm{P}(0\le Z\le 2)\\&=0.5-0.4772=0.0228\end{aligned}$$

閤 ⑤

**37** 제품의 무게를 확률변수 $X$라 하면 $X$는 정규분포 $\mathrm{N}(30, 5^2)$을 따른다. 즉, 불량품일 확률은

$$\begin{aligned}\mathrm{P}(X\ge 40)&=\mathrm{P}\left(Z\ge\dfrac{40-30}{5}\right)\\&=\mathrm{P}(Z\ge 2)\\&=0.5-\mathrm{P}(0\le Z\le 2)\\&=0.5-0.48=0.02\end{aligned}$$

불량품의 개수를 확률변수 $Y$라 하면 $Y$는 이항분포 $\mathrm{B}(2500, 0.02)$를 따른다.

$\therefore \mathrm{E}(Y)=2500\times 0.02=50$

$\mathrm{V}(Y)=2500\times 0.02\times 0.98=49$

따라서 확률변수 $Y$는 근사적으로 정규분포 $\mathrm{N}(50, 7^2)$을 따르므로

$$\begin{aligned}\mathrm{P}(Y\ge 57)&=\mathrm{P}\left(Z\ge\dfrac{57-50}{7}\right)\\&=\mathrm{P}(Z\ge 1)\\&=0.5-\mathrm{P}(0\le Z\le 1)\\&=0.5-0.34=0.16\end{aligned}$$

閤 0.16

**38** 휴대 전화 배터리의 지속 시간이 평균 30시간인 정규분포를 따르므로 정규분포곡선의 성질에 의하여 지속 시간이 30시간 이상일 확률은 $\dfrac{1}{2}$이고, 30시간 미만일 확률은 $\dfrac{1}{2}$이다.

8개의 배터리 중에서 지속 시간이 30시간 이상인 배터리가 2개 이상일 사건은 지속 시간이 30시간 이상인 배터리가 하나도 없거나 1개인 사건의 여사건이므로 구하는 확률은

$$\begin{aligned}1-\left\{{}_8\mathrm{C}_0\left(\dfrac{1}{2}\right)^0\left(\dfrac{1}{2}\right)^8+{}_8\mathrm{C}_1\left(\dfrac{1}{2}\right)^1\left(\dfrac{1}{2}\right)^7\right\}&=1-\left(\dfrac{1}{2}\right)^8-8\left(\dfrac{1}{2}\right)^8\\&=1-\dfrac{1}{256}-\dfrac{8}{256}\\&=\dfrac{247}{256}\end{aligned}$$

閤 $\dfrac{247}{256}$

**39** 조건 ㈎에서 $\mathrm{P}(X\ge 64)=\mathrm{P}(X\le 56)$이므로

$\mathrm{E}(X)=\dfrac{64+56}{2}=60$

조건 (나)에서 $E(X^2)=3616$이므로

$$V(X)=E(X^2)-\{E(X)\}^2$$
$$=3616-60^2=16$$

$$\therefore \sigma(X)=4$$

즉, 확률변수 $X$는 정규분포 $N(60, 4^2)$을 따르므로

$$P(X\leq 68)=P(X\leq 60+2\times 4)$$
$$=P(X\leq m+2\sigma)$$
$$=P(X\leq m)+P(m\leq X\leq m+2\sigma)$$
$$=0.5+0.4772$$
$$=0.9772$$

답 0.9772

**40** 두 확률변수 $X, Y$는 각각 정규분포 $N(0, \sigma^2)$, $N\left(0, \dfrac{\sigma^2}{4}\right)$을 따른다.

ㄱ. $P(|X|\leq a)=P\left(|Z|\leq \dfrac{a}{\sigma}\right)$

$P(|Y|\leq b)=P\left(|Z|\leq \dfrac{b}{\dfrac{\sigma}{2}}\right)=P\left(|Z|\leq \dfrac{2b}{\sigma}\right)$

$P(|X|\leq a)=P(|Y|\leq b)$이므로

$a=2b$ ······ ㉠

$\therefore a>b$ (참)

ㄴ. $P\left(Y>\dfrac{a}{2}\right)=P\left(Z>\dfrac{\dfrac{a}{2}}{\dfrac{\sigma}{2}}\right)=P\left(Z>\dfrac{a}{\sigma}\right)$

$=P\left(Z>\dfrac{2b}{\sigma}\right)$ $(\because ㉠)$ (참)

ㄷ. $P(Y\leq b)=P\left(Z\leq \dfrac{2b}{\sigma}\right)=0.7$이고

$P\left(0\leq Z\leq \dfrac{a}{\sigma}\right)=P\left(0\leq Z\leq \dfrac{2b}{\sigma}\right)=0.7-0.5=0.2$

이므로

$P(|X|\leq a)=P\left(|Z|\leq \dfrac{a}{\sigma}\right)=2P\left(0\leq Z\leq \dfrac{a}{\sigma}\right)$

$=2\times 0.2=0.4$ (거짓)

따라서 옳은 것은 ㄱ, ㄴ이다.

답 ③

**41** 두 확률변수 $X, Y$는 각각 정규분포 $N(m, (2\sigma)^2)$, $N(2m, \sigma^2)$을 따른다.

ㄱ. $P(X\leq 0)=P\left(Z\leq -\dfrac{m}{2\sigma}\right)$

$P\left(Y\geq \dfrac{5}{2}m\right)=P\left(Z\geq \dfrac{m}{2\sigma}\right)$

$\therefore P(X\leq 0)=P\left(Y\geq \dfrac{5}{2}m\right)$ (참)

ㄴ. $P(m\leq X\leq 2m)=P\left(0\leq Z\leq \dfrac{m}{2\sigma}\right)$

$\dfrac{1}{2}P(2m\leq Y\leq 3m)=\dfrac{1}{2}P\left(0\leq Z\leq \dfrac{m}{\sigma}\right)$

$\therefore P(m\leq X\leq 2m)\neq \dfrac{1}{2}P(2m\leq Y\leq 3m)$ (거짓)

ㄷ. $P(X\geq a)+P(Y\leq b)=1$에서

$P\left(Z\geq \dfrac{a-m}{2\sigma}\right)+P\left(Z\leq \dfrac{b-2m}{\sigma}\right)=1$

즉, $\dfrac{a-m}{2\sigma}=\dfrac{b-2m}{\sigma}$이어야 하므로

$a-m=2b-4m$   $\therefore b=\dfrac{a+3m}{2}$ (참)

따라서 옳은 것은 ㄱ, ㄷ이다.

답 ㄱ, ㄷ

**42** $H(t)=P(X\leq 15)=P\left(Z\leq \dfrac{15-20}{t}\right)=P\left(Z\leq \dfrac{-5}{t}\right)$

ㄱ. $H(2.5)=P\left(Z\leq \dfrac{-5}{2.5}\right)=P(Z\leq -2)=P(Z\geq 2)$ (참)

ㄴ. $H(2)=P(Z\leq -2.5)$이고

$H(2.5)=P(Z\leq -2)$

이므로

$H(2)<H(2.5)$ (참)

ㄷ. $H(5)=P(Z\leq -1)$

$=0.5-P(0\leq Z\leq 1)$

$=0.5-0.3413=0.1587$

ㄴ에서 $H(2)<H(2.5)$이므로 $5H(2)<5H(2.5)$

$5H(2.5)=5\times P(Z\leq -2)$

$=5\times \{0.5-P(0\leq Z\leq 2)\}$

$=5\times 0.0228=0.114$

이므로

$H(5)=0.1587>5H(2.5)=0.114$

$\therefore H(5)>5H(2.5)>5H(2)$ (거짓)

따라서 옳은 것은 ㄱ, ㄴ이다.

답 ㄱ, ㄴ

**43** 한 학생의 통학 시간을 확률변수 $X$라 하면 $X$는 정규분포 $N(25, 5^2)$을 따르므로

$p_1=P(X\geq 35)=P\left(Z\geq \dfrac{35-25}{5}\right)$

$=P(Z\geq 2)=0.5-0.48=0.02$

따라서 2500명 중에서 통학 시간이 35분 이상인 학생의 수를 확률변수 $Y$라 하면 $Y$는 이항분포 $B(2500, 0.02)$를 따르므로

$E(Y)=2500\times 0.02=50$, $V(Y)=2500\times 0.02\times 0.98=49$

즉, 확률변수 $Y$는 근사적으로 정규분포 $N(50, 7^2)$을 따르므로

$p_2=P(Y\geq n)=P\left(Z\geq \dfrac{n-50}{7}\right)$

$=P(Z\geq 2)$ $(\because p_1=p_2)$

따라서 $\dfrac{n-50}{7}=2$이므로

$n=64$

답 64

**44** 학생의 집에서 학교까지의 거리를 확률변수 $X$라 하면 $X$는 정규분포 $N(1580, 500^2)$을 따르므로

$P(X\geq 2000)=P\left(Z\geq \dfrac{2000-1580}{500}\right)$

$=P(Z\geq 0.84)$

$=0.5-P(0\leq Z\leq 0.84)$

$=0.5-0.3=0.2$

$P(X<2000)=1-P(X\geq 2000)$

$=1-0.2=0.8$

집에서 학교까지의 거리가 2000 m 미만일 사건을 $A$, 자전거로 통학하는 사건을 $B$라 하면

$$\text{P}(A \cap B) = 0.8 \times 0.05 = 0.04$$
$$\text{P}(A^C \cap B) = 0.2 \times 0.25 = 0.05$$
$$\therefore \text{P}(B) = \text{P}(A \cap B) + \text{P}(A^C \cap B)$$
$$= 0.04 + 0.05 = 0.09$$
$$\therefore \text{P}(A \mid B) = \frac{\text{P}(A \cap B)}{\text{P}(B)}$$
$$= \frac{0.04}{0.09} = \frac{4}{9}$$

답 $\dfrac{4}{9}$

**45** 세 확률변수 $X$, $Y$, $W$는 각각 정규분포 $\text{N}(20, 4^2)$, $\text{N}(45, 6^2)$, $\text{N}(80, 8^2)$을 따른다.
확률변수 $Z$가 표준정규분포 $\text{N}(0, 1)$을 따를 때

$$\text{P}\left(\left|\frac{X}{100} - \frac{1}{5}\right| < \frac{1}{10}\right) = \text{P}\left(\left|\frac{X-20}{100}\right| < \frac{1}{10}\right)$$
$$= \text{P}\left(\left|\frac{X-20}{4}\right| < \frac{25}{10}\right)$$
$$= \text{P}(|Z| < 2.5) \quad \cdots\cdots \,\unicode{0x1F08}$$

$$\text{P}\left(\left|\frac{Y}{225} - \frac{1}{5}\right| < \frac{1}{25}\right) = \text{P}\left(\left|\frac{Y-45}{225}\right| < \frac{1}{25}\right)$$
$$= \text{P}\left(\left|\frac{Y-45}{6}\right| < \frac{225}{150}\right)$$
$$= \text{P}(|Z| < 1.5) \quad \cdots\cdots \,\unicode{0x1F09}$$

$$\text{P}\left(\left|\frac{W}{400} - \frac{1}{5}\right| < \frac{1}{10}\right) = \text{P}\left(\left|\frac{W-80}{400}\right| < \frac{1}{10}\right)$$
$$= \text{P}\left(\left|\frac{W-80}{8}\right| < \frac{50}{10}\right)$$
$$= \text{P}(|Z| < 5) \quad \cdots\cdots \,\unicode{0x1F0A}$$

$$\text{P}\left(\left|\frac{W}{400} - \frac{1}{5}\right| < \frac{1}{25}\right) = \text{P}\left(\left|\frac{W-80}{400}\right| < \frac{1}{25}\right)$$
$$= \text{P}\left(\left|\frac{W-80}{8}\right| < \frac{50}{25}\right)$$
$$= \text{P}(|Z| < 2) \quad \cdots\cdots \,\unicode{0x1F0B}$$

㉠, ㉡, ㉢, ㉣에서

ㄱ. $\text{P}\left(\left|\dfrac{X}{100} - \dfrac{1}{5}\right| < \dfrac{1}{10}\right) < \text{P}\left(\left|\dfrac{W}{400} - \dfrac{1}{5}\right| < \dfrac{1}{10}\right)$ (참)

ㄴ. $\text{P}\left(\left|\dfrac{X}{100} - \dfrac{1}{5}\right| < \dfrac{1}{10}\right) > \text{P}\left(\left|\dfrac{Y}{225} - \dfrac{1}{5}\right| < \dfrac{1}{25}\right)$ (거짓)

ㄷ. $\text{P}\left(\left|\dfrac{Y}{225} - \dfrac{1}{5}\right| < \dfrac{1}{25}\right) < \text{P}\left(\left|\dfrac{W}{400} - \dfrac{1}{5}\right| < \dfrac{1}{25}\right)$ (참)

따라서 옳은 것은 ㄱ, ㄷ이다.

답 ㄱ, ㄷ

**46** 사과의 무게를 확률변수 $X$라 하면 $X$는 정규분포 $\text{N}(400, 50^2)$을 따르므로 사과 1개가 1등급 상품일 확률은

$$\text{P}(X \geq 442) = \text{P}\left(Z \geq \frac{442-400}{50}\right)$$
$$= \text{P}(Z \geq 0.84)$$
$$= 0.5 - \text{P}(0 \leq Z \leq 0.84)$$
$$= 0.5 - 0.3 = 0.2$$

사과 1개가 1등급 상품일 확률이 0.2이므로 사과 100개 중에서 1등급 상품의 개수를 확률변수 $Y$라 하면 $Y$는 이항분포 $\text{B}(100, 0.2)$를 따른다.
$$\text{E}(Y) = 100 \times 0.2 = 20$$
$$\text{V}(Y) = 100 \times 0.2 \times 0.8 = 16$$
즉, 확률변수 $Y$는 근사적으로 정규분포 $\text{N}(20, 4^2)$을 따른다.
따라서 사과 100개 중에서 1등급 상품이 24개 이상일 확률은

$$\text{P}(Y \geq 24) = \text{P}\left(Z \geq \frac{24-20}{4}\right)$$
$$= \text{P}(Z \geq 1)$$
$$= 0.5 - \text{P}(0 \leq Z \leq 1)$$
$$= 0.5 - 0.34 = 0.16$$

답 0.16

**47** 확률변수 $X$가 정규분포 $\text{N}(60, 5^2)$을 따르므로
$Z = \dfrac{X-60}{5}$으로 놓으면 $Z$는 표준정규분포 $\text{N}(0, 1)$을 따르고, 직선 $z=0$에 대하여 대칭이다.
$f(k) = \text{P}(k \leq X \leq k+10)$의 최댓값이 $0.6826$이므로

$$\text{P}(k \leq X \leq k+10) = \text{P}\left(\frac{k-60}{5} \leq Z \leq \frac{k-50}{5}\right)$$
$$= \text{P}(-1 \leq Z \leq 1) = 2\text{P}(0 \leq Z \leq 1)$$
$$= 2 \times 0.3413 = 0.6826$$

즉, $\dfrac{k-50}{5} = 1$이므로 $k = 55$

$k=55$일 때 최대이므로 $a < b \leq 55$이면 $f(a) < f(b)$이고, $55 \leq a < b$이면 $f(a) > f(b)$이다.
따라서 $a < b$일 때, $f(a) > f(b)$를 만족시키는 실수 $a$의 최솟값은 55이다.

답 55

다른 풀이

정규분포 $\text{N}(60, 5^2)$을 나타내는 정규분포곡선은 직선 $x=60$에 대하여 대칭이므로 $f(k) = \text{P}(k \leq X \leq k+10)$이 최대가 되려면 $k$와 $k+10$의 중점이 60이어야 한다.

즉, $\dfrac{k+(k+10)}{2} = 60$이므로 $k = 55$

**48** 
$$f(m) = \text{P}(X_m \leq 0)$$
$$= \text{P}\left(Z \leq \frac{0-m}{1}\right) = \text{P}(Z \leq -m)$$

ㄱ. [반례] $f(-1) = \text{P}(Z \leq 1)$
$$= 0.5 + \text{P}(0 \leq Z \leq 1) > \frac{1}{2} \text{ (거짓)}$$

ㄴ. 그림과 같이
$$\text{P}(Z \leq -m) = \text{P}(Z \geq m)$$
이므로
$$f(m) + f(-m)$$
$$= \text{P}(Z \leq -m) + \text{P}(Z \leq m)$$
$$= \text{P}(Z \geq m) + \text{P}(Z \leq m) = 1 \text{ (참)}$$

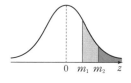

ㄷ. $f(m) = \text{P}(Z \leq -m)$
$$= \text{P}(Z \geq m)$$
이므로 $m_1 < m_2$이면
$$\text{P}(Z \geq m_1) > \text{P}(Z \geq m_2)$$
$$\therefore f(m_1) > f(m_2) \text{ (참)}$$

따라서 옳은 것은 ㄴ, ㄷ이다.

답 ④

**01** (1) 복원추출하는 방법의 수는 4개의 공에서 중복을 허용하여 2개를 꺼내는 방법의 수와 같으므로

$_4\Pi_2 = 16$

(2) 비복원추출로 1개씩 2번 꺼내는 방법의 수는 4개의 공에서 2개를 꺼내어 일렬로 나열하는 방법의 수와 같으므로

$_4P_2 = 12$

(3) 동시에 2개를 꺼내는 방법의 수는 4개의 공에서 2개를 꺼내는 방법의 수와 같으므로

$_4C_2 = 6$

답 (1) 16 (2) 12 (3) 6

**02** 모평균이 300, 모분산이 25, 표본의 크기가 $n$이므로

$a = E(\overline{X}) = 300$

$\sigma(\overline{X}) = \dfrac{5}{\sqrt{n}} = \dfrac{1}{3}$

$\sqrt{n} = 15$ ∴ $n = 225$

∴ $a - n = 300 - 225 = 75$

답 75

**03** 모평균을 $m$, 모분산을 $\sigma^2$이라 하면

$m = 1 \times \dfrac{1}{6} + 2 \times \dfrac{1}{6} + 3 \times \dfrac{1}{3} + 4 \times \dfrac{1}{6} + 5 \times \dfrac{1}{6} = 3$

$\sigma^2 = 1^2 \times \dfrac{1}{6} + 2^2 \times \dfrac{1}{6} + 3^2 \times \dfrac{1}{3} + 4^2 \times \dfrac{1}{6} + 5^2 \times \dfrac{1}{6} - 3^2 = \dfrac{5}{3}$

표본의 크기가 $n = 4$이므로

$V(\overline{X}) = \dfrac{\sigma^2}{n} = \dfrac{\frac{5}{3}}{4} = \dfrac{5}{12}$

답 $\dfrac{5}{12}$

**04** 4개의 공에 적힌 숫자를 확률변수 $X$라 하고 $X$의 확률분포를 표로 나타내면 다음과 같다.

| $X$ | 1 | 2 | 3 | 4 | 합계 |
|---|---|---|---|---|---|
| $P(X=x)$ | $\dfrac{1}{4}$ | $\dfrac{1}{4}$ | $\dfrac{1}{4}$ | $\dfrac{1}{4}$ | 1 |

모평균을 $m$, 모분산을 $\sigma^2$이라 하면

$m = \dfrac{1}{4}(1+2+3+4) = \dfrac{5}{2}$

$\sigma^2 = \dfrac{1}{4}(1^2+2^2+3^2+4^2) - \left(\dfrac{5}{2}\right)^2 = \dfrac{5}{4}$

표본의 크기가 $n = 2$이므로

$E(\overline{X}) = m = \dfrac{5}{2}$

$V(\overline{X}) = \dfrac{\sigma^2}{n} = \dfrac{\frac{5}{4}}{2} = \dfrac{5}{8}$

∴ $E(\overline{X}) \times V(\overline{X}) = \dfrac{25}{16}$

답 ③

**05** $m = 40$, $\sigma^2 = 100$이므로

$E(\overline{X}) = m = 40$

$V(\overline{X}) = \dfrac{\sigma^2}{n} = \dfrac{100}{n}$

즉, 표본평균 $\overline{X}$는 정규분포 $N\left(40, \dfrac{100}{n}\right)$을 따르므로

$\dfrac{100}{n} = \dfrac{1}{4}$

∴ $n = 400$

답 400

**06** 모평균을 $m$, 모분산을 $\sigma^2$이라 하면

표본평균 $\overline{X}$, $\overline{Y}$는 각각 정규분포 $N\left(m, \dfrac{\sigma^2}{10}\right)$, $N\left(m, \dfrac{\sigma^2}{20}\right)$을 따른다.

①, ② $E(\overline{X}) = E(\overline{Y}) = m$

③, ④, ⑤ $\sigma(\overline{X}) = \dfrac{\sigma}{\sqrt{10}}$, $\sigma(\overline{Y}) = \dfrac{\sigma}{\sqrt{20}}$이므로

$\sigma(\overline{X}) > \sigma(\overline{Y})$

따라서 옳은 것은 ④이다.

답 ④

**07** 모집단이 정규분포 $N(50, 5^2)$을 따르고, 임의추출한 100개의 표본평균 $\overline{X}$는

$E(\overline{X}) = m = 50$, $\sigma(\overline{X}) = \dfrac{\sigma}{\sqrt{n}} = \dfrac{5}{\sqrt{100}} = \dfrac{1}{2}$

이므로 정규분포 $N\left(50, \left(\dfrac{1}{2}\right)^2\right)$을 따른다.

∴ $P(\overline{X} \geq 50.5) = P\left(Z \geq \dfrac{50.5 - 50}{\frac{1}{2}}\right)$

$= P(Z \geq 1)$

$= 0.5 - P(0 \leq Z \leq 1)$

$= 0.5 - 0.34$

$= 0.16$

답 0.16

**08** 학생의 몸무게를 확률변수 $X$라 하면 $X$는 정규분포 $N(70, 20^2)$을 따르고, 임의추출한 100명의 표본평균 $\overline{X}$는

$E(\overline{X}) = m = 70$, $\sigma(\overline{X}) = \dfrac{\sigma}{\sqrt{n}} = \dfrac{20}{\sqrt{100}} = 2$

이므로 정규분포 $N(70, 2^2)$을 따른다.

∴ $P(\overline{X} \geq 74) = P\left(Z \geq \dfrac{74 - 70}{2}\right)$

$= P(Z \geq 2)$

$= 0.5 - P(0 \leq Z \leq 2)$

$= 0.5 - 0.4772$

$= 0.0228$

답 0.0228

**09** $E(\overline{X}) = m = 10$

$\sigma(\overline{X}) = \dfrac{\sigma}{\sqrt{9}} = \dfrac{\sigma}{3} = 2$

∴ $\sigma = 6$

∴ $m + \sigma = 10 + 6 = 16$

답 ③

**10** $\sigma(\overline{X}) = \dfrac{\sigma}{2} = 2$

∴ $\sigma = 4$

즉, $V(X) = \sigma^2 = 16$이고, $E(X) = 8$이므로

$V(X) = E(X^2) - \{E(X)\}^2$에서

$16 = E(X^2) - 8^2$

∴ $E(X^2) = 80$

답 80

**11** 표본평균 $\overline{X}$의 표준편차는

$$\sigma(\overline{X})=\frac{\frac{1}{6}}{\sqrt{n}}=\frac{1}{6\sqrt{n}}$$

즉, $\frac{1}{6\sqrt{n}}\leq\frac{1}{40}$에서 $\sqrt{n}\geq\frac{20}{3}$

$$\therefore n\geq\frac{400}{9}=44.\times\times\times$$

따라서 $n$의 최솟값은 45이다. 🅐 45

**12** 확률의 총합은 1이므로

$$\frac{2}{5}+\frac{3}{10}+a+\frac{1}{10}=1 \qquad \therefore a=\frac{1}{5}$$

모평균을 $m$, 모분산을 $\sigma^2$이라 하면

$$m=1\times\frac{2}{5}+2\times\frac{3}{10}+3\times\frac{1}{5}+4\times\frac{1}{10}=2$$

$$\sigma^2=1^2\times\frac{2}{5}+2^2\times\frac{3}{10}+3^2\times\frac{1}{5}+4^2\times\frac{1}{10}-2^2=1$$

표본의 크기가 $n=16$이므로

$$\mathrm{E}(\overline{X})=m=2,\ \sigma(\overline{X})=\frac{\sigma}{\sqrt{n}}=\frac{1}{\sqrt{16}}=\frac{1}{4}$$

$$\therefore \mathrm{E}(\overline{X})+\sigma(\overline{X})=\frac{9}{4}$$ 🅐 $\frac{9}{4}$

**13** 모평균을 $m$, 모분산을 $\sigma^2$이라 하면

$$m=1\times\frac{1}{9}+2\times\frac{2}{9}+3\times\frac{1}{3}+4\times\frac{2}{9}+5\times\frac{1}{9}=3$$

$$\sigma^2=1^2\times\frac{1}{9}+2^2\times\frac{2}{9}+3^2\times\frac{1}{3}+4^2\times\frac{2}{9}+5^2\times\frac{1}{9}-3^2=\frac{4}{3}$$

표본의 크기가 $n=4$이므로

$$\mathrm{E}(\overline{X})=m=3$$

$$\mathrm{V}(\overline{X})=\frac{\sigma^2}{n}=\frac{\frac{4}{3}}{4}=\frac{1}{3}$$

한편, $\mathrm{V}(\overline{X})=\mathrm{E}(\overline{X}^2)-\{\mathrm{E}(\overline{X})\}^2$에서

$$\frac{1}{3}=\mathrm{E}(\overline{X}^2)-3^2$$

$$\therefore \mathrm{E}(\overline{X}^2)=\frac{1}{3}+9=\frac{28}{3}$$ 🅐 ②

**14** 모평균을 $m$, 모분산을 $\sigma^2$이라 하면

$$m=1\times\frac{1}{10}+2\times\frac{1}{5}+3\times\frac{3}{10}+4\times\frac{2}{5}=3$$

$$\sigma^2=1^2\times\frac{1}{10}+2^2\times\frac{1}{5}+3^2\times\frac{3}{10}+4^2\times\frac{2}{5}-3^2=1$$

표본의 크기가 $n$이므로

$$\mathrm{E}(\overline{X})=m=3,\ \mathrm{V}(\overline{X})=\frac{\sigma^2}{n}=\frac{1}{n}$$

즉, $\mathrm{E}(\overline{X})\times\mathrm{V}(\overline{X})=\frac{1}{4}$이므로

$$3\times\frac{1}{n}=\frac{1}{4} \qquad \therefore n=12$$ 🅐 12

**15** $a,\ b,\ c$가 이 순서대로 등차수열을 이루므로

$$2b=a+c \qquad \cdots\cdots ㉠$$

또 확률의 총합은 1이므로

$$a+b+c=1 \qquad \cdots\cdots ㉡$$

㉠, ㉡을 연립하여 풀면 $b=\frac{1}{3}$

$\mathrm{E}(2\overline{X}-1)=2\mathrm{E}(\overline{X})-1=\frac{7}{2}$이므로

$$\mathrm{E}(\overline{X})=\frac{9}{4}$$

$a=\frac{1}{3}-\alpha,\ c=\frac{1}{3}+\alpha\ (\alpha$는 상수$)$라 하면

$$\mathrm{E}(\overline{X})=\mathrm{E}(X)=1\times\left(\frac{1}{3}-\alpha\right)+2\times\frac{1}{3}+3\times\left(\frac{1}{3}+\alpha\right)$$

$$=2+2\alpha=\frac{9}{4}$$

$$\therefore \alpha=\frac{1}{8},\ a=\frac{5}{24},\ c=\frac{11}{24}$$

$\mathrm{E}(X^2)=1^2\times\frac{5}{24}+2^2\times\frac{1}{3}+3^2\times\frac{11}{24}=\frac{17}{3}$이므로

$$\mathrm{V}(X)=\mathrm{E}(X^2)-\{\mathrm{E}(X)\}^2=\frac{17}{3}-\left(\frac{9}{4}\right)^2=\frac{29}{48}$$

따라서 표본의 크기가 $n=4$이므로

$$\mathrm{V}(\overline{X})=\frac{\mathrm{V}(X)}{n}=\frac{\frac{29}{48}}{4}=\frac{29}{192}$$ 🅐 $\frac{29}{192}$

**16** 확률변수 $X$의 확률질량함수가

$$\mathrm{P}(X=x)={}_{360}\mathrm{C}_x\frac{5^x}{6^{360}}$$

$$={}_{360}\mathrm{C}_x\left(\frac{5}{6}\right)^x\left(\frac{1}{6}\right)^{360-x}\ (x=0,\ 1,\ 2,\ \cdots,\ 360)$$

이므로 확률변수 $X$는 이항분포 $\mathrm{B}\left(360,\ \frac{5}{6}\right)$를 따른다.

모평균을 $m$, 모분산을 $\sigma^2$이라 하면

$$m=360\times\frac{5}{6}=300,\ \sigma^2=360\times\frac{5}{6}\times\frac{1}{6}=50$$

표본의 크기가 $n=100$이므로

$$\mathrm{E}(\overline{X})=m=300,\ \mathrm{V}(\overline{X})=\frac{\sigma^2}{n}=\frac{50}{100}=\frac{1}{2}$$

$$\therefore \mathrm{E}(\overline{X})\times\mathrm{V}(\overline{X})=300\times\frac{1}{2}=150$$ 🅐 ⑤

**17** 4개의 공에 적힌 숫자를 확률변수 $X$라 하고 $X$의 확률분포를 표로 나타내면 다음과 같다.

| $X$ | 1 | 2 | 3 | 합계 |
|---|---|---|---|---|
| $\mathrm{P}(X=x)$ | $\frac{1}{4}$ | $\frac{1}{2}$ | $\frac{1}{4}$ | 1 |

모평균을 $m$, 모분산을 $\sigma^2$이라 하면

$$m=1\times\frac{1}{4}+2\times\frac{1}{2}+3\times\frac{1}{4}=2$$

$$\sigma^2=1^2\times\frac{1}{4}+2^2\times\frac{1}{2}+3^2\times\frac{1}{4}-2^2=\frac{1}{2}$$

표본의 크기가 $n=2$이므로

$$\mathrm{E}(\overline{X})=m=2$$

$$\sigma(\overline{X})=\frac{\sigma}{\sqrt{n}}=\frac{\frac{1}{\sqrt{2}}}{\sqrt{2}}=\frac{1}{2}$$

$$\therefore \mathrm{E}(\overline{X})+\sigma(\overline{X})=2+\frac{1}{2}=\frac{5}{2}$$ 🅐 ④

**18** 6장의 카드에 적힌 숫자를 확률변수 $X$라 하고 $X$의 확률분포를 표로 나타내면 다음과 같다.

| $X$ | 1 | 2 | 3 | 합계 |
|---|---|---|---|---|
| $P(X=x)$ | $\dfrac{1}{6}$ | $\dfrac{1}{3}$ | $\dfrac{1}{2}$ | 1 |

모평균을 $m$, 모분산을 $\sigma^2$이라 하면
$$m=1\times\frac{1}{6}+2\times\frac{1}{3}+3\times\frac{1}{2}=\frac{7}{3}$$
$$\sigma^2=1^2\times\frac{1}{6}+2^2\times\frac{1}{3}+3^2\times\frac{1}{2}-\left(\frac{7}{3}\right)^2=\frac{5}{9}$$
표본의 크기가 $n=2$이므로
$$E(\overline{X})=m=\frac{7}{3}$$
$$V(\overline{X})=\frac{\sigma^2}{n}=\frac{\frac{5}{9}}{2}=\frac{5}{18}$$
$V(\overline{X})=E(\overline{X}^2)-\{E(\overline{X})\}^2$에서
$$\frac{5}{18}=E(\overline{X}^2)-\left(\frac{7}{3}\right)^2$$
$$\therefore E(\overline{X}^2)=\frac{5}{18}+\frac{49}{9}=\frac{103}{18}$$
$$\therefore a+b=18+103=121$$
🔳 121

**19** 모평균을 $m$, 모분산을 $\sigma^2$이라 하면
$$m=\frac{-2+0+1+x+3}{5}=\frac{x+2}{5}$$
$$\sigma^2=\frac{(-2)^2+0^2+1^2+x^2+3^2}{5}-\left(\frac{x+2}{5}\right)^2$$
$$=\frac{x^2+14}{5}-\left(\frac{x+2}{5}\right)^2$$
표본의 크기가 $n=9$이므로
$$V(\overline{X})=\frac{\sigma^2}{n}=\frac{\sigma^2}{9}$$
따라서 $\sigma^2=9V(\overline{X})$이므로
$$\frac{x^2+14}{5}-\left(\frac{x+2}{5}\right)^2=9\times\left(\frac{\sqrt{10}}{5}\right)^2=\frac{18}{5}$$
$$5(x^2+14)-(x+2)^2=90,\ 4x^2-4x-24=0$$
$$x^2-x-6=0,\ (x-3)(x+2)=0$$
$$\therefore x=3\ (\because x>0)$$
🔳 3

**20** 첫 번째 뽑은 수를 $X_1$, 두 번째 뽑은 수를 $X_2$, 세 번째 뽑은 수를 $X_3$이라 하면
$$\overline{X}=\frac{X_1+X_2+X_3}{3}$$
$\overline{X}$의 최댓값이 2이므로
$$P(\overline{X}\ge2)=P(\overline{X}=2)$$
$\overline{X}=2$인 경우는 $X_1=X_2=X_3=2$인 경우뿐이므로
$$P(\overline{X}\ge2)=P(\overline{X}=2)$$
$$=\frac{1}{4}\times\frac{1}{4}\times\frac{1}{4}=\frac{1}{64}$$
🔳 ①

**21** $$E(2\overline{X})=2E(\overline{X})=\frac{18}{5}\qquad\therefore E(\overline{X})=\frac{9}{5}$$
$$E(X)=E(\overline{X})=\frac{a\times3+2a\times6+3a\times1}{10}=\frac{9}{5}$$
$$\therefore a=1$$

첫 번째 뽑은 수를 $X_1$, 두 번째 뽑은 수를 $X_2$라 하면
$$\overline{X}=\frac{X_1+X_2}{2}$$
$\overline{X}=2$인 경우를 $X_1$, $X_2$의 순서쌍 $(X_1,X_2)$로 나타내면
$(1,3),(2,2),(3,1)$이므로
$$P(\overline{X}=2)=\frac{3}{10}\times\frac{1}{10}+\frac{3}{5}\times\frac{3}{5}+\frac{1}{10}\times\frac{3}{10}$$
$$=\frac{42}{100}=\frac{21}{50}$$
🔳 $\dfrac{21}{50}$

**22** 첫 번째 꺼낸 공에 적힌 수를 $X_1$, 두 번째 꺼낸 공에 적힌 수를 $X_2$라 하면
$$\overline{X}=\frac{X_1+X_2}{2}$$
$\overline{X}=3$, 즉 $X_1+X_2=6$인 경우를 $X_1$, $X_2$의 순서쌍 $(X_1,X_2)$로 나타내면 $(2,4),(4,2)$이므로
$$P(\overline{X}=3)=\frac{1}{n+1}\times\frac{n}{n+1}+\frac{n}{n+1}\times\frac{1}{n+1}$$
$$=\frac{2n}{(n+1)^2}=\frac{3}{8}$$
$$16n=3(n+1)^2,\ 3n^2-10n+3=0$$
$$(3n-1)(n-3)=0\qquad\therefore n=\frac{1}{3}\ 또는\ n=3$$
따라서 구하는 자연수 $n$의 값은 3이다.
🔳 3

**23** 확률변수 $X$가 정규분포 $N(m,\sigma^2)$을 따르므로
$$E(\overline{X_1})=m,\ V(\overline{X_1})=\frac{\sigma^2}{n_1}$$
$$E(\overline{X_2})=m,\ V(\overline{X_2})=\frac{\sigma^2}{n_2}$$
ㄱ. $\overline{X_1}$, $\overline{X_2}$의 정규분포곡선이 직선 $\overline{x}=20$에 대하여 대칭이므로
$\quad E(\overline{X_1})=E(\overline{X_2})=20$ (참)
ㄴ. $\overline{X_1}$의 정규분포곡선이 $\overline{X_2}$의 정규분포곡선보다 폭이 좁으므로
$\quad V(\overline{X_1})<V(\overline{X_2})$ (거짓)
ㄷ. $\sigma(\overline{X_1})=\dfrac{\sigma}{\sqrt{n_1}}$, $\sigma(X)=\sigma$이므로
$\quad \sigma(\overline{X_1})\le\sigma(X)$ (참)
ㄹ. ㄴ에서 $V(\overline{X_1})<V(\overline{X_2})$이므로
$\quad \dfrac{\sigma^2}{n_1}<\dfrac{\sigma^2}{n_2},\ \dfrac{1}{n_1}<\dfrac{1}{n_2}$
$\quad \therefore n_1>n_2$ (참)
따라서 옳은 것은 ㄱ, ㄷ, ㄹ이다.
🔳 ⑤

**24** 모집단이 정규분포 $N(m,\sigma^2)$을 따르므로 표본평균 $\overline{X_1}$, $\overline{X_2}$는 각각 정규분포 $N\left(m,\dfrac{\sigma^2}{n_1}\right)$, $N\left(m,\dfrac{\sigma^2}{n_2}\right)$을 따른다.

즉, 표본의 크기에 관계없이 평균은 같고, $n_1<n_2$에서 $\dfrac{\sigma^2}{n_1}>\dfrac{\sigma^2}{n_2}$
이므로 표본의 크기가 $n_1$일 때의 표준편차가 더 크다.
따라서 $y=f(x)$의 그래프와 $y=g(x)$의 그래프는 대칭축이 직선 $\overline{x}=m$으로 일치하고, $y=f(x)$의 그래프가 $y=g(x)$의 그래프보다 높이가 더 낮고 옆으로 넓게 퍼진 모양이므로 $y=f(x)$, $y=g(x)$의 그래프의 모양은 차례로 ㉢, ㉡이다.
🔳 ⑤

**25** '○○ 뉴스'의 방송시간을 확률변수 $X$라 하면 $X$는 정규분포 $N(50, 2^2)$을 따르고 임의추출한 크기가 9인 표본의 표본평균 $\overline{X}$는

$E(\overline{X}) = m = 50$, $\sigma(\overline{X}) = \dfrac{\sigma}{\sqrt{n}} = \dfrac{2}{\sqrt{9}} = \dfrac{2}{3}$

이므로 정규분포 $N\left(50, \left(\dfrac{2}{3}\right)^2\right)$을 따른다.

$\therefore P(49 \le \overline{X} \le 51) = P\left(\dfrac{49-50}{\frac{2}{3}} \le Z \le \dfrac{51-50}{\frac{2}{3}}\right)$

$\qquad\qquad\qquad\quad = P\left(-\dfrac{3}{2} \le Z \le \dfrac{3}{2}\right)$

$\qquad\qquad\qquad\quad = 2P(0 \le Z \le 1.5)$

$\qquad\qquad\qquad\quad = 2 \times 0.4332$

$\qquad\qquad\qquad\quad = 0.8664$      답 ①

**26** 생산되는 제품의 무게를 확률변수 $X$라 하면 $X$는 정규분포 $N(400, 10^2)$을 따르고, 임의추출한 25개의 표본평균 $\overline{X}$는

$E(\overline{X}) = m = 400$

$\sigma(\overline{X}) = \dfrac{\sigma}{\sqrt{n}} = \dfrac{10}{\sqrt{25}} = 2$

이므로 정규분포 $N(400, 2^2)$을 따른다.

$\therefore P(\overline{X} \le 402) = P\left(Z \le \dfrac{402-400}{2}\right)$

$\qquad\qquad\qquad = P(Z \le 1)$

$\qquad\qquad\qquad = 0.5 + P(0 \le Z \le 1)$

$\qquad\qquad\qquad = 0.5 + 0.34$

$\qquad\qquad\qquad = 0.84$      답 0.84

**27** 모집단이 정규분포 $N(100, 20^2)$을 따르고, 표본의 크기가 $n$이므로 표본평균 $\overline{X}$는 정규분포 $N\left(100, \dfrac{20^2}{n}\right)$을 따른다.

$f(n) = P(100 \le \overline{X} \le 120)$

$\qquad = P\left(\dfrac{100-100}{\frac{20}{\sqrt{n}}} \le Z \le \dfrac{120-100}{\frac{20}{\sqrt{n}}}\right)$

$\qquad = P(0 \le Z \le \sqrt{n})$

$\therefore f(4) - f(1) = P(0 \le Z \le 2) - P(0 \le Z \le 1)$

$\qquad\qquad\qquad = 0.4772 - 0.3413$

$\qquad\qquad\qquad = 0.1359$      답 0.1359

**28** 모집단이 정규분포 $N(10, 1^2)$을 따르고, 임의추출한 100개의 표본평균 $\overline{X}$는

$E(\overline{X}) = m = 10$, $\sigma(\overline{X}) = \dfrac{\sigma}{\sqrt{n}} = \dfrac{1}{\sqrt{100}} = \dfrac{1}{10}$

이므로 정규분포 $N(10, 0.1^2)$을 따른다.

$\therefore P\left(\overline{X} \ge 10 + 10 \times \dfrac{1}{100}\right) = P(\overline{X} \ge 10.1)$

$\qquad\qquad\qquad\qquad\qquad\quad = P\left(Z \ge \dfrac{10.1-10}{0.1}\right)$

$\qquad\qquad\qquad\qquad\qquad\quad = P(Z \ge 1)$

$\qquad\qquad\qquad\qquad\qquad\quad = 0.5 - P(0 \le Z \le 1)$

$\qquad\qquad\qquad\qquad\qquad\quad = 0.5 - 0.3413$

$\qquad\qquad\qquad\qquad\qquad\quad = 0.1587$      답 0.1587

**29** 모집단이 정규분포 $N(250, 40^2)$을 따르고 표본의 크기가 100이므로 표본평균 $\overline{X}$는 정규분포 $N\left(250, \dfrac{40^2}{100}\right)$, 즉 $N(250, 4^2)$을 따른다.

$\therefore P(256 \le \overline{X} \le 260) = P\left(\dfrac{256-250}{4} \le Z \le \dfrac{260-250}{4}\right)$

$\qquad\qquad\qquad\qquad = P(1.5 \le Z \le 2.5)$

$\qquad\qquad\qquad\qquad = P(0 \le Z \le 2.5) - P(0 \le Z \le 1.5)$

$\qquad\qquad\qquad\qquad = \beta - \alpha$      답 ③

**30** 모집단이 정규분포 $N(120, 10^2)$을 따르고, 표본의 크기가 25이므로 표본평균 $\overline{X}$는 정규분포 $N\left(120, \dfrac{10^2}{25}\right)$, 즉 $N(120, 2^2)$을 따른다.

그런데 $P(115 \le \overline{X} \le k) = 0.9710$에서 $k > 120$이므로

$P(115 \le \overline{X} \le k) = P\left(\dfrac{115-120}{2} \le Z \le \dfrac{k-120}{2}\right)$

$\qquad\qquad\qquad\quad = P\left(-2.5 \le Z \le \dfrac{k-120}{2}\right)$

$\qquad\qquad\qquad\quad = P(0 \le Z \le 2.5) + P\left(0 \le Z \le \dfrac{k-120}{2}\right)$

$\qquad\qquad\qquad\quad = 0.4938 + P\left(0 \le Z \le \dfrac{k-120}{2}\right)$

$\qquad\qquad\qquad\quad = 0.9710$

$\therefore P\left(0 \le Z \le \dfrac{k-120}{2}\right) = 0.4772$

$P(0 \le Z \le 2) = 0.4772$이므로

$\dfrac{k-120}{2} = 2$

$k - 120 = 4$

$\therefore k = 124$      답 124

**31** 모집단이 정규분포 $N(60, 4^2)$을 따르고, 표본의 크기가 16이므로 표본평균 $\overline{X}$는 정규분포 $N\left(60, \dfrac{4^2}{16}\right)$, 즉 $N(60, 1^2)$을 따른다.

그런데 $P(\overline{X} \ge a) = 0.02$에서 $a > 60$이므로

$P(\overline{X} \ge a) = P(Z \ge a - 60)$

$\qquad\qquad\quad = 0.5 - P(0 \le Z \le a - 60)$

$\qquad\qquad\quad = 0.02$

$\therefore P(0 \le Z \le a - 60) = 0.48$

$P(0 \le Z \le 2) = 0.48$이므로

$a - 60 = 2$

$\therefore a = 62$      답 62

**32** 전복 1마리의 무게를 확률변수 $X$라 하면 $X$는 정규분포 $N(140, 12^2)$을 따르므로 전복 9마리로 한 상자를 만들었을 때, 전복 9마리의 무게의 표본평균을 $\overline{X}$라 하면

$\overline{X}$는 정규분포 $N\left(140, \dfrac{12^2}{9}\right)$, 즉 $N(140, 4^2)$을 따른다.

1등급으로 판매되는 전복 한 상자의 최소 무게를 $a\,\text{g}$이라 하면

$P(9\overline{X} \ge a) = P\left(\overline{X} \ge \dfrac{a}{9}\right) = 0.05$에서

$\dfrac{a}{9} > 140$

$$\therefore \mathrm{P}(9\overline{X} \geq a) = \mathrm{P}\left(\overline{X} \geq \frac{a}{9}\right)$$

$$= \mathrm{P}\left(Z \geq \frac{\frac{a}{9} - 140}{4}\right)$$

$$= 0.5 - \mathrm{P}\left(0 \leq Z \leq \frac{\frac{a}{9} - 140}{4}\right)$$

$$= 0.05$$

$$\therefore \mathrm{P}\left(0 \leq Z \leq \frac{\frac{a}{9} - 140}{4}\right) = 0.45$$

$\mathrm{P}(0 \leq Z \leq 1.65) = 0.45$이므로

$$\frac{\frac{a}{9} - 140}{4} = 1.65, \ \frac{a}{9} = 146.6 \qquad \therefore a = 1319.4(\mathrm{g})$$

따라서 1등급으로 판매되는 한 상자의 최소 무게는 1319.4 g이다.

🖺 1319.4 g

**33** 모집단이 정규분포 $\mathrm{N}(10, 12^2)$을 따르고, 표본의 크기가 $n$이 므로 표본평균 $\overline{X}$는 정규분포 $\mathrm{N}\left(10, \left(\dfrac{12}{\sqrt{n}}\right)^2\right)$을 따른다.

$$\mathrm{P}(10 \leq \overline{X} \leq 13) = \mathrm{P}\left(\frac{10-10}{\frac{12}{\sqrt{n}}} \leq Z \leq \frac{13-10}{\frac{12}{\sqrt{n}}}\right)$$

$$= \mathrm{P}\left(0 \leq Z \leq \frac{\sqrt{n}}{4}\right) = 0.4332$$

$\mathrm{P}(0 \leq Z \leq 1.5) = 0.4332$이므로

$$\frac{\sqrt{n}}{4} = 1.5, \ \sqrt{n} = 6 \qquad \therefore n = 36$$

🖺 36

**34** 모집단이 정규분포 $\mathrm{N}(64, 7^2)$을 따르고, 표본의 크기가 $n$이므 로 표본평균 $\overline{X}$는 정규분포 $\mathrm{N}\left(64, \left(\dfrac{7}{\sqrt{n}}\right)^2\right)$을 따른다.

$$\mathrm{P}\left(\overline{X} \geq 71 + \frac{7}{\sqrt{n}}\right) = \mathrm{P}\left(Z \geq \frac{71 + \frac{7}{\sqrt{n}} - 64}{\frac{7}{\sqrt{n}}}\right)$$

$$= \mathrm{P}(Z \geq 1 + \sqrt{n})$$

$$= 0.5 - \mathrm{P}(0 \leq Z \leq 1 + \sqrt{n}) = 0.01$$

$$\therefore \mathrm{P}(0 \leq Z \leq 1 + \sqrt{n}) = 0.49$$

$\mathrm{P}(0 \leq Z \leq 3) = 0.49$이므로

$$1 + \sqrt{n} = 3, \ \sqrt{n} = 2 \qquad \therefore n = 4$$

🖺 ③

**35** 음료수 캔 한 개의 무게를 확률변수 $X$라 하면 $X$는 정규분포 $\mathrm{N}(280, 20^2)$을 따르므로 임의추출한 $n$개의 음료수 캔의 무게의 평균 $\overline{X}$는 정규분포 $\mathrm{N}\left(280, \left(\dfrac{20}{\sqrt{n}}\right)^2\right)$을 따른다.

$$\mathrm{P}(|\overline{X} - 280| \leq 5) = \mathrm{P}(-5 \leq \overline{X} - 280 \leq 5)$$

$$= \mathrm{P}(275 \leq \overline{X} \leq 285)$$

$$= \mathrm{P}\left(\frac{275-280}{\frac{20}{\sqrt{n}}} \leq Z \leq \frac{285-280}{\frac{20}{\sqrt{n}}}\right)$$

$$= \mathrm{P}\left(-\frac{\sqrt{n}}{4} \leq Z \leq \frac{\sqrt{n}}{4}\right)$$

$$= 2\mathrm{P}\left(0 \leq Z \leq \frac{\sqrt{n}}{4}\right) \geq 0.8664$$

$$\therefore \mathrm{P}\left(0 \leq Z \leq \frac{\sqrt{n}}{4}\right) \geq 0.4332$$

$\mathrm{P}(0 \leq Z \leq 1.5) = 0.4332$이므로

$$\frac{\sqrt{n}}{4} \geq 1.5, \ \sqrt{n} \geq 6$$

$$\therefore n \geq 36$$

따라서 자연수 $n$의 최솟값은 36이다.

🖺 36

**36** 모집단이 정규분포 $\mathrm{N}(5, 2)$를 따르고, 표본의 크기가 $n$이므로 표본평균 $\overline{X}$의 평균과 분산은

$$\mathrm{E}(\overline{X}) = m = 5, \ \mathrm{V}(\overline{X}) = \frac{\sigma^2}{n} = \frac{2}{n}$$

$\mathrm{V}(\overline{X}) = \mathrm{E}(\overline{X}^2) - \{\mathrm{E}(\overline{X})\}^2$에서

$$\frac{2}{n} = \mathrm{E}(\overline{X}^2) - 5^2$$

$$\therefore \mathrm{E}(\overline{X}^2) = \frac{2}{n} + 25$$

$$\therefore f(n) = \mathrm{E}(\overline{X}^2 - 5\overline{X} + 1)$$

$$= \mathrm{E}(\overline{X}^2) - 5\mathrm{E}(\overline{X}) + 1$$

$$= \frac{2}{n} + 25 - 25 + 1$$

$$= \frac{2}{n} + 1$$

따라서 표본의 크기 $n$은 자연 수이므로 $y = f(n)$의 그래프 의 개형은 그림과 같다.

🖺 ①

**37** 주머니 안에 있는 공의 개수는

$1 + 2 + 3 + \cdots + n = \dfrac{n(n+1)}{2}$이고, 공에 적힌 숫자를 확률 변수 $X$라 하고 $X$의 확률분포를 표로 나타내면 다음과 같다.

| $X$ | 1 | 2 | $\cdots$ | $n$ | 합계 |
|---|---|---|---|---|---|
| $\mathrm{P}(X=x)$ | $\dfrac{2}{n(n+1)}$ | $\dfrac{4}{n(n+1)}$ | $\cdots$ | $\dfrac{2n}{n(n+1)}$ | 1 |

즉, $\mathrm{P}(X=k) = \dfrac{2k}{n(n+1)} \ (k=1, 2, \cdots, n)$이므로

$$\mathrm{E}(X) = \sum_{k=1}^{n} k \times \frac{2k}{n(n+1)}$$

$$= \sum_{k=1}^{n} \frac{2k^2}{n(n+1)}$$

$$= \frac{2}{n(n+1)} \times \frac{n(n+1)(2n+1)}{6}$$

$$= \frac{2n+1}{3}$$

$$\mathrm{E}(X^2) = \sum_{k=1}^{n} k^2 \times \frac{2k}{n(n+1)}$$

$$= \sum_{k=1}^{n} \frac{2k^3}{n(n+1)}$$

$$= \frac{2}{n(n+1)} \times \left\{\frac{n(n+1)}{2}\right\}^2$$

$$= \frac{n(n+1)}{2}$$

$$\therefore V(X) = E(X^2) - \{E(X)\}^2$$
$$= \frac{n(n+1)}{2} - \left(\frac{2n+1}{3}\right)^2$$
$$= \frac{n^2+n-2}{18}$$

표본의 크기가 $n$이므로
$$V(\overline{X}) = \frac{\dfrac{n^2+n-2}{18}}{n} = \frac{1}{4}$$
$$2n^2 - 7n - 4 = 0$$
$$(2n+1)(n-4) = 0$$
$$\therefore n = 4 \ (\because n\text{은 자연수})$$

📋 4

**38** 상자를 던져서 윗면에 나온 수를 확률변수 $X$라 할 때, $X$의 확률분포를 표로 나타내면 다음과 같다.

| $X$ | 1 | 2 | 3 | 4 | 합계 |
|---|---|---|---|---|---|
| $P(X=x)$ | $\dfrac{1}{6}$ | $\dfrac{1}{3}$ | $\dfrac{1}{6}$ | $\dfrac{1}{3}$ | 1 |

첫 번째 던져서 나온 수를 $X_1$, 두 번째 던져서 나온 수를 $X_2$라 하면
$$\overline{X} = \frac{X_1+X_2}{2}$$

(i) $\overline{X}=2$인 경우

$X_1+X_2=4$를 만족시키는 $X_1$, $X_2$의 순서쌍 $(X_1, X_2)$는 $(1,3)$, $(2,2)$, $(3,1)$이므로
$$P(\overline{X}=2) = \frac{1}{6} \times \frac{1}{6} + \frac{1}{3} \times \frac{1}{3} + \frac{1}{6} \times \frac{1}{6} = \frac{6}{36} = \frac{1}{6}$$

(ii) $\overline{X}=\dfrac{5}{2}$인 경우

$X_1+X_2=5$를 만족시키는 $X_1$, $X_2$의 순서쌍 $(X_1, X_2)$는 $(1,4)$, $(2,3)$, $(3,2)$, $(4,1)$이므로
$$P\left(\overline{X}=\frac{5}{2}\right) = \frac{1}{6} \times \frac{1}{3} + \frac{1}{3} \times \frac{1}{6} + \frac{1}{6} \times \frac{1}{3} + \frac{1}{3} \times \frac{1}{6} = \frac{2}{9}$$

(i), (ii)에서
$$P\left(2 \leq \overline{X} < 3\right) = P(\overline{X}=2) + P\left(\overline{X}=\frac{5}{2}\right)$$
$$= \frac{1}{6} + \frac{2}{9} = \frac{7}{18}$$

📋 ②

**39** $E(X) = E(\overline{X}) = 29$이므로
$$E(X) = 20 \times \frac{1}{2} + 30 \times a + 40 \times \left(\frac{1}{2}-a\right)$$
$$= 30 - 10a = 29$$
$$\therefore a = \frac{1}{10}$$

즉, $X$의 확률분포를 표로 나타내면 다음과 같다.

| $X$ | 20 | 30 | 40 | 합계 |
|---|---|---|---|---|
| $P(X=x)$ | $\dfrac{1}{2}$ | $\dfrac{1}{10}$ | $\dfrac{2}{5}$ | 1 |

크기가 2인 표본을 임의추출할 때, 확률변수 $X_1$, $X_2$에 대하여 표본평균은 $\overline{X} = \dfrac{X_1+X_2}{2}$이다.

| $X_1$ \ $X_2$ | 20 | 30 | 40 |
|---|---|---|---|
| 20 | $\dfrac{1}{4}$ | $\dfrac{1}{20}$ | $\dfrac{1}{5}$ |
| 30 | $\dfrac{1}{20}$ | $\dfrac{1}{100}$ | $\dfrac{1}{25}$ |
| 40 | $\dfrac{1}{5}$ | $\dfrac{1}{25}$ | $\dfrac{4}{25}$ |

위의 표에서 $\overline{X}=30$을 만족시키는 $X_1$, $X_2$의 순서쌍 $(X_1, X_2)$는 $(20, 40)$, $(30, 30)$, $(40, 20)$이므로
$$P(\overline{X}=30) = \frac{1}{5} + \frac{1}{100} + \frac{1}{5}$$
$$= \frac{41}{100}$$

📋 $\dfrac{41}{100}$

**40** A상자에 들어 있는 제품의 무게를 확률변수 $X$라 하면 $X$는 정규분포 $N(16, 6^2)$을 따르므로 크기가 16인 표본의 표본평균 $\overline{X}$는 정규분포 $N\left(16, \dfrac{6^2}{16}\right)$, 즉 $N\left(16, \left(\dfrac{3}{2}\right)^2\right)$을 따른다.

또한, B상자에 들어 있는 제품의 무게를 확률변수 $Y$라 하면 $Y$는 정규분포 $N(10, 6^2)$을 따르므로 크기가 16인 표본의 표본평균 $\overline{Y}$는 정규분포 $N\left(10, \dfrac{6^2}{16}\right)$, 즉 $N\left(10, \left(\dfrac{3}{2}\right)^2\right)$을 따른다.

A상자가 할인 판매되려면 임의로 추출한 16개의 제품의 무게의 평균이 12.7 미만이어야 하므로
$$p = P(\overline{X} < 12.7) = P\left(Z < \frac{12.7-16}{\frac{3}{2}}\right)$$
$$= P(Z < -2.2) = P(Z > 2.2)$$
$$= 0.5 - P(0 \leq Z \leq 2.2)$$
$$= 0.5 - 0.4861 = 0.0139$$

B상자가 정상 판매되려면 임의로 추출한 16개의 제품의 무게의 평균이 12.7 이상이어야 하므로
$$q = P(\overline{Y} \geq 12.7) = P\left(Z \geq \frac{12.7-10}{\frac{3}{2}}\right)$$
$$= P(Z \geq 1.8) = 0.5 - P(0 \leq Z \leq 1.8)$$
$$= 0.5 - 0.4641 = 0.0359$$
$$\therefore p + q = 0.0139 + 0.0359 = 0.0498$$

📋 0.0498

**41** ㄱ. 모집단의 확률변수 $X$가 정규분포 $N(30, 10^2)$을 따르고, 표본의 크기가 100이므로 표본평균 $\overline{X}$는 정규분포 $N(30, 1^2)$을 따른다. (참)

ㄴ. 표본평균 $\overline{X}$가 정규분포 $N(30, 1^2)$을 따르므로
$$P(29 \leq \overline{X} \leq 32) = P\left(\frac{29-30}{1} \leq Z \leq \frac{32-30}{1}\right)$$
$$= P(-1 \leq Z \leq 2)$$
$$= P(0 \leq Z \leq 1) + P(0 \leq Z \leq 2)$$
$$= 0.34 + 0.48 = 0.82 \text{ (참)}$$

ㄷ. 표본의 크기가 $\dfrac{1}{4}$배가 되면 표본의 크기는
$$100 \times \frac{1}{4} = 25\text{이므로}$$
$$V(\overline{X}) = \frac{V(X)}{25} = \frac{100}{25} = 4$$

즉, 표본평균 $\overline{X}$는 정규분포 $N(30, 2^2)$을 따르므로 $\overline{X}$의

표준편차는 2로 늘어난다. (거짓)

따라서 옳은 것은 ㄱ, ㄴ이다. **답** ㄱ, ㄴ

**42** 정규분포 $N(10, 2^2)$을 따르는 모집단에서 임의추출한 크기가 $n$인 표본의 표본평균 $\overline{X}$에 대하여

ㄱ. $V(\overline{X}) = \dfrac{2^2}{n} = \dfrac{4}{n}$ (참)

ㄴ. $\overline{X}$는 평균이 $E(\overline{X}) = 10$인 정규분포를 따르므로
$P(\overline{X} \leq 10-a) = P(\overline{X} \geq 10+a)$ (참)

ㄷ. $\overline{X}$는 정규분포 $N\left(10, \dfrac{2^2}{n}\right)$, 즉 $N\left(10, \left(\dfrac{2}{\sqrt{n}}\right)^2\right)$을 따르므로

$Z = \dfrac{\overline{X} - 10}{\dfrac{2}{\sqrt{n}}}$ 은 표준정규분포 $N(0, 1)$을 따른다.

$P(\overline{X} \geq a) = P(Z \leq b)$에서

$P\left(Z \geq \dfrac{a-10}{\dfrac{2}{\sqrt{n}}}\right) = P(Z \leq b) = P(Z \geq -b)$

즉, $\dfrac{a-10}{\dfrac{2}{\sqrt{n}}} = -b$이므로 $a-10 = -\dfrac{2}{\sqrt{n}}b$

$a + \dfrac{2}{\sqrt{n}}b = 10$ (참)

따라서 ㄱ, ㄴ, ㄷ 모두 옳다. **답** ㄱ, ㄴ, ㄷ

**43** ㄱ. 모표준편차를 $\sigma$라 하면 $f(n) = \dfrac{\sigma}{\sqrt{n}}$이므로
$n$의 값이 증가하면 $f(n)$의 값은 감소한다. (참)

ㄴ. 모표준편차를 $\sigma$라 하면 $f(4) = \dfrac{\sigma}{\sqrt{4}}$

$\therefore \sigma = 2f(4)$ (거짓)

ㄷ. $f(n)$은 표본평균의 표준편차이므로

$P(|\overline{X_n} - m| \leq f(n)) = P\left(\left|\dfrac{\overline{X_n} - m}{f(n)}\right| \leq 1\right)$
$= P(|Z| \leq 1)$ (일정) (참)

따라서 옳은 것은 ㄱ, ㄷ이다. **답** ㄱ, ㄷ

**44** 확률변수 $X$가 정규분포 $N(60, 5^2)$을 따르므로 한 개의 제품이 불량품으로 판정될 확률은

$P(X \leq 50) = P\left(Z \leq \dfrac{50-60}{5}\right)$
$= P(Z \leq -2)$
$= P(Z \geq 2)$
$= 0.5 - P(0 \leq Z \leq 2)$
$= 0.5 - 0.48 = 0.02$

불량품의 개수인 확률변수 $Y$는 이항분포 $B(2500, 0.02)$를 따르고 2500은 충분히 큰 수이므로

$E(Y) = 2500 \times 0.02 = 50$

$V(Y) = 2500 \times 0.02 \times 0.98 = 49$

즉, 확률변수 $Y$는 근사적으로 정규분포 $N(50, 7^2)$을 따른다.

한편, 크기가 2500인 표본의 표본평균 $\overline{X}$는 정규분포

$N\left(60, \dfrac{5^2}{2500}\right)$, 즉 $N\left(60, \left(\dfrac{1}{10}\right)^2\right)$을 따른다.

ㄱ. $P(\overline{X} \geq 60) = P\left(Z \geq \dfrac{60-60}{\dfrac{1}{10}}\right)$
$= P(Z \geq 0) = \dfrac{1}{2}$ (참)

ㄴ. $P(Y \geq 57) = P\left(Z \geq \dfrac{57-50}{7}\right)$
$= P(Z \geq 1)$
$= 0.5 - P(0 \leq Z \leq 1)$
$= 0.5 - 0.34 = 0.16$

$P(\overline{X} \leq 59.9) = P\left(Z \leq \dfrac{59.9-60}{\dfrac{1}{10}}\right)$
$= P(Z \leq -1) = P(Z \geq 1)$
$= 0.5 - P(0 \leq Z \leq 1)$
$= 0.5 - 0.34 = 0.16$

$\therefore P(Y \geq 57) = P(\overline{X} \leq 59.9)$ (참)

ㄷ. $P(60-k \leq X \leq 60+k)$
$= P\left(\dfrac{60-k-60}{5} \leq Z \leq \dfrac{60+k-60}{5}\right)$
$= P\left(-\dfrac{k}{5} \leq Z \leq \dfrac{k}{5}\right)$
$= 2P\left(0 \leq Z \leq \dfrac{k}{5}\right)$

$P(60-k \leq \overline{X} \leq 60+k)$
$= P\left(\dfrac{60-k-60}{\dfrac{1}{10}} \leq Z \leq \dfrac{60+k-60}{\dfrac{1}{10}}\right)$
$= P(-10k \leq Z \leq 10k)$
$= 2P(0 \leq Z \leq 10k)$

$\dfrac{k}{5} < 10k$이므로

$P(60-k \leq X \leq 60+k) < P(60-k \leq \overline{X} \leq 60+k)$
(거짓)

따라서 옳은 것은 ㄱ, ㄴ이다. **답** ㄱ, ㄴ

**45** 한 상자에 들어 있는 과자 16개의 평균 무게를 $\overline{X}$라 하면 $\overline{X}$는
정규분포 $N\left(20, \dfrac{2^2}{16}\right)$, 즉 $N\left(20, \left(\dfrac{1}{2}\right)^2\right)$을 따르므로

출하한 상자가 반품될 확률은
$P(16\overline{X} \leq 306.88 \text{ 또는 } 16\overline{X} \geq 333.12)$
$= P(\overline{X} \leq 19.18 \text{ 또는 } \overline{X} \geq 20.82)$
$= P(\overline{X} \leq 19.18) + P(\overline{X} \geq 20.82)$
$= P(Z \leq -1.64) + P(Z \geq 1.64)$
$= 2P(Z \geq 1.64) = 2\{0.5 - P(0 \leq Z \leq 1.64)\}$
$= 2 \times (0.5 - 0.45) = 0.1$

과자 상자 100개 중에서 반품되는 상자의 수를 확률변수 $Y$라 하면 $Y$는 이항분포 $B(100, 0.1)$을 따르고, 100은 충분히 큰 수이므로

$E(Y) = 100 \times 0.1 = 10$, $V(Y) = 100 \times 0.1 \times 0.9 = 9$

즉, 확률변수 $Y$는 근사적으로 정규분포 $N(10, 3^2)$을 따른다.

따라서 구하는 확률은

$P(Y \leq 7) = P\left(Z \leq \dfrac{7-10}{3}\right)$
$= P(Z \leq -1) = 0.5 - P(0 \leq Z \leq 1)$
$= 0.5 - 0.34 = 0.16$ **답** 0.16

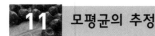

## 11. 모평균의 추정

**01** 모평균 $m$에 대한 신뢰도 99 %의 신뢰구간은

$$70-2.58\frac{12}{\sqrt{36}}\leq m\leq70+2.58\frac{12}{\sqrt{36}}$$

$$70-5.16\leq m\leq70+5.16$$

$$\therefore 64.84\leq m\leq75.16$$

**目** $64.84\leq m\leq75.16$

**02** 모표준편차 $\sigma=25$, 표본의 크기 $n=100$, 표본평균

$\bar{x}=\dfrac{42000}{100}=420$이고, 모평균 $m$에 대한 신뢰도 95 %의 신뢰

구간은

$$420-2\frac{25}{\sqrt{100}}\leq m\leq420+2\frac{25}{\sqrt{100}}$$

$$420-5\leq m\leq420+5$$

$$\therefore 415\leq m\leq425$$

**目** ④

**03** 표본의 크기 $n=100$, 표본평균 $\bar{x}=70$, 표본표준편차 $s=4$이고, 표본의 크기 $n$이 충분히 크므로 모표준편차 대신 표본표준편차를 사용할 수 있다.

모평균 $m$에 대한 신뢰도 95 %의 신뢰구간은

$$70-1.96\frac{4}{\sqrt{100}}\leq m\leq70+1.96\frac{4}{\sqrt{100}}$$

$$70-0.784\leq m\leq70+0.784$$

$$\therefore 69.216\leq m\leq70.784$$

**目** $69.216\leq m\leq70.784$

**04** 표본의 크기 $n=100$, 표본평균 $\bar{x}=70$, 표본표준편차 $s=15$일 때, 신뢰도 99 %로 추정한 모평균 $m$의 신뢰구간의 길이는

$$2\times3\frac{15}{\sqrt{100}}=9$$

신뢰도 95 %로 추정한 모평균 $m$의 신뢰구간의 길이는

$$2\times2\frac{15}{\sqrt{100}}=6$$

따라서 두 신뢰구간의 길이의 차는

$$9-6=3$$

**目** 3

**05** 모표준편차 $\sigma=5$이고, 모평균 $m$에 대한 신뢰도 99 %의 신뢰구간의 길이가 0.3 이하이어야 하므로

$$2\times2.58\frac{5}{\sqrt{n}}\leq0.3$$

$$\sqrt{n}\geq86 \quad \therefore n\geq7396$$

따라서 $n$의 최솟값은 7396이다.

**目** 7396

**06** 표본평균 $\bar{x}=56$, 표본표준편차 $s=5$이고, 표본의 크기 $n$이 충분히 크므로 모표준편차 대신 표본표준편차를 사용할 수 있다.

신뢰도 95 %로 추정한 모평균 $m$의 신뢰구간은

$$56-1.96\frac{5}{\sqrt{n}}\leq m\leq56+1.96\frac{5}{\sqrt{n}}$$

$54.6\leq m\leq57.4$에서 $56-1.4\leq m\leq56+1.4$

$$1.96\frac{5}{\sqrt{n}}=1.4, \sqrt{n}=7$$

$$\therefore n=49$$

**目** 49

**07** 신뢰도 95 %일 때, 모평균의 신뢰구간의 길이는

$$2\times1.96\frac{\sigma}{\sqrt{n}}$$

신뢰도 99 %일 때, 모평균의 신뢰구간의 길이는

$$2\times2.58\frac{\sigma}{\sqrt{n}}$$

즉, 신뢰도 $\alpha$의 값은 커질수록, 표본의 크기 $n$의 값은 작아질수록 신뢰구간의 길이는 길어진다.

따라서 신뢰구간의 길이가 가장 긴 것은 ②이다.

**目** ②

**08** 모표준편차 $\sigma=1.5$, 표본의 크기 $n=25$, 표본평균 $\bar{x}=15.3$이고, 모평균 $m$에 대한 신뢰도 99 %의 신뢰구간은

$$15.3-2.6\frac{1.5}{\sqrt{25}}\leq m\leq15.3+2.6\frac{1.5}{\sqrt{25}}$$

$$15.3-0.78\leq m\leq15.3+0.78$$

$$\therefore 14.52\leq m\leq16.08$$

**目** ④

**09** 표본평균 $\overline{X}$의 값을 $\bar{x}$라 하면

$$\bar{x}=\frac{10\times4+11\times2+12\times2+13\times1}{9}=\frac{99}{9}=11$$

모표준편차 $\sigma=1.5$, 표본의 크기 $n=9$이고, 모평균 $m$의 신뢰구간을 신뢰도 95 %로 추정하면

$$11-1.96\frac{1.5}{\sqrt9}\leq m\leq11+1.96\frac{1.5}{\sqrt9}$$

$$11-0.98\leq m\leq11+0.98$$

$$\therefore 10.02\leq m\leq11.98$$

**目** $10.02\leq m\leq11.98$

**10** 모평균을 $m$, 표본평균 $\overline{X}$의 값을 $\bar{x}$라 하고 신뢰도 95 %로 모평균을 추정하면

$$\bar{x}-1.96\times\frac{\frac{1}{1.96}}{\sqrt{10}}\leq m\leq\bar{x}+1.96\times\frac{\frac{1}{1.96}}{\sqrt{10}}$$

$$\bar{x}-\frac{1}{\sqrt{10}}\leq m\leq\bar{x}+\frac{1}{\sqrt{10}}$$

$$\therefore \alpha=\bar{x}-\frac{1}{\sqrt{10}}, \beta=\bar{x}+\frac{1}{\sqrt{10}} \quad\cdots\cdots\text{㉠}$$

$\alpha$, $\beta$가 이차방정식 $10x^2-100x+k=0$의 두 근이므로 근과 계수의 관계에 의하여 $\alpha+\beta=10$

㉠에서 $\alpha+\beta=2\bar{x}=10$

$$\therefore \bar{x}=5$$

또한, $\alpha\beta=\dfrac{k}{10}$이므로 ㉠에서

$$\alpha\beta=\left(5-\frac{1}{\sqrt{10}}\right)\left(5+\frac{1}{\sqrt{10}}\right)$$

$$=25-\frac{1}{10}=\frac{249}{10}=\frac{k}{10}$$

$$\therefore k=249$$

**目** 249

**11** 표본의 크기 $n=400$, 표본평균 $\bar{x}=200$, 표본표준편차 $s=20$이고, 표본의 크기 $n$이 충분히 크므로 모표준편차 대신 표본표준편차를 사용할 수 있다.

모평균 $m$의 신뢰도 95 %의 신뢰구간은

$$200-1.96\frac{20}{\sqrt{400}}\leq m\leq200+1.96\frac{20}{\sqrt{400}}$$

$$200-1.96 \leq m \leq 200+1.96$$
$$\therefore 198.04 \leq m \leq 201.96 \qquad \boxed{\text{답}}\ ①$$

**12** 표본의 크기 $n=81$, 표본평균 $\overline{x}=56.5$, 표본표준편차 $s=9$이고, 표본의 크기 $n$이 충분히 크므로 모표준편차 대신 표본표준편차를 사용할 수 있다.

모평균 $m$에 대한 신뢰도 99 %의 신뢰구간은
$$56.5-2.58\frac{9}{\sqrt{81}} \leq m \leq 56.5+2.58\frac{9}{\sqrt{81}}$$
$$56.5-2.58 \leq m \leq 56.5+2.58$$
$$\therefore 53.92 \leq m \leq 59.08 \qquad \boxed{\text{답}}\ 53.92 \leq m \leq 59.08$$

**13** 표본의 크기 $n=100$, 표본평균 $\overline{x}=80$, 표본표준편차 $s=20$이고, 표본의 크기 $n$이 충분히 크므로 모표준편차 대신 표본표준편차를 사용할 수 있다.

주어진 표준정규분포표에서 $\mathrm{P}(0 \leq Z \leq 2.17)=0.4850$이므로
$$\mathrm{P}(-2.17 \leq Z \leq 2.17)=0.97$$
모평균 $m$의 신뢰도 97 %의 신뢰구간은
$$80-2.17\frac{20}{\sqrt{100}} \leq m \leq 80+2.17\frac{20}{\sqrt{100}}$$
$$80-4.34 \leq m \leq 80+4.34$$
$$\therefore 75.66 \leq m \leq 84.34$$
$$\therefore k_2 = 84.34 \qquad \boxed{\text{답}}\ 84.34$$

**14** 표본의 크기 $n=100$, 표본표준편차 $s=50$이고, 표본의 크기 $n$이 충분히 크므로 모표준편차 대신 표본표준편차를 사용할 수 있다.

$\mathrm{P}(|Z| \leq k)=\dfrac{a}{100}$라 하면 신뢰도 $a$ %로 추정한 모평균 $m$의 신뢰구간의 길이는
$$2 \times k\frac{50}{\sqrt{100}}=209.4-190.6$$
$$10k=18.8$$
$$\therefore k=1.88$$
$\mathrm{P}(0 \leq Z \leq 1.88)=0.47$이므로
$$2\mathrm{P}(0 \leq Z \leq 1.88)=2 \times 0.47=0.94$$
$$\therefore a=94 \qquad \boxed{\text{답}}\ ②$$

**15** 모표준편차 $\sigma=3$, 표본의 크기 $n=324$이고,

$\mathrm{P}(-k \leq Z \leq k)=\dfrac{a}{100}$라 하면 신뢰도 $a$ %로 추정한 모평균 $m$의 신뢰구간의 길이는
$$2 \times k\frac{3}{\sqrt{324}}=\frac{k}{3}$$
즉, $\dfrac{k}{3}=0.2$이므로 $k=0.6$

$\mathrm{P}(-0.6 \leq Z \leq 0.6)=\dfrac{a}{100}$에서
$$a=100\mathrm{P}(-0.6 \leq Z \leq 0.6)$$
$$=200\mathrm{P}(0 \leq Z \leq 0.6)$$
$$=200 \times 0.23=46$$
$\mathrm{P}(-k' \leq Z \leq k')=\dfrac{2a}{100}=\dfrac{92}{100}$라 하면
$$2\mathrm{P}(0 \leq Z \leq k')=0.92$$

$$\therefore \mathrm{P}(0 \leq Z \leq k')=0.46$$
그런데 주어진 표준정규분포표에서 $\mathrm{P}(0 \leq Z \leq 1.8)=0.46$이므로 $k'=1.8$

따라서 신뢰도 $2a$ %로 모평균을 추정할 때, 신뢰구간의 길이는
$$2 \times 1.8\frac{3}{\sqrt{324}}=0.6 \qquad \boxed{\text{답}}\ 0.6$$

**16** 주어진 표준정규분포표에서 $\mathrm{P}(0 \leq Z \leq 1.28)=0.40$이므로 신뢰도 80 %로 추정한 모평균 $m$의 신뢰구간의 길이는
$$2 \times 1.28\frac{\sigma}{\sqrt{n}}=2k$$
$$\therefore k=1.28\frac{\sigma}{\sqrt{n}}$$

$a$ %로 추정한 모평균 $m$의 신뢰구간의 길이는 $4k$이므로
$$4k=4 \times 1.28\frac{\sigma}{\sqrt{n}}$$
$$=2 \times 2.56\frac{\sigma}{\sqrt{n}}$$
주어진 표준정규분포표에서 $\mathrm{P}(0 \leq Z \leq 2.56)=0.49$이므로
$$a=98 \qquad \boxed{\text{답}}\ 98$$

**17** 모표준편차 $\sigma=40$이고, 표본의 크기를 $n$이라 하면 신뢰도 95 %의 신뢰구간의 길이가 4이므로
$$2 \times 2\frac{40}{\sqrt{n}}=4, \ \sqrt{n}=40$$
$$\therefore n=1600\,(\text{명})$$
따라서 1600명의 성적을 조사해야 한다. $\qquad \boxed{\text{답}}\ 1600$명

**18** 모표준편차를 $\sigma$라 하면 표본의 크기가 $n$일 때, 모평균 $m$에 대한 신뢰도 95 %의 신뢰구간의 길이는
$$2l=2 \times 2\frac{\sigma}{\sqrt{n}} \qquad \therefore \frac{\sigma}{\sqrt{n}}=\frac{1}{2}l$$
표본의 크기가 $4n$일 때, 모평균 $m$에 대한 신뢰도 99 %의 신뢰구간의 길이는
$$2 \times 3\frac{\sigma}{\sqrt{4n}}=2 \times 3\frac{\sigma}{2\sqrt{n}}=3\frac{\sigma}{\sqrt{n}}=\frac{3}{2}l \qquad \boxed{\text{답}}\ ②$$

**19** 모표준편차 $\sigma=5$, 표본의 크기가 100이고,

$\mathrm{P}(|Z| \leq k)=\dfrac{a}{100}$일 때, 신뢰도 $a$ %로 추정한 신뢰구간의 길이가 3이라 하면
$$2 \times k\frac{5}{\sqrt{100}}=3 \qquad \therefore k=3$$
새로운 표본의 크기를 $n$이라 하고 같은 신뢰도 $a$ %로 추정한 신뢰구간의 길이가 2라 하면
$$2 \times 3\frac{5}{\sqrt{n}}=2, \ \sqrt{n}=15$$
$$\therefore n=225$$
따라서 구하는 표본의 크기는 225이다. $\qquad \boxed{\text{답}}\ 225$

**20** 모평균을 $m$, 표본평균 $\overline{X}$의 값을 $\overline{x}$, 표본의 크기를 $n$이라 하면 모표준편차가 15이므로 신뢰도 99 %로 추정한 모평균 $m$의 신뢰구간은

$$\bar{x}-3\frac{15}{\sqrt{n}}\leq m\leq\bar{x}+3\frac{15}{\sqrt{n}}$$

$$\therefore\ |m-\bar{x}|\leq3\frac{15}{\sqrt{n}}$$

모평균 $m$과 표본평균 $\bar{x}$의 차가 3 이하이어야 하므로

$$3\frac{15}{\sqrt{n}}\leq3,\ \sqrt{n}\geq15$$

$$\therefore\ n\geq225$$

따라서 표본의 크기를 225 이상으로 해야 한다.     🔲 225

**21** 표본의 크기를 $n$이라 하면 모표준편차가 0.4이므로 신뢰도 95 %로 추정한 모평균 $m$의 신뢰구간은

$$\bar{x}-1.96\frac{0.4}{\sqrt{n}}\leq m\leq\bar{x}+1.96\frac{0.4}{\sqrt{n}}$$

$$\therefore\ |m-\bar{x}|\leq1.96\frac{0.4}{\sqrt{n}}$$

모평균 $m$과 표본평균 $\bar{x}$의 차가 0.05 이하이어야 하므로

$$1.96\frac{0.4}{\sqrt{n}}\leq0.05,\ \sqrt{n}\geq15.68$$

$$\therefore\ n\geq245.8624$$

따라서 적어도 246명을 조사해야 한다.     🔲 ③

**22** 표본의 크기를 $n$이라 하면 모표준편차가 4이므로 신뢰도 99 %로 추정한 모평균 $m$의 신뢰구간은

$$\bar{x}-3\frac{4}{\sqrt{n}}\leq m\leq\bar{x}+3\frac{4}{\sqrt{n}}$$

$$\therefore\ |\bar{x}-m|\leq3\frac{4}{\sqrt{n}}$$

표본평균 $\bar{x}$와 모평균 $m$의 차가 1 이하이어야 하므로

$$3\frac{4}{\sqrt{n}}\leq1,\ \sqrt{n}\geq12$$

$$\therefore\ n\geq144$$

따라서 표본의 크기는 최소한 144명 이상이어야 한다.

    🔲 144명

**23** 모평균 $m$에 대한 신뢰도 95 %와 99 %의 신뢰구간의 길이는

각각 $2\times1.96\dfrac{\sigma}{\sqrt{n}},\ 2\times2.58\dfrac{\sigma}{\sqrt{n}}$ 이다.

ㄱ. B와 C의 표본의 크기와 표준편차가 서로 같기 때문에 신뢰도 95 %로 추정한 B와 C의 신뢰구간의 길이는 같다. (참)

ㄴ. 신뢰도 95 %로 추정한 A의 신뢰구간의 길이는

$$2\times1.96\frac{3}{\sqrt{100}}=2\times1.96\frac{3}{10}=1.176$$

신뢰도 99 %로 추정한 C의 신뢰구간의 길이는

$$2\times2.58\frac{2}{\sqrt{256}}=2\times2.58\frac{2}{16}=0.645$$

즉, 신뢰도 95 %로 추정한 A의 신뢰구간의 길이가 신뢰도 99 %로 추정한 C의 신뢰구간의 길이보다 길다. (참)

ㄷ. 신뢰도 95 %로 추정한 B의 신뢰구간의 길이는

$$2\times1.96\frac{2}{\sqrt{256}}=2\times1.96\frac{2}{16}=0.49$$

신뢰도 95 %로 추정한 D의 신뢰구간의 길이는

$$2\times1.96\frac{3}{\sqrt{100}}=2\times1.96\frac{3}{10}=1.176$$

즉, 신뢰도 95 %로 추정한 B의 신뢰구간의 길이가 신뢰도 95 %로 추정한 D의 신뢰구간의 길이보다 짧다. (참)

따라서 ㄱ, ㄴ, ㄷ 모두 옳다.     🔲 ㄱ, ㄴ, ㄷ

**24** A가 추정한 신뢰구간의 길이는 $b-a$

B가 추정한 신뢰구간의 길이는 $d-c$

ㄱ. 표본의 크기가 같을 때, 신뢰도가 높을수록 신뢰구간의 길이가 길어지므로

$$b-a<d-c\ (참)$$

ㄴ. 신뢰도가 같아도 표본의 크기에 따라 표본평균이 달라질 수 있으므로 신뢰구간의 길이는 비교할 수 있지만 신뢰구간의 포함 관계는 알 수 없다. (거짓)

ㄷ. 표본의 크기가 커지면 신뢰구간의 길이는 짧아지고, 신뢰도가 커지면 신뢰구간의 길이는 길어지는데 $n_1<n_2$이고 $\alpha_1<\alpha_2$이면 두 신뢰구간의 길이를 비교할 수 없다. (거짓)

따라서 옳은 것은 ㄱ뿐이다.     🔲 ①

**25** $\displaystyle\sum_{k=1}^{25}x_k=375$이므로 표본평균 $\overline{X}$의 값을 $\bar{x}$라 하면

$$\bar{x}=\frac{(표본의\ 총합)}{(표본의\ 개수)}=\frac{375}{25}=15$$

모표준편차 $\sigma=10$, 표본의 크기 $n=25$이므로 모평균 $m$에 대한 신뢰도 95 %의 신뢰구간은

$$15-2\frac{10}{\sqrt{25}}\leq m\leq15+2\frac{10}{\sqrt{25}}$$

$$\therefore\ 11\leq m\leq19$$     🔲 $11\leq m\leq19$

**26** 모표준편차 $\sigma=\dfrac{1}{2}$, 표본의 크기 $n=25$이고, 표본평균을 $\bar{x}$라 하면 모평균 $m$에 대한 신뢰도 95 %의 신뢰구간은

$$\bar{x}-c\frac{\frac{1}{2}}{\sqrt{25}}\leq m\leq\bar{x}+c\frac{\frac{1}{2}}{\sqrt{25}}$$

이 신뢰구간이 $[a,\,b]$이므로

$$a=\bar{x}-\frac{c}{10},\ b=\bar{x}+\frac{c}{10}$$

즉, $b-a=\dfrac{2c}{10}$이므로

$$c=5(b-a)$$     🔲 ⑤

**27** 표본평균의 값을 $\bar{x}$라 할 때, 모평균 $m$에 대한 신뢰도 80 %의 신뢰구간은

$$\bar{x}-1.28\frac{\sigma}{\sqrt{n}}\leq m\leq\bar{x}+1.28\frac{\sigma}{\sqrt{n}}$$

이 신뢰구간이 $[107.2,\,132.8]$이므로

$$\bar{x}-1.28\frac{\sigma}{\sqrt{n}}=107.2\quad\cdots\cdots\ ㉠$$

$$\bar{x}+1.28\frac{\sigma}{\sqrt{n}}=132.8\quad\cdots\cdots\ ㉡$$

㉠+㉡을 하면

$$2\bar{x}=240\quad\therefore\ \bar{x}=120$$

$\bar{x}=120$을 ㉡에 대입하면

$$1.28\frac{\sigma}{\sqrt{n}}=12.8$$

$$\therefore\ \frac{\sigma}{\sqrt{n}}=10$$

모평균 $m$에 대한 신뢰도 96 %의 신뢰구간은

$$\bar{x}-2.06\frac{\sigma}{\sqrt{n}}\leq m\leq \bar{x}+2.06\frac{\sigma}{\sqrt{n}}$$ 에서

$$120-2.06\times 10\leq m\leq 120+2.06\times 10$$

$$\therefore 99.4\leq m\leq 140.6$$

따라서 모평균 $m$에 대한 신뢰도 96 %의 신뢰구간에 속하는 자연수의 개수는 100, 101, 102, $\cdots$, 140의 41이다.

🔒 41

**28** 표본표준편차 $s=13$이고, 표본의 크기 $n$이 충분히 크므로 모표준편차 대신 표본표준편차를 사용할 수 있다.

모평균 $m$에 대한 신뢰도 95 %의 신뢰구간은

$$\bar{x}-1.96\frac{13}{\sqrt{n}}\leq m\leq \bar{x}+1.96\frac{13}{\sqrt{n}}$$

이 신뢰구간이 [119.04, 122.96]이므로

$$\bar{x}-1.96\frac{13}{\sqrt{n}}=119.04 \quad \cdots\cdots ㉠$$

$$\bar{x}+1.96\frac{13}{\sqrt{n}}=122.96 \quad \cdots\cdots ㉡$$

㉠+㉡을 하면

$$2\bar{x}=242 \qquad \therefore \bar{x}=121$$

$\bar{x}=121$을 ㉡에 대입하면

$$1.96\frac{13}{\sqrt{n}}=1.96, \sqrt{n}=13$$

$$\therefore n=169$$

$$\therefore n+\bar{x}=169+121=290$$

🔒 290

**29** 모표준편차 $\sigma=3$, 표본의 크기가 $n(n+1)$일 때, 신뢰도 95 %로 추정한 신뢰구간의 길이 $l_n$은

$$l_n=2\times 2\frac{3}{\sqrt{n(n+1)}}=\frac{12}{\sqrt{n(n+1)}}$$

이므로

$$l_n{}^2=\frac{144}{n(n+1)}$$

$$\therefore \sum_{n=1}^{15}l_n{}^2=\sum_{n=1}^{15}\frac{144}{n(n+1)}$$

$$=144\sum_{n=1}^{15}\left(\frac{1}{n}-\frac{1}{n+1}\right)$$

$$=144\left\{\left(\frac{1}{1}-\frac{1}{2}\right)+\left(\frac{1}{2}-\frac{1}{3}\right)+\left(\frac{1}{3}-\frac{1}{4}\right)+\cdots\right.$$
$$\left.+\left(\frac{1}{15}-\frac{1}{16}\right)\right\}$$

$$=144\left(1-\frac{1}{16}\right)$$

$$=144\times\frac{15}{16}=135$$

🔒 135

**30** ㄱ. $\overline{X_A}$는 $N\left(m,\ \frac{3^2}{12}\right)$인 정규분포를 따르고, $\overline{X_B}$는

$N\left(m,\ \frac{3^2}{7}\right)$인 정규분포를 따르므로

$$V(\overline{X_A})<V(\overline{X_B}) \ (참)$$

ㄴ. $\overline{X_A}$, $\overline{X_B}$의 분포는 그림과 같다.

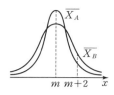

따라서 $P(\overline{X_A}>m+2)<P(\overline{X_B}>m+2)$
이므로

$$P(\overline{X_A}\leq m+2)>P(\overline{X_B}\leq m+2) \ (참)$$

ㄷ. $P(|Z|\leq k)=0.95$라 하면

$$b-a=2k\frac{3}{\sqrt{12}}, \ d-c=2k\frac{3}{\sqrt{7}}$$

즉, $d-c>b-a$이므로

$$a+d>b+c \ (참)$$

따라서 ㄱ, ㄴ, ㄷ 모두 옳다.

🔒 ⑤

**31** 표본의 크기가 $n$일 때, 신뢰도 95 %의 신뢰구간의 길이 $l$은

$$l=2\times 1.96\frac{\sigma}{\sqrt{n}} \quad \cdots\cdots ㉠$$

표본의 크기가 $f(k)$일 때, 신뢰도 95 %의 신뢰구간의 길이가

$\frac{l}{k}$이므로

$$\frac{l}{k}=2\times 1.96\frac{\sigma}{\sqrt{f(k)}} \quad \cdots\cdots ㉡$$

㉠÷㉡을 하면 $k=\frac{\sqrt{f(k)}}{\sqrt{n}}$이므로

$$f(k)=k^2 n$$

$$\therefore f(1)+f(2)+f(3)+\cdots+f(20)=n\sum_{k=1}^{20}k^2$$

$$=n\times\frac{20\times 21\times 41}{6}$$

$$=2870n$$

🔒 ⑤

**32** ㄱ. 모평균을 신뢰도 95 %로 추정한 신뢰구간의 길이 $l$은

$$l=2\times 2\frac{\sigma}{\sqrt{n}}=\frac{4\sigma}{\sqrt{n}} \ (참)$$

ㄴ. 모평균을 신뢰도 99 %로 추정한 신뢰구간의 길이는

$$2\times 3\frac{\sigma}{\sqrt{n}}=\frac{3}{2}\left(2\times 2\frac{\sigma}{\sqrt{n}}\right)=\frac{3}{2}l \ (참)$$

ㄷ. 모평균을 신뢰도 99 %로 추정할 때, 신뢰구간의 길이가 $3l$이 되게 하는 표본의 크기를 $n'$이라 하면

$$3l=2\times 3\frac{\sigma}{\sqrt{n'}}=\frac{6\sigma}{\sqrt{n'}}$$

$$l=\frac{4\sigma}{\sqrt{n}}$$ 이므로

$$3l=3\times\frac{4\sigma}{\sqrt{n}}=\frac{12\sigma}{\sqrt{n}}$$

즉, $\frac{6\sigma}{\sqrt{n'}}=\frac{12\sigma}{\sqrt{n}}$에서 $\sqrt{n'}=\frac{1}{2}\sqrt{n}$

$$\therefore n'=\frac{1}{4}n \ (거짓)$$

따라서 옳은 것은 ㄱ, ㄴ이다.

🔒 ③

**33** 모평균 $m$이 신뢰구간 $\bar{x} - k\dfrac{\sigma}{\sqrt{n}} \leq m \leq \bar{x} + k\dfrac{\sigma}{\sqrt{n}}$ 내에 속하

는 횟수가 50회 중에서 40회이므로

$$\dfrac{4}{5} = \mathrm{P}\left(\bar{x} - k\dfrac{\sigma}{\sqrt{n}} \leq m \leq \bar{x} + k\dfrac{\sigma}{\sqrt{n}}\right)$$

즉, $0.4 = \mathrm{P}\left(0 \leq m \leq \bar{x} + k\dfrac{\sigma}{\sqrt{n}}\right) = \mathrm{P}(0 \leq Z \leq k)$

$\therefore k = 1.28$

따라서 신뢰구간의 길이를 $l$이라 하면

$$l = 2 \times k\dfrac{\sigma}{\sqrt{n}} = 2 \times 1.28\dfrac{\sigma}{\sqrt{n}}$$

$\dfrac{3}{2}$배 늘어난 신뢰구간의 길이는

$$\dfrac{3}{2}l = \dfrac{3}{2} \times 2 \times 1.28\dfrac{\sigma}{\sqrt{n}}$$

$$= 2 \times 1.92\dfrac{\sigma}{\sqrt{n}}$$

모평균 $m$이 늘어난 구간 내에 속하는 횟수를 $a$라 하면

$$\dfrac{a}{100} = \mathrm{P}(-1.92 \leq Z \leq 1.92)$$

$$= 2\mathrm{P}(0 \leq Z \leq 1.92)$$

$$= 2 \times 0.47 = 0.94$$

$\therefore a = 94$      🔑 94회

**34** ㄱ. $\mathrm{E}(\overline{X_\mathrm{A}}) = m_1$, $\mathrm{E}(\overline{X_\mathrm{B}}) = m_2$이므로

$m_1 = m_2$이면 $\mathrm{E}(\overline{X_\mathrm{A}}) = \mathrm{E}(\overline{X_\mathrm{B}})$이다. (참)

ㄴ. 표본평균 $\overline{X_\mathrm{B}}$의 표준편차는 $\dfrac{\dfrac{\sigma}{2}}{\sqrt{n_2}}$, 즉 $\dfrac{\sigma}{2\sqrt{n_2}} \left(\neq \dfrac{\sigma}{2}\right)$이므

로 $\overline{X_\mathrm{B}}$는 정규분포 $\mathrm{N}\left(m_2, \left(\dfrac{\sigma}{2\sqrt{n_2}}\right)^2\right)$을 따른다. (거짓)

ㄷ. 모평균 $m_1$에 대한 신뢰도 95 %의 신뢰구간의 길이는

$$b - a = 2 \times 1.96\dfrac{\sigma}{\sqrt{n_1}}$$

이고, 모평균 $m_2$에 대한 95 %의 신뢰구간의 길이는

$$d - c = 2 \times 1.96\dfrac{\dfrac{\sigma}{2}}{\sqrt{n_2}}$$

$n_1 = 4n_2$이면

$$b - a = 2 \times 1.96\dfrac{\sigma}{2\sqrt{n_2}}$$

$$= 2 \times 1.96\dfrac{\dfrac{\sigma}{2}}{\sqrt{n_2}} = d - c \text{ (참)}$$

따라서 옳은 것은 ㄱ, ㄷ이다.      🔑 ③

# 아름다운 샘 BOOK LIST

## 개념기본서 수학의 기본을 다지는 최고의 수학 개념기본서

### ❖ 수학의 샘

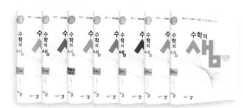

- 수학(상)
- 수학(하)
- 수학 I
- 수학 II
- 확률과 통계
- 미적분
- 기하

## 문제기본서 {기본, 유형}, {유형, 심화}로 구성된 수준별 문제기본서

### ❖ 아샘 Hi Math

- 수학(상)
- 수학(하)
- 수학 I
- 수학 II
- 확률과 통계
- 미적분
- 기하

### ❖ 아샘 Hi High

- 수학(상)
- 수학(하)
- 수학 I
- 수학 II
- 확률과 통계
- 미적분

## 예비 고1 교재 고교 수학의 기본을 다지는 참 쉬운 기본서

### ❖ 그래 할 수 있어

- 수학(상) • 수학(하)

## 단기 특강 교재 유형을 다지는 단기특강 교재

### ❖ 10&2

- 수학(상) • 수학(하)
- 수학 I • 수학 II

## 수능 기출유형 문제집 수능 대비하는 수준별·유형별 문제집

### ❖ 짱 쉬운 유형 / 짱 확장판

- 수학 I
- 수학 II
- 확률과 통계
- 미적분
- 기하

- 수학 I
- 수학 II
- 확률과 통계

### ❖ 짱 중요한 유형

- 수학 I
- 수학 II
- 확률과 통계
- 미적분
- 기하

### ❖ 짱 어려운 유형

- 수학 I
- 수학 II
- 확률과 통계
- 미적분
- 기하

## 수능 실전모의고사 수능 대비 파이널 실전모의고사

### ❖ 짱 Final 실전모의고사

- 수학 영역

## 중간·기말고사 교재 학교 시험 대비 실전모의고사

### ❖ 아샘 내신 FINAL (고1 수학, 고2 수학 I, 고2 수학 II)

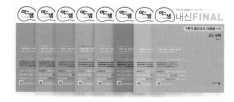

- 1학기 중간고사
- 1학기 기말고사
- 2학기 중간고사
- 2학기 기말고사

최상위권 유형별
**문제기본서** 하이 하이
# Hi High
## 확률과 통계

**펴낸이/펴낸곳** (주)아름다운샘

**펴낸날** 2020년 11월

**등록번호** 제324-2013-41호

**주소** 서울시 강동구 상암로 257, 진승빌딩 3F

**전화** 02-892-7878

**팩스** 02-892-7874

(주)아름다운샘의 사전 동의 없이 이 책의 디자인, 체제 및 편집형태 등을 무단으로 복사, 복제하거나 배포할 수 없습니다.

파본은 구입처에서 교환해 드립니다.